afgeschreven

DROOMBEELD

Kramat BVBA
Hulshoutsesteenweg 24
2260 Westerlo Belgium
Tel./Fax: +32 (0) 16 68 05 87
www.kramat.be

ISBN: 9789079552481
Wettelijk Depot: D/2011/7085/7
Nur: 334

Omslag: Artrouvé, Berlaar
Foto Mel Hartman door Cindey Frey
Vormgeving: Roelof Goudriaan
Drukwerk: MultiPrint LTD, Bulgaria

Mel Hartman

Droombeeld

UITGEVERIJ
KRAMAT

In moeilijke tijden leer je je vrienden kennen. Daarom is dit boek opgedragen aan Katrien, Sofie, Didi, Paul, Marleen, Pat, Henk, Rien, Jonna, Tim en Petra. Een kartonnen doos kan comfortabel zijn als je er met de juiste vrienden in zit.

Peetvader en peetmoeder van dit boek zijn: John Vermeulen en Joke Kraan.

Ten slotte wil ik Johanna Cafmeyer en Thirza Meta uitvoerig bedanken voor hun redactionele werk.

Wat je ook kunt, of droomt dat je kunt, begin er aan
- doortastendheid geeft genialiteit, kracht en magie.

Johann Wolfgang Von Goethe (1749 – 1832)

Deel 1

E.O.G. van de remslaap (droomslaap):
in tegenstelling tot de andere slaapfasen vertoont de remslaap, net als in wakkere toestand, snelle oogbewegingen: 'Rapid Eye Movements'.

1 Ratiowereld: dag 1

"Als bedriegers dromen, zijn hun dromen werkelijkheid."

Kadé Bruin

De verkoper keek de man onderzoekend aan en tikte ongeduldig met zijn voet op de grond. 'Hoe zit het? Koop je het nog… of koop je het niet? Ik heb genoeg andere kandidaten voor die glazen, het is het moment om te beslissen.' Hij perste de woorden eruit, alsof het hem moeite kostte. Alsof er een gigantische vetbol op zijn stembanden zat.

Ze bevonden zich in een verlaten steegje tussen twee immens hoge gebouwen. De verkoper, een emomens, voelde zich ongemakkelijk en ingesloten. De ijzige temperatuur deed hem zonder ophouden beven. Slechts hier en daar liet de grijze lucht zich zien, voor het overige werd ze verdrongen door betonnen mastodonten. Een luchtfoto van de stad zou eenzelfde beeld geven als dat van de meeste andere steden in Ratiowereld: kil, voornamelijk hoogbouw en geen greintje groen.

De invallende schemer en de schaduw van de portiek boden de twee geheimzinnig doende mannen voldoende bescherming tegen nieuwsgierige blikken. Luchtschepen, die volop de hemel doorkliefden, zouden hen eventueel wel kunnen opmerken. Maar de illegale praktijk die momenteel plaatsvond, stond nog in haar kinderschoenen en omdat niemand enig vermoeden had, was de kans om betrapt te worden erg klein.

De ratioman, die de goederen wilde kopen, draaide een roodgekleurd, eenvoudig uitziend glas rond in zijn fraai gemanicuurde handen, op zoek naar gebreken. Ondanks het weinige licht in het steegje weerkaatste het voorwerp een onnatuurlijk rode schijn, zodat de kastanjebruine haren en de extreem witte tanden van de man oplichtten.

'Hoe weet ik nou zeker dat het glas doet wat jij beweert?' De man vroeg het met een klein stemmetje. Hij was niet helemaal gerust over het gedrag van de vreemde verkoper die maar niet stil leek te kunnen staan, onophoudelijk met zijn lippen trok en manisch knipoogde.

'Man, hm, die paranoia van jullie, ratiomensen!' De verkoper rolde met zijn ogen en haalde schokkerig een plastic flesje uit zijn jaszak. 'Kijk dan.' Hij nam het glas met een ruk over en goot er ruw een beetje water uit het flesje in. De helft kwam op de grond terecht. 'Drink op,' gebood hij de man. 'Drink, drink.'

'Is het normaal water?'

'Waar zie je me voor aan, vent! Hm, hm,' piepte de verkoper in een poging verontwaardigd over te komen. 'Alsof ik een potentiële koper zou vergiftigen of zo. Hè, hm. Drink het nou maar op.' Het klonk nog net niet jammerend.

De man richtte zijn blik op de verkoper en dronk langzaam het glas leeg. Zodra hij het van zijn lippen verwijderde, vulde het zichzelf magisch bij met precies evenveel water. Hij had zoiets verwacht uiteraard, maar verbaasde zich er niettemin over.

'Zo, nu tevreden?' vroeg de verkoper met een haperende grijns. Zijn tanden, roodgekleurd door het schijnsel van het glas, staken fel af tegen de donkere omgeving.

De man knikte. 'Hoeveel?'

'Hoeveel is het je waard? Hè, hè?' De verkoper hield zijn hoofd schuin en wees de man aan. 'Bedenk goed hoeveel eenheden drank het glas je bespaart.' Hij wipte omhoog alsof een bij hem net gestoken had.

Door het vreemde gedrag van de verkoper begon de klant het op zijn heupen te krijgen. Hij tuitte zijn lippen en leek na te denken over hoe hij de volgende vraag kon stellen zonder een uitbarsting uit te lokken. Ten slotte zuchtte hij. ‘Hoelang blijft deze werking doorgaan? Ik heb gehoord dat spullen gemaakt door heksen vaak een erg beperkte houdbaarheidsdatum hebben.’

‘Tja, wat zal ik zeggen, hè. Dat weet je nooit op voorhand.’ De verkoper stapte uit de portiek en stopte het glas in zijn binnenzak. ‘Luister, hm, ik ga ervandoor. Het is duidelijk dat je geen interesse hebt.’ Hij wilde weg, de geur- en kleurloze omgeving werkte hem danig op de zenuwen.

‘Hé, wacht even.’ De man legde snel een hand op de schouder van de verkoper. ‘Vijftigduizend eenheden.’

‘Verkocht!’ Voor het eerst sinds hun ontmoeting verscheen er een zelfvoldane grijns op het gezicht van de verkoper en zag de man er volledig ontspannen uit. Hij bleef zelfs volkomen stilstaan, alsof hij een speeltje was waarvan de batterij leeggelopen was.

Terwijl de eenheden van eigenaar wisselden, vroeg de klant: ‘Hoe zorg ik ervoor dat het glas leeg blijft of hoe kan ik het vullen met een andere vloeistof?’

‘Dat is eenvoudig. Na het leegdrinken, hm, het glas zo snel mogelijk omdraaien, oké?’ antwoordde de verkoper ongeduldig, met eerdere zenuwtrekken en al. Lang in Ratiowereld verblijven voelde nooit goed aan, alsof je stikte onder een dikke, koude deken.

Toch waagde de klant het nog een vraag te stellen. ‘Mag ik weten waarom je magische spullen verkoopt in mijn wereld? Is dat niet verboden?’

De blik van de verkoper verduisterde. ‘Stel nooit zulke vragen. Hm? Bij een andere verkoper overleef je het misschien niet.’

2 Emowereld: dag 1

"In dromen en in liefde is niets onmogelijk."

Janus Arony

Kate en Kalon zaten gezellig binnen, terwijl het buiten bijtend koud was. Naar het scheen hadden de weerwolven te veel klachten ontvangen over hun weerbeleid. Te veel zomer, te weinig winterse kou. Het deerde hen niet. Ze vonden het al lang fijn dat ze op die manier lekker knus binnen konden blijven, verscholen voor de gure wind.

Kalon had haar net een open haard geschonken. Het was geen echt hout dat erin brandde, want Kates flat had geen schoorsteen. Maar de heks, die hem het prachtige marmeren ding had aangesmeerd, had ervoor gezorgd dat het niet van een echt exemplaar te onderscheiden viel. Het brandende hout rook zelfs naar dennennaalden en schors. En als bonus had ze er wat rookwalmpjes aan toegevoegd, discreet en zonder risico op prikkende ogen.

Omarmd lagen ze op de bank, Ewok zoals altijd tussen hen in gewrongen. Tevreden grommend liet ze zich door Kate strelen.

Een poosje staarden ze in volkomen rust naar de vlammen in de haard, genoten van de stilte en van elkaar. De wereld buitengesloten, slechts zij drieën waren van belang. Een fles rode Bacchuswijn stond geopend op het salontafeltje. Daarnaast twee bekers bloed, om de dorst te lessen. Kalon had wat hapjes klaargemaakt om de romantiek volledig te maken: toastjes met zalm, pesto en tsatsiki. Ze hadden ze in stilte voor de helft opgegeten.

Kalon kon zich amper beheersen toen hij de vanillegeur van Kates haren opsnoof, vermengd met een subtiel vleugje feromonen. Ze was echter doodmoe thuisgekomen van een opdracht met de fantasiejagers, zodat hij haar niet wilde dwingen. De beker bloed zou haar weldra wel actief maken, daar kon hij op rekenen. Geduldig wachtte hij af tot ze genoeg bij haar positieven was gekomen om een gesprek te voeren.

'Kalon?'

'Ja?' Hij drukte een zoen op haar kruin.

'Een weerwolf probeerde vandaag naar Ratiowereld te ontsnappen. Volgens mij hebben weerwolven dit nooit eerder gedaan.' Ze draaide haar hoofd opzij, zodat ze de reactie op zijn gezicht kon lezen. Soms vertelde dat meer dan een aura.

Kalon grijnsde. 'Dat was echt niet de eerste keer, Kate. Het verleden zal er waarschijnlijk bol van staan.'

De irissen van haar ogen, die onmogelijk in het normale kleurenspectrum thuishoorden, verdonkerden enigszins. 'Denk je?'

'Nagenoeg zeker van. Probeerden ze het via een dimensiescheur of via het Portaal?'

'Langs een dimensiescheur natuurlijk.'

Kalon schokschouderde. 'Zolang deze fenomenen blijven ontstaan, zal je nooit zonder werk zitten, schat.'

Kate boog zich voorover en nam een flinke slok van de rode wijn om haar ronddwalende gedachten enigszins tot rust te brengen. 'Ik weet niet of ik daar blij om moet zijn of niet.'

'Het was jouw keuze om bij een groep fantasiejagers te gaan werken, weet je nog?' Het kwam er niet uit zoals hij bedoelde, te beschuldigend. Gelukkig lette ze er niet op, of ze had de fut niet om in de verdediging te gaan.

'Ik snap niet waar die dimensiescheuren vandaan blijven komen. Ik weet dat het met een magische spreuk mogelijk is. Maar het zijn er zoveel de laatste tijd! Ik denk dat er nog een andere manier moet zijn. Misschien ontstaan ze in Ratiowereld, waar ze dan meestal vanzelf verdwijnen, maar dan blijken er opeens weer nieuwe te zijn. En je weet nooit op voorhand waar.' Ze keek nu boos, alsof ze zo die scheuren met een kettingzaag of bom te lijf wilde gaan. Niet dat het iets zou uitmaken.

'Heb je de Raad er al eens naar gevraagd?'

De Raad bestond uit wezens die niemand ooit gezien had. Maar ze waren er wel, zeker weten. Ze hielden zo nu en dan een oogje in het zeil in Emo- en Ratiowereld en traden heel af en toe in telepathisch contact met Emowereldbewoners. Het waren tijd- en dimensiereizigers en men vermoedde dat zij Emowereld gecreëerd hadden.

'Alsof die ooit ergens antwoord op geven.' Haar frustratie leek met de minuut te stijgen. Een ader klopte in haar hals. Kate had wel vaker de neiging zich druk te maken. Kalon maakte zich alleen druk om haar veiligheid, wanneer ze weer eens een opdracht had met de fantasiejagers. Gelukkig betrof dit meestal een onschuldige actie: het vangen van een overgelopen emowezen in Ratiowereld en deze terugbrengen. De laatste avonturen waren echter heel wat gevaarlijker en vooral gewelddadiger geweest.

Kalon vulde de glazen opnieuw met wijn. Zelf nam hij eerst een slok van het bloed, voor hij zichzelf niet meer in de hand zou hebben en haar de kleren van het lijf zou scheuren. Haar boosheid werkte erotiserend en vooral die kloppende ader in haar lange, zachte hals. 'Maar jullie hebben de weerwolf tegengehouden?' Kalon besloot het onderwerp een positieve richting te geven.

'Ja, hij paste er niet door, de scheur was te klein.' Ze zuchtte diep. Opluchting? 'Het was een kleine scheur. Eigenlijk heeft Ewok ons net op tijd gewaarschuwd.' Ewoks oor bewoog, als teken dat ze het gehoord had. 'Codie houdt nu de wacht bij die scheur tot hij verdwenen is. Het leidt zijn gedachten wat af, nu die sirene hem in de steek heeft gelaten.'

'Neem een slokje bloed,' spoorde Kalon aan. 'Daar kikker je van op.' *En misschien heb je dan nog zin in iets anders ook*, dacht hij erbij.

Ze gehoorzaamde, wat zelden voorkwam, want daar was ze te

eigengereid voor. Het had Kalon heel wat moeite en jaren gekost om haar te overtuigen van zijn liefde voor haar en tot een samenwonen, maar dat was ook de schuld van haar grootmoeder. Door haar eigen negatieve ervaringen op liefdesvlak met een vampier had ze haar heksenkunsten op haar kleindochter losgelaten en ervoor gezorgd dat Kate zich nimmer zou binden aan een vampier. Ze had verloren. Die gedachtesprong bracht Kalon op een idee.

'Zou je niet een heks een apparaat kunnen laten maken dat dimensiescheuren opspoort? Net als die apparaten die verloren voorwerpen opsporen. Het zou jullie heel wat werk besparen.'

'Hm, dat is misschien wel mogelijk.' Haar gezicht klaarde meteen op en verdreef de schemer uit de kamer. 'Daar had ik nu nooit aan gedacht.'

Kalon grijnsde zijn hoektanden bloot, wetende dat het haar vaak opwond. 'Dat ik magazijnbediende ben, betekent niet dat ik geen hersenen heb.'

Ze gaf hem een harde por. 'Dat heb ik nooit beweerd,' zei ze met een brede glimlach. Het was hem dan toch gelukt haar humeur op te krikken. Zoals meestal. 'Morgen heb ik een afspraak met Drake.'

'Doe hem de groeten en vergeet niet dat we daarna op het geboortefeest van Arle zijn uitgenodigd.'

Ze knikte en keek hem broeierig aan. 'Ik ben er klaar voor,' zei ze hees. Ze had het laatste woord nog niet uitgesproken of Kalon had zijn mond al op die van haar geplant. Ewok kon nog net op tijd wegspringen.

3 Emowereld: dag 2

"Uit de dromen van de lente wordt in de herfst jam gemaakt."
Peter Bamm

'Het is hier heerlijk rustig.' Kate zuchtte diep en sloot haar ogen. Ze rook het mos waarop ze lag en de varens om haar heen. Het licht dat door de bomen scheen en door de mist gefilterd werd, had een spookachtig groen tintje. Geritsel in de struiken en zacht vogelgezang op de achtergrond bezorgden haar een ontspannen gevoel waarvan ze met volle teugen genoot. De rust kon namelijk van korte duur zijn en elk moment verstoord worden door een oproep van de IFG, de Internationale Fantasiejagers Groep. Dat was het overkoepelend orgaan waar de vele fantasiejagersgroepen in ondergebracht waren. Meestal hield Kate van het onvoorspelbare in haar werk, maar soms kwamen de oproepen wel erg ongelegen.

'De bossen van Avalon zijn de ideale plaats om zorgen buiten te sluiten,' gaf haar grootvader toe terwijl hij zijn kleindochter teder aankeek. De gelijkenis met haar moeder, zijn overleden dochter, Desiree, was zo treffend dat het hem naar lucht deed happen en zijn schuldgevoelens gemeen de kop opstaken. Maar hij wist dat het geen nut had te rouwen om gebeurtenissen uit het verleden en dat hij de nieuwe kansen die hij met zijn kleindochter gekregen had met beide handen moest aangrijpen.

'Wonen de schimmen hier niet, Drake?' vroeg Kate, waarbij ze haar grootvader met één geopend oog aankeek. Doordat ze hem het grootste deel van haar leven niet gekend had, noemde ze hem zelden opa. Maar dat betekende niet dat ze niet van hem hield als van een grootvader.

'Ik dacht het wel, ja. Al is wonen een ruim begrip. Bij schimmen is het eerder *verblijven*.'

'Ik kan me voorstellen waarom. De mist lijkt net een beschermend schild, geborgen en veilig. Ik houd er wel van.'

'Je bent echt mijn kleindochter.' Het klonk niet zonder enige trots. 'En zeg me nu niet dat je ook van de regen houdt?'

Ze grijnsde. 'Hm, soms. Afhankelijk van wat ik aan heb.'

'Of waar je bent. In een grot hoor je de druppels op de stenen tikken en dat werkt rustgevend.'

'Of wanneer je lekker binnen zit op de bank met een dekentje en een goed boek.'

'Over boeken gesproken… Schrijf je nog?'

Kate knikte. 'De belevenissen met de groep schrijf ik neer, ja.' Ze observeerde een mannelijk musje, dat rond een vrouwtje baltste, tjilpend om haar aandacht.

'Prima. Het zal je wel eens lukken om gepubliceerd te worden.'

Dat is al eens gelukt, dacht Kate. Alleen was iedereen het vergeten, samen met een verschrikkelijke gebeurtenis uit het verleden. Ze kon dus weer opnieuw beginnen.

Kate ging rechtop zitten en nam de omgeving in zich op. 'Er moeten hier heel wat varenfretters wonen, niet? Het is hier een waar varenparadijs.'

Drakes opaalzwarte haren glansden in de weinige zonnestralen die door de mist heen braken terwijl hij vooroverboog. Met half dichtgeknepen ogen tuurde hij voor zich uit en wees. 'Daar zit er één.'

Nieuwsgierig als ze naar andere wezens was, sprong Kate op en was al naar de aangewezen varen op weg. Ze klopte de restjes mos van haar rok af, alsof ze zichzelf voor die uitzonderlijke schepseltjes toonbaar wilde maken.

'Voorzichtig!' maande Drake aan. 'Ze zijn nogal schuw.'

'Ik zie hem niet,' klonk het teleurgesteld. 'Ondanks mijn vampierzicht.'

'Je moet anders kijken, Kate. Hun vachtje is even groen als de varen, dat is hun camouflage. Ze lijken een beetje op een groot boomblad en hun poten op takjes.'

Kate tuurde ingespannen naar de varen voor haar. *Je moet anders kijken, Kate*, herhaalde ze Drakes advies, *niet zoals normaal.* Ze begon scheel te zien en had het bijna opgegeven, tot ze eindelijk een beestje ontwaarde. De subtiele beweging had nog net haar aandacht getrokken. Het wezentje was inderdaad aan het zicht onttrokken door een perfecte camouflage die helemaal opging in de kleuren van de omgeving. Alleen zijn ogen, als oplichtende speldenprikjes, verraadden hem enigszins. En als ze heel goed keek, merkte ze dat zijn aura een net iets andere groene kleur had dan zijn iele lijfje. Zodra het doorhad dat Kate het zag, stond het stokstijf stil en staarde haar gebiologeerd aan.

'Wees niet bang,' zei Kate zacht. 'Ik ben alleen maar nieuwsgierig naar je. Ik doe je geen kwaad. Wat ben je mooi!'

'Je meent het,' hoorde ze Drake achter haar grinnikend zeggen.

'Ja, ik vind ze prachtig.'

'Dan ben jij de enige.'

'Stt, straks hoort het je nog.'

'Ze verstaan ons niet, Kate. Andere taal. Maar jij kunt waarschijnlijk wel telepathisch met hen communiceren.'

Kate draaide zich echter om en liep weer naar Drake. Nog steeds onder de indruk van dat kleine wonder plofte ze op het zachte mos neer. 'Nee, het begon helemaal te trillen, het arme ding. En zijn aura vertoonde meer en meer angstige kleuren.'

Op dat moment kwam Ewok uit de struiken tevoorschijn. Takjes zaten verstrengeld in het haar van haar poten en een donkergroen boomblad sierde haar hoofd alsof ze een boshoed droeg.

-Waar zat jij? Vroeg Kate telepathisch.

Het antwoord van Ewok had een spottende ondertoon. -Verkenning.

-Zit je bij de padvinders of wat?

-Verkenning van de weerwolfpopulatie hier. Wat dacht je dan?

-O, dus je werkt nu bij de volkstelling?

-Haha, wat ben je hilarisch, maar niet heus.

-En heb je er gevonden?

-Wat dacht je.

Kate trok een gezicht naar Drake als wilde ze zeggen: ze is weer eigenwijs. Drake, die geen elfengenen had en dus niet met dieren kon communiceren, grijnsde terug, zijn witte vampierhoektanden volledig ontbloot. Ewok wipte op Kates schoot en sloot met een immens diepe zucht, zoals alleen honden dat kunnen, haar ogen.

'De grond is niet goed genoeg voor mevrouw, zeker,' spotte Kate. Ewok gromde alleen maar bij wijze van antwoord.

'Het is een aparte hond,' zei Drake, nog steeds glimlachend.

'Apart is nog een eufemisme.' Toen weifelend: 'Drake?'

'Ja.'

'Weet jij veel over onze stamboom?'

'Niet bijster veel, nee. Waarom?'

Kate wist niet goed hoeveel ze aan haar grootvader kon vertellen, want ze wilde hem niet onnodig ongerust maken. Anderzijds liep ze nu al een poos met die vraag in haar hoofd rond. Eigenlijk sinds het opduiken van het Niets, of misschien daarvoor al. Het was haar bloed dat ervoor gezorgd had dat het Niets geen kans had gehad om de hele droomwereld in zich op te nemen en te vernietigen. Een eerdere mogelijkheid om met Drake te praten of zelfs haar elfen overgrootvader, Melfo, ernaar te vragen, had ze nog niet gehad.

'Kom op, Kate, wat is er aan de hand?'

Kate beet op haar onderlip en keek Drake aan. 'Bij een van de opdrachten met de fantasiejagers was Emowereld bijna verwoest. Nee, niet verwoest, volledig verdwenen, alsof die nooit zou hebben bestaan.'

'Wat zeg je me nu? Daar heb ik niets van opgevangen.' Drake keek haar geschrokken aan.

Kate besloot hem dan maar volledig op de hoogte te brengen en vertelde wat er gebeurd was en wat haar rol in het hele gebeuren was geweest. Toen ze uitgesproken was, keek ze beschaamd van hem weg.

Uiteindelijk zei Drake: 'Je voelt je toch niet schuldig? Dat is helemaal bespottelijk!'

Nog steeds keek Kate naar een punt tussen de majestueuze bomen. 'Nou…'

'Jij hebt niet dat Niets opgeroepen en trouwens, zonder jou bestonden we niet meer. Ik kan me alleen nog trotser op je voelen dan ik al was!'

Kate haalde enkel haar schouders op. Het was even stil, zodat de mist bijna hoorbaar werd en leek te zuchten onder de gelatenheid van de bomen.

'Maar,' zei Drake zacht. 'Nu wil je uiteraard weten hoe onze stamboom in elkaar zit.'

Kate knikte en keek hem aan. Ze probeerde haar tranen weg te dringen.

'Weet je,' begon Drake op zachte toon, 'dat Miriam, mijn vrouw, dat ook probeerde uit te zoeken?'

'Werkelijk?'

'Ja, voor haar was het puur uit nieuwsgierigheid.'

'En wat had ze ontdekt?' Ze slikte de krop in haar keel weg. Ze voelde positieve energie borrelen – haar grootmoeder had vast iets ontdekt. Iets waar zij wat mee kon.

'Eigenlijk niet veel. De lijn leek gedurende lange tijd op te houden bij Elise en Frederik, jouw betovergrootouders, alsof ze uit de lucht waren gevallen en er voordien geen voorouders bestonden. Wat uiteraard belachelijk is.'

'Ja, ik stuit op hetzelfde probleem,' beaamde Kate geestdriftig. 'Maar Elise moet toch meer geweten hebben? Wie haar ouders waren en zo.'

Drake schudde zijn hoofd. 'Elise wilde het niet vertellen of ze wist het niet. Hoe dan ook, ze deed er nogal geheimzinnig over.'

'Raar.'

'Wat je zegt.'

'En wat vermoedde Miriam? Ze had toch vermoedens, of niet?'

Nu leek het of Drake twijfelde. 'Het klinkt nogal belachelijk.'

'Dat maakt me niets uit,' stootte Kate harder uit dan ze bedoelde. 'Alles is beter dan niets.'

'Die koppige nieuwsgierigheid heb je zeker van haar, Kate,' grijnsde Drake.

'Opa!'

'Nou goed. Je weet dat Melfo de gave heeft om door te dringen tot de diepste mentale lagen van de hersenen, het onderbewuste en het geheugen?'

Uiteraard wist Kate dit, ze had er meermaals gebruik van moeten maken, dus knikte ze.

'Wel, je weet dat dit geen natuurlijke gave is waar elfen mee geboren worden?'

'Ja.' Haar nieuwsgierigheid om wat Miriam had ontdekt, verlamde haar. Ze voelde intuïtief aan dat haar grootmoeder in de goede richting had gezeten.

'Ze denkt dat die gave afkomstig is van de hogere elfen. En dat niet alleen Melfo, maar ook Elise, door haar uitzonderlijke magische krachten, mogelijk afstamde van een hogere elf.'

'De hogere elfen? Zoals Venus en Hecate?'

'Ja.'

'Maar gaat het gerucht niet dat deze van de Raad afstammen of ooit bij de Raad hoorden?'

Nu was het Drakes beurt om te knikken.

4 Ratiowereld: dag 2

"Als ge uw dromen intens genoeg beleeft, worden ze wel eens werkelijkheid."

Bob Boon

De VR-club gonsde van activiteit. De barman keek de dansende en springende menigte met enige verbazing aan. Nooit eerder had zijn club zoveel bezoekers geteld als de afgelopen dagen. Publiciteit had hij nochtans niet gemaakt, want doordat de club illegaal was, kon hij zich daar niet aan wagen. Hij kon zich evenmin voorstellen dat er plots een golf van mondelinge reclame de ronde had gedaan. In die korte tijd was dat onmogelijk.

En dat was niet het enige. De aanwezigen waren niet alleen jongeren, maar mannen en vrouwen van allerlei leeftijden en ze gingen tekeer als een bende wilden! Het dansen leek meer op verhit stampwerk dan op gracieuze bewegingen. De betongrijze vloer beefde onder hun ongeremde gespring en gebonk. Muziek was er niet te horen, omdat elke gast in de beslotenheid van een pak in zijn eigen wereldje van sensaties vertoefde. Ze hielden maar niet op en ruilden hun VR-pakken om het uur in om zich in een ander pak te hijsen en de dansvloer joelend te betreden. De club had nooit eerder zo gestonken naar zweet. De barman schudde verontwaardigd zijn hoofd. Wat was er in 's hemelsnaam aan de hand? Had iedereen een geheime pretpil geslikt? Waren ze gek geworden? Moesten ze niet allemaal aan het werk zijn op dit uur? Ze leken verdorie op die rare mensen uit Emowereld, emotioneel en uitgelaten.

‘Hey, hoi! De mandoline, por favor.’

De vrouw van middelbare leeftijd die voor de barman stond, grijnsde hijgend. Het zweet droop van haar gezicht en haar borsten wipten snel op en neer. Ze wurmde zich uit een pak en gooide het met een zwaai op de toog.

‘Of een andere! Maakt niet uit welke,’ riep de vrouw naar de barman.

De barman keek haar verbaasd aan.

‘Nou,’ drong ze aan en glimlachte breeduit.

‘Komt eraan.’ Hij had zich al omgedraaid om het nieuwe pak te nemen.

‘Ik heb me in tijden niet meer zo geamuseerd,’ vervolgde de vrouw tegen de rug van de barman. Ze bleef op en neer wippen, alsof ze een raar werkende trilpil of iets dergelijks had geslikt. ‘Wat zeg ik? Ik heb me nog nooit zo geamuseerd!’

De barman kwam terug en schudde opnieuw niet-begrijpend zijn hoofd.

De vrouw grinnikte en griste het pak uit de barman zijn handen, waarna ze zichzelf snel in het pak wurmde.

‘Voel je je wel goed?’ vroeg de barman, terwijl hij dacht: *voelt íemand zich wel goed vandaag?*

‘Natuurlijk voel ik me goed! Geweldig zelfs. Vrede, man!’

Vrede, man? Waar kwam dat nou vandaan? De barman vroeg niet verder, bang voor nog meer irrationeel gedrag of absurde antwoorden. Zo ging het namelijk de hele dag al en het werd met het uur gestoorder.

De vrouw verdween in de drukke menigte op de dansvloer. ‘Hier kom ik!’ joelde ze tegen niemand in het bijzonder, omdat niemand haar kon horen. Het klonk gedempt door het masker dat ze op had, maar toch hoorde de barman nog luid en duidelijk haar laatste woorden:

'Dancing Queen komt eraan!'

De club was echter niet voorzien op zoveel mensen en het duurde dan ook niet lang voor er, door het duwen en botsen, relletjes ontstonden. Een vrouw wierp haar VR-masker af en porde een andere vrouw in haar zij. Waarop die laatste haar een welgemikte klap in het gezicht gaf. Een vreemde schermutseling volgde, waarbij de vrouwen op twee amateuristische worstelaars leken: trekkend aan haren, stampend in de lucht en klauwend met hun handen.

Even was de barman te verbluft om iets te ondernemen. Hij stond maar te kijken, zijn mond halfopen van opperste verbazing. Dan snelde hij achter de bar vandaan om de vrouwen uit elkaar te halen. Het kostte hem meer moeite dan hij gedacht had. Hun handgrepen leken verdorie wel de ijzersterke kracht van krokodillenkaken te hebben!

De uitbater besloot op dat moment dat het tijd werd om met pensioen te gaan. Hij had het gehad! Werkelijk waar!

Door al het tumult vielen de drie nieuwkomers, met hun duistere verschijning, donkere zonnebrillen en zwarte kledij, niet op. Maar zelfs al had iemand hen gezien en de boel gealarmeerd, dan nog zou het niet veel uitgemaakt hebben.

5 Emowereld: dag 2

"Een leven zonder dromen is als een tuin zonder bloemen."

G. Beese

Kate vond het wel grappig. Een reusachtige, feloranje teddybeer stond over een rieten wiegje gebogen dat hij voorzichtig heen en weer wiegde. Het zonlicht, dat volop naar binnen viel, deed zijn zachte vacht glanzen, alsof die lichtgevend was. In tegenstelling tot gisteren was het vandaag een mooie, zonnige dag. De beer trok allerlei gekke bekken, van simpelweg zijn tong uitsteken tot het laten uitpuilen van zijn ogen. De baby in de wieg kraaide van plezier en zwaaide uitgelaten met haar armpjes en beentjes. Het was niet te zeggen wie er het meest genoot: beer of baby.

'Geerd is gek op de kleine,' zei Loki, die de beer en de baby met een warme blik aankeek. 'En ik trouwens ook.' Geerd en Loki, wisselaars en broers, waren de buren van Gehlen en Natasha. Net als Kate en haar vrienden waren ze op kraamvisite gekomen om de kleine Arle te bewonderen.

Natasha legde teder een hand op Loki's arm. 'Dat weet ik.'

De felle zon scheen op haar gezicht en gaf haar al zachte, moederlijke gloed een nog diepere intensiteit. Op straat liep een heks voorbij die even binnenkeek, het vrolijke tafereel aanzag en vriendelijk zwaaide. Natasha zwaaide glimlachend terug.

'Geerd doet niet voor elke baby zoveel moeite, hoor. Ik bedoel, dat veranderen van uiterlijk gaat niet zonder de nodige pijn en energie.' Natasha keek hem verschrikt aan, zodat Loki snel vervolgde: 'O, nee, zo erg is het niet. Trouwens, we moeten onze gedaantewissels af en toe oefenen, anders roest het.'

'Moet ik je nou geloven?' vroeg ze met een scheef lachje. Ze blikte even naar Kate, die haar schouders ophaalde om aan te geven dat ze zich er niet mee wilde bemoeien.

Loki schokschouderde en glimlachte haperend. Hij en zijn broer Geerd kwamen bijna dagelijks naar de kleine Arle kijken. Ze waren niet alleen gek op haar, ze aanbaden haar met heel hun wezen. De eerste ratiomens, geboren in Emowereld, was op zich al wonderlijk natuurlijk. Bovendien was Arle een baby die altijd lachte, rustig sliep en alles prima vond. Vooral de aandacht van Geerd, die zich in allerlei bochten wrong om Arle telkens opnieuw te verrassen met een nieuwe verschijning, zoals vandaag een beer. Toch voelde Arle haarfijn aan dat het Geerd was. Dat zag je aan haar begroeting die alleen voor hem bestemd was: een soort pruttelen met de lippen waarop steevast een hoge toon volgde.

Er werd op de deur geklopt.

'Kom maar!' riep Natasha.

Ze hoorden de deur opengaan en even later stapten Dille en Henk binnen.

Dille was drie maanden zwanger en haar anders zo ernstige gezichtje zag er rozig en overgelukkig uit. Ze straalde als een pasgeslepen diamant en glimlachte van oor tot oor. Henk bleef als een fanatieke schaduweter aan haar zijde gekleefd. Zijn trots was bijna tastbaar. In plaats van haar gebruikelijke laptop droeg Dille een gewone handtas. Ze was, net als Natasha en Gehlen, verhuisd naar Emowereld, nadat ze met een emomens een relatie begonnen was.

'Hallo, moedertje en vadertje in wording.' Natasha stond op en omhelsde Dille en Henk. Daarna volgden Kate en Kalon.

'Hoe gaat het met Arle?' vroeg Dille, die meteen naar de wieg liep. Ze slaakte een verschrikt kreetje toen ze de gigantische beer zag staan en giechelde toen nerveus. 'Geerd?'

De beer knikte en knipoogde.

'De beer is haar favoriete verschijning,' verklaarde Natasha. 'Haar hele gezichtje licht op wanneer hij er is.'

'Ja, welk kind zou niet een levensechte beer willen?' Dille streelde zacht Arles hoofdje.

'Ik zie een frons zo diep als het Kanaaravijn,' zei Henk, die naast haar stond en een zoen op haar hoofd gaf. 'Pieker je weer of je wel een goede moeder zal zijn?' Hij keek haar liefdevol aan.

'Je leest mijn gedachten toch niet, hé, schat?' Dille klonk boos, maar haar ogen stonden teder.

'Ik zou niet durven,' grijnsde Henk. 'Het is ook niet nodig, want je bent een open boek voor me. Dat weet je toch? En die frons verraadt je altijd weer; het zegt me meer dan woorden.'

Dille gaf hem spontaan een zoen op de mond.

'Trouwens, ook je aura is duidelijk genoeg, hoor,' grijnsde Kate.

'Hoe gaat het met Codie?' vroeg Dille.

'Hij komt zo meteen.' Natasha zuchtte diep. 'Ik denk dat het iets beter gaat. Hij kijkt nu niet meer alsof hij elk moment in tranen kan uitbarsten en er kan al eens een lachje af.'

Codie was na zijn breuk met de sirene Molpe lange tijd diep ongelukkig geweest. Zijn eerste grote liefde. Samen zijn met Molpe had hen enkele gelukzalige weken gebracht, waarbij ze amper de slaapkamer hadden verlaten. De waarheid over Molpe, de waarschuwingen van de anderen, het werd allemaal verdrongen naar een wereld waar deze niet in thuishoorden. Voor het eerst was Codie volledig zichzelf geweest, volmaakt gelukkig. Nooit eerder had hij zo in het nu geleefd. Dat hadden ze allen gezien en meegevoeld.

Tot op die vreselijke dag, toen hij Molpe met een trol in bed had betrapt. Er was zoveel door hem heen gegaan, vertelde hij later. Het eerste was uiteraard de schok dat Molpe niet genoeg aan hem had, dat ze niet genoeg van hem hield om haar lichaam alleen aan hem te schenken, dat ze nog altijd voldoening zocht in de armen van een ander. Maar een trol? Waarom een trol die haar niet zacht streelde tot ze rillingen kreeg, maar haar met pijnlijke knepen en krabben tot een hoogtepunt bracht? Waarom een stinkende, harige trol die haar ziel niet kende, die haar hart niet voelde kloppen? Ze had hem niet eens met een blik vol schuld aangekeken. Nee, in plaats daarvan had ze de durf gehad hem in haar bed uit te nodigen, bij de trol en haar. Walgend was Codie weggerend, krampachtig zijn tranen bedwingend en gebroken was hij naar Natasha en Gehlen gelopen. Hij herinnerde zich niet meer hoe hij er geraakt was, de weg troebel door tranen, zijn gedachten vol met het beeld van Molpe en de trol in bed.

Natasha had hem als een heuse moeder in haar armen gesloten en hem zachtjes wiegend met troostende woordjes door de eerste heluren geleid. Molpe was een sirene en sirenen kenden het woord monogamie niet. In ieder geval waren de wezens in Emowereld in de ogen van ratiomensen altijd promiscue, maar sirenen verstonden de kunst van vrije seks meer dan welk wezen ook.

Behalve dat Codie hoogbegaafd was, waren zijn gevoelens uiterst scherp, breekbaarder dan het dunste kristal. Het was een wonder dat hij nog kon functioneren na het, voor hem dan, schokkende tafereel. Zijn vrienden hadden over hem gewaakt, hem dagelijks opgezocht, uren met hem gepraat en geluisterd. Maar ondanks het vervelende gebeuren was Codie toch naar Emowereld verhuisd en woonde hij nu in de buurt van Natasha en Gehlen.

Toen het nieuws van verhuizende ratiomensen zich verspreid had in Ratiowereld, waren er nog meer gevolgd. Honderden ratiomensen besloten dat ze het leven in Emowereld wilden proeven, tot grote verbazing van de emowezens zelf. Niemand had ooit verwacht dat zoveel ratiomensen ontevreden waren en zich in de emotieloze Ratiowereld niet goed voelden.

De regering van Ratiowereld liet het toe. Zij oordeelden dat zo het kaf van het koren gescheiden werd en enkel overtuigend rationalisten overbleven, wat de eenheid alleen maar kon bevorderen.

'Stomme Molpe,' zei Dille plots op grimmige toon.

'Het is haar aard, Dille, ze weet niet beter,' verdedigde Kate zoals altijd haar volk.

'En gaat alles goed met Yelena?' vroeg Natasha, blikkend op Dilles buik. Henk en Dille hadden al een poos geleden Codie, door middel van zijn telepathische gave, het geslacht laten achterhalen. De keuze voor een naam was niet zo moeilijk geweest.

Dille streelde liefdevol haar buik en knikte. 'Ze is nog niet actief, maar toch voel ik haar. Mijn hemel.' Ze keek Natasha aan en er blonk een traan in haar ogen. 'Ik had nooit verwacht dat ik zoveel van een wezentje kon houden, nog voor ik haar gezien heb.'

Natasha glimlachte begrijpend. 'Heb je al een vroedvrouw?'

Zowel Natasha als Dille hadden besloten de gebruiken van Emowereld volledig over te nemen. Dat betekende bevallen met een vroedvrouw, in plaats van, zoals in Ratiowereld gebruikelijk was, in een lab. Er waren wel ziekenhuizen in Emowereld, maar slechts voor ernstige gevallen. Geboorten werden altijd thuis, in de eigen vertrouwde omgeving, volbracht. Complicaties werden opgevangen door de onovertroffen toewijding en ervaring van de vroedvrouwen, die geboren waren voor deze functie.

'Ja, dezelfde die jou heeft geholpen. Het klikt goed met haar.'

'Ze is erg bekwaam en uiterst lief,' beaamde Natasha.

Dille ging tegenover Natasha op de bank zitten. Henk volgde haar meteen. Als hij nog dichter bij haar ging zitten, zou ze onder hem bedolven worden. Geerd bleef de vrolijke beer uithangen en ook Loki was nu naast hem gaan staan, echter in de gedaante van mens. Ze leken elkaar te willen overtreffen in het aan het lachen brengen van Arle.

'Eigenaardig, hé,' zei Dille. 'Eileythyia werd vroeger in Ratiowereld als Godin van de geboorte aanbeden. En nu hebben wij haar als vroedvrouw. Een elf nog wel.'

'Ja, wie had ooit gedacht dat een elf onze kinderen op de wereld zou zetten.' Natasha grinnikte. 'Niet in mijn meest bizarre dromen.'

Het viel Kalon nu pas op dat Kate behoorlijk stil was. Normaal kletste ze erop los met Natasha en Dille. Maar nu leek ze zich, verdiept in gedachten, niet op de gesprekken te kunnen concentreren.

'Ik haal iets te drinken. Thee iedereen?' Natasha stond op.

'Wijn, als het kan,' zei Loki, die zijn oogleden in een rare dans liet knipperen voor Arle. Ook Kate en Kalon wilden liever een glaasje wijn.

Ze hoorden Natasha rommelen in de keuken. Dille sloot haar ogen en leek even te genieten van de vertrouwde rust en geluidjes. Na de laatste beproeving, die hen behoorlijk had uitgeput, konden de fantasiejagers een vakantie goed gebruiken. Kate had dagen en nachten na elkaar geslapen. Alleen Gehlen was, door de geboorte van zijn eerste kind, geen volledige rust gegund. Maar Arle had zijn krachten en energie een nieuwe boost gegeven, vertelde hij hen.

'Waar is Gehlen eigenlijk?' vroeg Kate, toen Natasha met een dienblad de woonkamer in kwam lopen.

Terwijl ze het op het salontafeltje neerzette, antwoordde Natasha: 'In Ratiowereld. Een vergadering met de IFG. Ze willen nu in elke groep fantasiejagers een emomens tewerkstellen. Het zou het werk voor de groepen gemakkelijker moeten maken. En terecht natuurlijk.' Ze schonk de thee in de kopjes en de wijn in de glazen. 'Sommigen verdwaalden wel eens zonder een gids uit Emowereld.'

'Het werd tijd,' zuchtte Dille. 'Wij hadden het geluk vanaf het begin Kate in onze groep te hebben, maar die anderen hadden het inderdaad niet zo gemakkelijk. En laten ze emowezens toe of alleen mensen?'

'Behalve Kalon in onze groep, worden alleen emomensen toegelaten,' antwoordde Kate met de nadruk op *mensen*.

Kalon werd een poos geleden gevraagd zich bij de groep te voegen. Voorlopig enkel wanneer de problemen zich voordeden in Emowereld, want als vampier was hij in Ratiowereld nog steeds niet welkom. Kalon had deze functie bij de Raad aangevraagd en via Gehlen bij de IFG. Hij hoopte op die manier vaker bij Kate te zijn en vooral haar wat in het oog te kunnen houden. Zeker nu Aqua geen deel meer uitmaakte van de fantasiejagers en in de gevangenis zat, vonden de Raad en de IFG dat Kalon een belangrijke aanwinst voor de groep kon zijn.

Natasha glimlachte zuur. 'Wat dacht je? Het is al heel wat dat ze emomensen erbij halen. De niet-menselijke wezens zullen nog een tijdje geduld moeten hebben.'

'Dat komt nog wel,' suste Henk. 'Gun ze de tijd.'

Dille gromde een onverstaanbaar antwoord.

'Hé!' riep Loki plots verschrikt uit. Natasha stond binnen een nanoseconde bij de wieg.

'Wat!? Wat !?' riep ze paniekerig uit.

'Kijk dan!'

Er vloog iets voorbij Natasha waardoor ze geschrokken een gilletje slaakte. Het was een fopspeen. Arles fopspeen. En het was Arle die het rubberen ding met haar handje, van op een meter afstand, stuurde.

'Nu al?' zuchtte Natasha, maar toch voelde ze zich trots. 'Ze heeft haar papa's genen.'

'Is dat vroeg?' vroeg Loki die het telekinetische gebeuren vol bewondering aanschouwde. De beer zette nu nog grotere ogen op.

'Behoorlijk, ja,' antwoordde Natasha, die de fopspeen uit de lucht griste, waarop Arle nog vrolijker kraaide, alsof ze doorhad dat ze haar mama had doen schrikken. 'Normaal begint het pas in de vroege puberteit. Dat moet Gehlen horen!'

'Misschien komt het doordat ze in Emowereld geboren is,' begon Dille die haar schooljuftoontje aansloeg. 'De magie en energie hier versterken mogelijk de al potentieel aanwezige paranormale krachten.' Ze keek naar haar buik. 'Dat wordt wat met Yelena, want zij heeft dan ook nog een emovader.'

Henk grijnsde en zei op geheimzinnige toon: 'Je weet niet half wat dat doet met de genen.'

Dille gaf hem een por in zijn zij, waarop hij het quasi pijnlijk uitriep.

Er werd op de deur gebonsd en Natasha haastte zich naar de gang. Toen ze terugkwam, had ze Codie bij zich. Hij glimlachte iedereen verlegen toe, maar zijn blik kon de pijn in zijn hart niet wegstoppen. Pas toen hij Arle over haar buikje kriebelde, leek hij weer de oude, vrolijke Codie en stonden zijn ogen gedurende een moment helder. Dille klopte uitnodigend naast haar op de bank. Codie ging zitten. Hij blikte even naar de grote beer, maar vroeg er verder niet naar. Nadat hij geïnformeerd had naar Dilles toestand en Natasha hem had meegedeeld dat Arle nu al een paranormale gave had, vroeg Kate voorzichtig hoe het met hem ging. Ze zag het verdriet in zijn aura. Het brak haar hart.

'Gaat wel,' antwoordde Codie schouderophalend en met een scheve grimas. 'Ik vervloek haar al iets minder vaak per dag.'

'De pijn der liefde,' zei Loki op geforceerd luchtige toon. 'We moeten er allemaal vroeg of laat aan geloven. Alle wezens.'

'Zal wel.' Het klonk niet alsof Codie daarmee getroost was. Er school zoveel leed in die twee woorden, hartgrondig leed, zodat Dille hem spontaan omhelsde. Zoveel invloed had Emowereld wel. Het empathische vermogen sijpelde je bloedbaan binnen en stuurde je handelingen en gedachten, of je het nu wilde of niet. Vroeger zou Dille er niet eens aan gedacht hebben om een ander mens te troosten, maar dan zou Codies hart ook niet gebroken zijn. Alle veranderingen waren tweeledig; positief en negatief waren onlosmakelijk met elkaar verbonden.

'Soms wou ik dat ik het Niets niet overleefd had,' fluisterde Codie, refererend aan het vorige avontuur en schrok toen hij zich realiseerde dat hij het hardop had gezegd. 'Sorry,' voegde hij er snel aan toe.

Ze knikten hem begrijpend toe. Geerd, de beer, verliet zijn plek bij de wieg en posteerde zich vlak voor Codie. Codie zag hem amper staan, tot de beer onbeholpen begon aan een dansje, dat eerder als grotesk omschreven kon worden dan als sierlijk. Zijn logge, harige benen kwamen amper van de grond en zijn armen zwierden onhandig langs zijn zijden. Toch verscheen er een flauwe glimlach op Codies gezicht en Natasha en Dille schaterden het uit. Henk grijnsde en Loki zei trots: 'Mijn broer, de komiek. Hij doet zijn best.'

'De volgende keer word je maar verliefd op een wisselaar, die kunnen nog trouw zijn,' zei Loki, in een poging Codie nog verder te troosten.

'Of een emomens,' voegde Henk eraan toe.

'Het is je geraden.' Dille wierp hem een kwade blik toe.

'Of een vampier,' zei Natasha. 'Kijk maar naar Kalon.'

'Kalon is een uitzondering,' zei Kate, niet zonder enige trots. 'Maar hij heeft seksuele vrijheid, hoor.' Ze gaf hem met veel overgave een zoen op de mond.

'Zeg, wordt het geen tijd dat je weer verandert?' vroeg Loki aan zijn broer.

Geerd voegde meteen de daad bij het woord. Het ging geleidelijk, maar toch relatief snel. Zijn haren drongen in zijn huid en zijn lange, benige nagels werden ingetrokken. Hij nam iets aan volume af en langzamerhand kon je de contouren van de menselijke vorm onderscheiden. Het feloranje van zijn vacht vervaagde naar een zachte huidskleur. Geerd was weer mens.

Kate dook geschrokken weg toen er plots een pop voorbijvloog. Natasha stond snel op, graaide de pop uit de lucht en liep naar de wieg. 'Nee, Arle, dat mag je niet doen.' Ze draaide zich om. 'Het heeft geen nut, ze begrijpt natuurlijk geen woord van wat ik zeg.'

'Ze doet het instinctief,' zei Kate.

'Ik ben bang dat er opeens messen gaan rondvliegen. Het huis babyveilig maken wordt nu wel een onmogelijk karwei.'

'Je kunt een heks Arles krachten aan banden laten leggen, tot ze wat ouder is en begrijpt wat ze doet,' gaf Kate aan.

Natasha ging zuchtend zitten. 'Daar zal ik het met Gehlen eens over hebben.'

'Hoe laat komt Gehlen terug?' vroeg Dille.

'Geen idee. Hij zou zijn uiterste best doen om zo snel mogelijk te komen, maar de gesprekken kunnen een hele dag duren. Er zijn een paar tegenstanders, hoewel hun stem waarschijnlijk niet doorslaggevend zal zijn. En dan moeten ze natuurlijk nog bedenken hoe ze de sollicitatieprocedures zullen aanpakken, welke criteria ze zullen handhaven.'

'Misschien kan ik me aanmelden,' stelde Henk voor, Dille heimelijk aankijkend.

'Je laat het,' zei Dille streng. 'Eén ouder die zijn leven riskeert, is meer dan genoeg voor Yelena.'

'Mooie naam,' zei Kate.

'Dank je.' Dille glunderde. 'Willen jullie geen kinderen?'

'Nou...' begon Kalon en streelde daarbij Kates haar.

Kate onderbrak hem echter snel. 'Voorlopig zeker niet. Ik sta nogal op mijn vrijheid.'

'Haar wil geschiede,' zei Kalon grijnzend. Hij was niet teleurgesteld of boos. Hij begreep haar standpunt en deelde het zelfs.

6 Ratiowereld: dag 2

"Naarmate ik ouder word, raak ik er steeds meer van overtuigd dat het enige dat echt blijvend is, onze dromen zijn."

Jean Cocteau

De haven van Newest York deed al lang geen dienst meer als dusdanig sinds vrachten met luchtschepen getransporteerd werden. Nadat ook plezierschepen door de ingezakte toeristische sector geen werk meer hadden, lag de haven er eenzaam en griezelig bij.

De enkele verwaarloosde, kakigroene loodsen wachtten op de dag dat ze vernietigd zouden worden, om plaats te maken voor een zoveelste wolkenkrabber. En alsof dat alles niet somber genoeg overkwam, weigerde de zon ook nog om door te breken en viel een miezerig regendek op de stad neer. In tegenstelling tot de meeste plaatsen in Ratiowereld, die geurloos waren, werden de loodsen omgeven door de penetrante geuren van olie en afval.

Tom, een emomens, verfoeide deze wereld hartgrondig. Maar als hij de spullen aan de man wilde brengen, dan had hij geen keus. Door de omvang en de inhoud van de doos was hij verplicht geweest om een dimensiescheur te gebruiken. Bij het Portaal zouden te veel controles en vervelende vragen de transactie in het water hebben doen vallen.

Tom stond in de reusachtige deuropening van een van de loodsen en blikte kwaad naar de donkere hemel. Eigenlijk liet het weer de hele transactie al in het water vallen – letterlijk bijna. Als zijn zakenrelatie niet snel opdaagde, dan zou hij het voor gezien houden. De dimensiescheur bleef slechts enkele uren open; hij had dus geen tijd te verliezen.

'Tom. Fijn je weer te zien,' zei een stem achter hem, waardoor hij snel om zijn as draaide.

Andrew stond bij hem, met haren waar zelfs de regendruppels geordend op leken te zijn gevallen en zoals altijd, eenvoudig grijs gekleed en onberispelijk verzorgd. Hij keek Tom emotieloos aan.

'Doe niet zo dwaas,' zei Tom. 'Fijn is niet de omschrijving die ik aan onze ontmoeting zou geven.'

Het verschil tussen de twee mannen kon niet groter zijn. Tom droeg een felgekleurde groene broek en een slobberige rode trui. Zijn donkere haren waren altijd in de war, wat hij ook probeerde, tot het gebruik van magische kammen toe.

Andrew negeerde de opmerking. 'Heb je de spullen bij je?'

'Wat dacht je? Dat ik voor mijn plezier deze rotstad opzoek?'

Andrew haalde een wenkbrauw op. 'Allemaal?' Hij knikte naar de kartonnen doos die naast Tom stond.

'Ja, alles zit erin. Vierentwintig stuks.'

'Moeilijkheden onderweg?'

'Het is altijd moeilijk om deze rotwereld te betreden.'

Een mondhoek van Andrew trok haperend omhoog. 'Alsof jouw wereld het paradijs is.'

'Toch wel.'

Andrew snoof afkeurend, voelde in zijn jaszak en haalde er een plastic kaartje uit. 'Alle eenheden staan erop.'

'Prima.' Tom stak het kaartje, zonder het een blik waardig te keuren, in zijn broekzak.

'Dan kan je nu terug naar die wereld vol freaks.'

'Daar ben ik al. Ik ga liever terug naar Emowereld.' Tom grijnsde gemeen.

'Dat bedoel ik.' Andrew was niet het type dat zich snel door woorden van slag liet brengen.

‘Moet je de doos niet controleren?’ gooide Tom het over een andere boeg.

Andrew bukte zich en opende behoedzaam en omslachtig de kleppen. *Bang om zijn nagels te beschadigen zeker*, dacht Tom. Zodra het weinige licht een doorgang vond naar het binnenste van de doos, begon deze echter te schudden. Geluid van tinkelend glas steeg uit de doos op.

‘Het licht is te fel,’ verklaarde Tom op neutrale toon. ‘Daar houden ze niet van. Ze leven gewoonlijk in mistige gebieden.’

Andrew trok er zich niets van aan en opende de kleppen volledig. Snel liet hij zijn blik over de inhoud gaan en telde het aantal. Het klopte, vierentwintig stuks. De wervelende rookslierten in diverse kleuren, duidelijk zichtbaar in de glazen bokalen, leken in een sensuele dans tegen het glas aan te glijden. Andrew vroeg zich af of ze zich bewust waren van hun gevangenschap, maar eigenlijk kon het hem niet schelen.

‘Het ziet er goed uit,’ besloot hij, sloot de doos en ging rechtop staan.

‘Natuurlijk, eersteklas.’

‘En zullen ze niet door een of andere deva-engel gemist worden?’

Hij kent de wezens uit Emowereld, dacht Tom. ‘Die weten niet eens hoeveel schimmen er voor hen werken.’ Al was hij daar niet honderd procent zeker van. Nou ja, dat zou de toekomst wel uitwijzen.

‘Deden ze moeilijk?’

‘Het vangen van schimmen is een techniek. Kwestie van snelheid en kunde.’ Tom grijnsde van oor tot oor.

‘En zullen ze gehoorzamen?’

‘Dat is hun geboorterecht! Ze kunnen niet anders. Open een bokaal en raak zo snel mogelijk de schim aan. Zodra ze in contact met je huid komen, gehoorzamen ze alleen jou.’

Andrew keek Tom onderzoekend aan, opende zijn mond en besloot toen dat hij hem maar op zijn woord moest geloven. Hij zag geen reden om te twijfelen; de vorige goederen hadden tenslotte ook naar behoren gefunctioneerd.

‘Eenheden terug anders?’

‘Waar zie je me voor aan, mens! Gekocht is gekocht. Wat je ziet, dat krijg je en meer van dat slap gelul.’

Andrew perste zijn lippen op elkaar. Het obscene taalgebruik stoorde hem uitermate, maar hij wilde niet dat Tom dit zou zien. Trouwens, dat zou hem alleen maar aanzetten tot het verzinnen van nog grovere woorden.

‘Ik heb een beetje een rare vraag voor je,’ zei Andrew.

Tom schokschouderde als wilde hij zeggen: ga je gang.

‘Hoe komt het dat jullie in Emowereld alle talen kennen?’

‘We zitten genetisch anders in elkaar dan jullie,’ antwoordde Tom. ‘Het taalcentrum in onze hersenen is zeer sterk ontwikkeld, meer dan dat van jullie.’ Hij schepte er duidelijk genoegen in Andrew hiermee om de oren te slaan. Zijn ogen twinkelden genietend.

‘En waar hebben jullie de talen geleerd dan?’ vroeg Andrew door.

‘Die hoeven we niet te leren. Ons taalcentrum verbindt zich vanzelf met het taalcentrum van degene die we voor ons hebben. En dat moet wel, want we worden continu geconfronteerd met dromers die verschillende talen spreken. Al het gezeik dat we moeten aanhoren, man, man, niet te doen soms.’

‘Hebben jullie geen eigen talen dan?’

Tom knikte en zuchtte diep. Wat had die vent opeens? Wilde hij linguïst worden of zo? ‘Ja, Babels. Eén enkele taal voor heel Emowereld. We houden het liever simpel, zodat we onze hersenen ook nog voor andere doeleinden kunnen gebruiken.’

Andrew negeerde de snerende opmerking. ‘Goed, ik vroeg het me altijd al af.’

‘Bewaar de schimmen in een duistere kamer,’ raadde Tom aan.

‘Wat als ze ontsnappen?’

‘Dan heb je de schimmen aan het dansen,’ antwoordde Tom en grinnikte om zijn eigen flauwe grapje. ‘En krijg je fantasiejagers achter je aan.’

Andrew mompelde iets.

‘Als je net zei dat je mij er dan bijlapt, dan heb je pech. Je denkt toch zeker niet dat ik de enige dealer uit Emowereld ben die zijn echte naam niet prijsgeeft.’

‘Ik ben geen rat.’ Andrew keek alsof hij verbolgen was, maar klonk niet zo.

‘Dat hoop ik maar voor je, want ik ken wezens die minder gemakkelijk dan die schimmen zijn. Minder vredelievend, snap je?’

‘Is dat een dreigement?’

‘Hé, nu je het zegt… ja!’ Tom trok quasi verbaasd zijn wenkbrauwen op. ‘Maar als je er nog een bij wilt, luister dan hiernaar. De schimmen werken verslavend. Dat betekent dat je altijd meer wensen zult willen vervullen.’

‘Wat kan daar nou verkeerd aan zijn?’ mompelde Andrew met strakke kaken.

‘Er zijn consequenties aan verbonden.’

‘Waaraan niet?’

‘Wil je het horen of niet? Ik ben niet verplicht je een handleiding bij die doos te geven! Dat je dat maar weet. Sommigen betalen extra voor de handleiding, weet je!’

‘Oké, zeg op.’

Tom overwoog of Andrew het waard was. Toen zei hij: ‘Elke vervulde wens heeft een nadeel dat je alleen met een nieuwe wens kan oplossen. Het is een eindeloze cirkel met een gevaarlijk verslavende werking.’

‘Ik kan mezelf redden.’

‘Dat hoop ik dan maar.’

Andrew wierp Tom nog een laatste koele blik toe, nam de doos op en draaide zich toen om. Met grote passen verdween hij in het dunne regengordijn. *Die komt nog wel terug om meer*, dacht Tom vergenoegd, *eens aan de schimmen, altijd aan de schimmen.*

7 Emowereld: dag 3

"Noem u niet arm, omdat uw dromen niet in vervulling zijn gegaan; werkelijk arm is slechts hij, die nooit gedroomd heeft."
Marie von Ebner-Eschenbach

'Heb je het al gehoord? Er is een vortex waargenomen.'

Met een ruk draaide Dille haar hoofd naar Henk toe. 'Wat?'

Ze zaten buiten in de tuin onder een kanariegele parasol na te genieten van hun ontbijt met een kopje thee en koekjes die Henk zelf gebakken had. Dille, zoetekauw als ze was, had het getroffen met een man die uitstekende slagroom- en fruittaarten, gebakjes en gevulde koeken met rozijnen, kaneel of chocoladesnippers kon maken. Alleen zou ze wel op haar lijn moeten letten. Zwangere vrouwen lieten zich nog wel eens gaan, met het excuus dat ze voor twee aten of toch al door de zwangerschap dik werden. Daar wilde Dille niet aan meedoen. Bovendien moest ze in vorm blijven, wilde ze tot het allerlaatste moment met de andere fantasiejagers kunnen meerennen en niet als een vette olifant achter hen aan denderen. Toch nam ze nog een koekje. Ze waren ook zo lekker!

Het was een prachtige dag die glinsterde van smaragdgroene schoonheid. De zon werd omfloerst door enkele wattige wolkjes waardoor ze mild op hen scheen. Dille had de rand van de tuin vol geplant met rozen die in het zachte briesje een heerlijke geur verspreidden. Loki en Geerd hadden haar een maand geleden de doornvrije rozenstruiken als welkomstgeschenkje gegeven en haar geholpen met het planten.

Een rosse kat, met de naam Cheshire, lag tevreden op het gras haar pootjes te likken. De kat was een cadeautje van een leucrota geweest, een wezen dat verloren huisdieren naar hun baasjes terugbracht en voor eenzame of verlaten dieren een nieuwe thuis zocht. Dille was al snel overstag gegaan toen de kat kroelend op haar schoot ging liggen en naar haar opkeek alsof ze eindelijk haar mama had gevonden. Eigenlijk had Dille liever een hondje gehad, uit nostalgie naar haar kinderjaren, maar ze hield al evenveel van de kat als ze vroeger van haar kleine hondje had gehouden. Bovendien was het minder zielig voor een kat om alleen thuis te blijven wanneer zij en Henk uit werken waren.

'Ja, een vortex.' Henk nam een slok van zijn thee en een hap uit een chocoladekoek.

'Waar?'

Hij slikte de brok door. 'Dat weet ik niet precies.'

'Maar...' Dille staarde Henk met grote ogen aan. 'Dat is al in geen jaren meer gebeurd, toch?'

'Tja,' was het enige dat Henk kon antwoorden.

'Wat waren de gevolgen? Was het een bewoond gebied? Waren er slachtoffers? Ik moet het de groep vertellen!'

'Rustig, schat. Ik heb geen idee. Ik hoorde het terloops, toen ik vanmorgen om melk ging. Het was maar een kleintje, geloof ik.'

Dille legde teleurgesteld haar koekje op de schotel. Ze had opeens geen trek meer. 'Terloops? Zoiets indrukwekkends? Een vortex? Maar dat is verschrikkelijk!'

Henk schokschouderde. 'Valt wel mee. Na een tijdje verdwijnt die vanzelf.'

'Is het normaal dat zoiets gebeurt? Of vind je dat ik de groep moet waarschuwen?'

'Als het ernstig is,' opperde Henk, 'dan zou de Raad Kate wel contacteren of de IFG jullie allemaal.'

‘En je weet niet waar het gebeurde?’

‘Niet precies. Ik geloof in dat park bij Kates huis.’

‘En wat waren de gevolgen?’

‘Er bleek maar één slachtoffer te zijn: een demi-reus. Hij begon onder invloed van de vortex onmiddellijk de horlepiep te dansen.’

Dille schoot in de lach. ‘Dat kan ik me nou echt niet voorstellen.’

Een demi-reus was een log, en zoals de naam al aangaf, gigantisch wezen van enkele meters groot en bijna even breed. Ze waren extreem sterk, maar evenredig dom en chagrijnig. Dansen was wel het laatste dat zo’n wezen zou doen. Volgens haar konden ze niet eens springen zonder dat ze putten in de grond stampten. Dilles fantasie ging met haar op de loop en toonde een nijlpaard in een roze tutu, waardoor ze opnieuw een lachaanval kreeg.

Henk grijnsde. ‘Het scheen er inderdaad nogal belachelijk uit te zien. Het zal wel niets zijn, Dille, een vortex verschijnt nou eenmaal om de zoveel tijd.’

Dille knikte, maar was niet overtuigd. Sinds ze door haar relatie met een emomens naar Emowereld was verhuisd, was haar intuïtie sterk toegenomen. Ze voelde dat de vortex niet toevallig verschenen was en dat er meer, veel meer, aan de hand was. Alleen was één vortex op zich inderdaad niet voldoende om met de groep fantasiejagers in actie te komen.

Nieuwsgierig was ze echter wel naar dat bijzondere fenomeen.

8 Emowereld: dag 3

"Het leven kan soms zo brutaal zijn dat dromen nog de enige leefbare plaatsen zijn om te vertoeven."

Buchi Emecheta

Kate zat zo diep over haar stamboom in gedachten verzonken, dat ze de droomster aanvankelijk niet opmerkte. Ze zat op het terras van 'De Magische Babbel', haar favoriete eetcafé, waar ze Kalon zou treffen voor een laat ontbijt. Hij had eerst nog wat boodschappen willen doen.

Het terras zag er vandaag uit alsof het in het Victoriaanse tijdperk thuishoorde. Het witte smeedijzer van de stoelen en tafels vertoonde gekrulde patronen van bloemmotieven en bladeren. De terrasvloer bestond uit tijdelijk gras en werd omgeven door een wit smeedijzeren hek, dat hier en daar door een olijf- of appelboom onderbroken werd. Houtskool smeulde in een barbecue en verspreidde, samen met de vruchten van de bomen, die typische heerlijke zomergeur die iedereen in een vrolijk humeur brengt. Op het voetpad liepen een vijftal duiven met hun veren glimmend in het felle zonlicht, koerend om broodkruimels.

Enkele nimfenkinderen liepen krijsend van de pret heen en weer, achtervolgd door een jong vuurduiveltje. Zijn rode hoorntjes blonken in de warme zonnestralen. Een weerwolf was met een zombie in een luidruchtige discussie verwikkeld over het weer van de afgelopen tijd. De zombie vond dat de weerwolven het te weinig hadden laten regenen, waardoor de bronnen dreigden op te drogen en de zombies op die manier te weinig water konden bottelen. De weerwolf repliceerde dat het niet alleen aan hem lag en dat bijna niemand, behalve zombies, regen boven een stralende zon prefereerde.

Kate kon van dit alles niet genieten, zelfs niet van de overheerlijke kop koffie die nog onaangeroerd voor haar stond. Ze dacht na over de onthullingen van Drake, waardoor Hecate weer opdook. Kate had Hecate altijd beschouwd als een bijzonder wezen, ongrijpbaar en moeilijk te plaatsen. Ieder emowezen wist dat ze bijzondere krachten had. En nu vertelde Drake ook nog eens dat zijn vrouw vermoedde dat Elise van een hogere elf afstamde. Kate voelde dat de ontknoping van haar geheimzinnige afkomst nabij was, ze had alleen de juiste invalshoek nog niet gevonden.

Al die gegevens en speculaties deden Kate duizelen en ze lette dan ook niet op haar omgeving, tot iemand de keel schraapte. Met een ruk keek Kate op, recht in het gezicht van de droomster, die tegenover haar was gaan zitten. Ze had lang, donkerblond haar en lichtblauwe, misschien wel grijze ogen. De kleur leek te veranderen in het licht. Haar leeftijd was moeilijk te bepalen, maar ze kon niet veel ouder dan twintig jaar zijn. Het mantelpakje dat ze aanhad, vertoonde dromerdefecten en miste een linkermouw. Verder was ze blootsvoets en droeg ze handschoenen zonder vingertoppen. Op de grond naast haar zat een dromende, uiterst snoezige hond met wilde, zwarte haren en een wit baardje. Kate vermoedde, aan de manier waarop de hond naar het meisje opkeek, dat ze bij elkaar hoorden. Dat was een zeldzaamheid, want het kwam niet vaak voor dat een baasje en hond samen droomden en elkaar dan ook nog in Emowereld troffen. *De hond zou wel in de smaak van Ewok vallen,* dacht Kate, hoewel Ewok dromende honden meestal vermeed.

‘Hoi! Ik ben Maaike Tjooitink en dit is mijn hond, Spike. We zouden elkaar hier treffen, toch?’ Ze keek Kate vragend aan.

Kate had helemaal niet afgesproken met dit meisje. Hoe kon het ook, ze droomde op dit moment. Maar zoals gebruikelijk in Emowereld speelde Kate het spel, of beter gezegd de droom, mee.

'Sorry,' zei Kate. 'Ik zag je niet.'

'Geen probleem,' antwoordde Maaike. 'Maar het verbaast me wel, gezien mijn speciale superkracht.'

Leuk, dacht Kate, *een praatje met een dromer leidt me in ieder geval af van dat eindeloze gepieker.* 'O, en welke kracht mag dat zijn?'

Kate hield ervan gesprekken met dromende ratiomensen te voeren; ze waren zo heerlijk onlogisch en emotioneel. Zo anders dan wanneer ze wakker waren en hun opgedrongen rationele masker als een beschermend schild gebruikten.

'De kracht van zichtbaarheid,' antwoordde Maaike met even zichtbare trots.

Ze rechtte haar schouders en stak haar borst naar voren. Alleen haar blik behield een dofheid die ze zelf niet onder controle had. 'Het is niet gemakkelijk en mijn professor in de rationele psychologie gaf me maar een vier op tien.'

'O?' Kate onderdrukte een grinnik. Niet dat ze bang was om het meisje te beledigen en zelfs dan nog, dan zou ze het zich bij het ontwaken toch niet meer herinneren. Bovendien besefte het meisje niet eens wat ze in deze toestand zei of deed. Het was gewoon voor haar eigen gevoel dat ze het niet al te netjes vond.

Een vuurduivel fietste voorbij, liet zijn bel rinkelen en wierp Kate een kushandje toe.

'Hé, Neder! Alles goed?' riep Kate hem na.

'Prima! Maar geen tijd!' riep hij terug. Hij stak zijn duim in de lucht en wees daarna met diezelfde hand achter hem.

Kate grijnslachte toen ze zag waar de vuurduivel zo snel voor wegfietste. Met grote lompe passen liep er een demi-reus achter hem aan, zijn armen vooruitgestoken alsof hij de vuurduivel wilde wurgen. De demi-reus grolde en hijgde als een bezetene. De grond donderde onder zijn zware stappen en andere wezens sprongen verschrikt opzij. Je wilde dan ook niet platgetrapt worden door een gevaarte als hij; er waren leukere manieren om aan je eind te komen.

Een zware, luide stem deed Kate naar de overkant van de straat kijken.

Een dromer met kort, lichtbruin haar, slechts gekleed in blauwe cowboylaarzen en een wit hemd, stond er met een kartonnen bord in zijn handen. Hij droeg een ouderwets ogend fototoestel om zijn hals en een pen achter zijn oor. Op het bord stond er: *Voorsprongen Te Koop bij Johan IJzerman* en hij bevestigde deze boodschap door de wegfietsende vuurduivel achterna te roepen: 'Bij Johan IJzerman voorsprongen te koop! Voorsprongen te koop bij mij!'

'Hé, Johan!' riep de droomster hem toe en zwaaide.

Johan zwaaide terug.

'Ken je hem?' vroeg Kate.

'Ik weet het niet zeker, maar het zou kunnen.'

Johan huppelde op de plaats waar hij stond en bleef verwoed proberen om de voorbijgangers zijn voorsprongen te verkopen.

'Zo…' Kate richtte zich weer tot het dromende meisje. 'Je kunt jezelf dus zichtbaar maken?'

'Ja, inderdaad, zowaar ik van handschoenen houd.' Maaike kneep haar ogen samen en opende ze toen weer. 'Zie je? Zie je? Zie je me nu?'

Met een flauwe grijns om haar lippen, knikte Kate. 'Ja, ik zie je. Knap, hoor.'

'Iedereen is onder de indruk wanneer ik het doe. Wacht maar, ze zullen nog raar staan kijken op de universiteit.'

'Dat kan ik me voorstellen.'

'Mijn professor kan nu niet meer om me heen, hij moet me nu wel zien. En bovendien kan ik nu infiltreren in de tomatenindustrie.'

'Zo is het maar net. Maar waarom de tomatenindustrie?'

'Is er een andere dan?'

'Wortelindustrie?' Het was maar een idee.

'Nah, wortels zijn voor konijnen. En doordat ik de kracht van zichtbaarheid heb, zouden die angstig voor me weghollen.'

'Niet als je je kracht onderdrukt,' opperde Kate geamuseerd.

De dromer, Johan, kwam bij hun tafeltje staan.

'Wil je een voorsprong?' vroeg hij. 'Altijd handig, hoor.'

'Kan ik een voorsprong op mijn zichtbaarheid kopen?'

'Natuurlijk!' Johan knikte heftig. 'Hoeveel wil je er? Ik heb blauwe en rode.'

Dat begon blijkbaar te ingewikkeld te worden voor de slapende hersenen van de droomster. Ze knipperde een paar keer met de ogen en vervaagde toen geleidelijk. Kate registreerde dit en vond het jammer dat het gesprek al zo gauw afgelopen was. Het meisje werd wakker of beëindigde haar droomfase.

Zelfs terwijl ze verdween, sprak de droomster Kate nog steeds toe, niet gewaar van wat er met haar gebeurde. 'Ik heb de gave pas ontdekt... eigenlijk... je verleden achterhaal... j... wel.' Toen was ze weg.

'Nou, zeg, hoe onbeleefd,' zei Johan, maar ook hij begon te vervagen.

Onsamenhangende zinnen of onbegrijpelijke verhalen waren standaard bij dromers. Toch had Kate, bij de laatste woorden van de droomster, een schok door zich heen voelen gaan. *Je verleden achterhaal je wel.*

Een killmoulis liep haar tafeltje voorbij. Met zijn kleine zwarte oogjes keek hij haar fronsend aan.

-Alles goed, dame?

Killmoulissen konden enkel telepathisch communiceren, omdat ze geen mond hadden. Hun hoofd bestond uit een gigantische neus, waarlangs ze vloeibaar voedsel opzogen. Door hun immense reukorgaan waren ze de beste parfummengers van heel Emowereld. Een flesje van deze parfumvirtuozen was niet goedkoop en uiterst exclusief. Zo groot hun hoofd was, zo iel was hun lichaampje dat meestal schaars bedekt was. Kate schudde zich los uit haar dagdroom en keek de killmoulis glimlachend aan.

-Ja, dank je.

-Je keek alsof je het orakel gezien had.

-*Zo erg?* Kate lachte.

-*Bijna wel, ja.* Hij lachte nu ook, in gedachten.

-*Het gaat alweer, hoor.*

De killmoulis knikte en liep naar zijn tafeltje waar een vrouwelijke killmoulis, met extreem lange wimpers, op hem wachtte en hem verlangend aankeek.

Je verleden achterhaal je wel.

Mogelijk zocht ze er meer achter dan er was, vooral omdat ze nu zo verbeten haar stamboom trachtte te achterhalen. Anderzijds kon het lot hier een handje hebben toegestoken. Het kwam zelden voor dat een dromer een tip gaf of een zet in de goede richting bij het oplossen van een probleem, maar dat betekende niet dat het onmogelijk was.

Toen kreeg ze een ingeving. Melfo. Hij was het oudste nog levende familielid en als iemand meer zou weten, was hij het wel. Bovendien was zijn soort vermoedelijk een zijtak van de hogere elfen. Waarom had ze hem nooit eerder naar haar duistere familieverleden gevraagd? Dat was simpel. Ze had toen andere zorgen aan haar hoofd gehad, dringender zaken die opheldering behoefden. En bovendien vernam ze gisteren pas dat Miriam vermoedde dat er hogere elfen in haar familielijn zaten, aan beide kanten. Nu echter had ze de tijd en ze besloot die middag, samen met Ewok, een uitstapje naar het elfenbos te maken.

9 Emowereld: dag 3

"Al de dingen die je vergeten bent, roepen om hulp in je dromen."
Elias Canetti

Sekhmet zakte gelukzalig weg in de paarse, zijden kussens van haar bed. Het sluierdunne baldakijn was opengevouwen en de lakens voelden heerlijk koel aan, zodat ze zich er tevreden in wentelde. Ze had extra opiumwierook de kamer laten vullen om de menselijke geuren, waar ze niet zo goed tegen kon, te verdringen. Het raam van haar slaapkamer stond halfopen. De sterke geur van de paarse bloemen van de kudzu, die een hele muur aan de buitenkant overwoekerd hadden, drong tot in de kamer door.

Ze begreep nog altijd niet waarom deze ratiomensen naar haar toegekomen waren. Ze lagen her en der verspreid op het hoogpolige, lila tapijt. Een van hen leunde zelfs gedurfd met zijn ellebogen op het bed. Als haviken hielden ze elke beweging van haar in de gaten, nog net niet kwijlend.

Sekhmet wilde rusten, ze had behoefte aan haar schoonheidsslaapje. Ze voelde zich echter niet ontspannen genoeg. Misschien zou ze toch naar Deter moeten luisteren; hij had haar meermaals smekend voorgesteld om de mensen uit haar huis weg te jagen en naar Ratiowereld terug te sturen. Hij verfoeide hun stinkende adoratie, die als bijna zichtbare krullen door de lucht spiraalde. Sekhmet had dit echter verworpen, nieuwsgierig als ze was naar het hoe en waarom.

De ratiomensen waren niet uit haar buurt weg te slaan. Eenmaal was het haar gelukt om snel de deur van haar slaapkamer achter zich op slot te draaien, maar het gevolg was schrijnend geweest. Letterlijk. Met langzame en oorverdovende halen hadden de mensen aan haar deur gekrabd. Huilende en smekende klanken waren door de kieren van de deur haar slaapkamer binnengedrongen en ten einde raad had ze hen weer binnengelaten. Zolang ze haar zagen, waren ze rustig en meegaand en Sekhmet moest toegeven dat ze van die adoratie genoot. Duizenden jaren geleden, toen ze nog de godinnenstatus op Ratiowereld was toegedaan, was dit normaal geweest en ze had het toch wel gemist.

'Jij daar.' Sekhmet wees een man aan die er nog enigszins pienter uitzag.

Hij stond meteen op en schuifelde, met zijn blik naar de grond gericht, naar haar toe. Met zijn handen voor zich uit gevouwen, vroeg hij bedeesd: 'Ja, Vrouwe?'

Dat was nog zoiets. Hij sprak haar niet aan met de titel van Godin, maar met Vrouwe, terwijl ze eigenlijk de voorkeur aan het eerste gaf.

'Vertel me.' Ze keek hem indringend aan, met een blik die geen leugens tolereerde. 'Waarom zijn jullie naar mijn huis gekomen?'

'Wij zijn furries,' antwoordde de man meteen. 'Uw verschijning is onze tempel.' Na een snelle blik op haar leeuwenkop en menselijk lichaam, liet hij een perfecte buiging zien.

'Wat zijn furries?'

'Wij aanbidden half mens half dier.'

'Kijk me aan wanneer je antwoord geeft!' riep Sekhmet uit.

Met een schok hief de man zijn hoofd op. 'Mijn excuses, Vrouwe.'

'Waarom komen jullie nu pas en niet eerder?'

De man wierp een blik opzij, naar de andere ratiomensen. Aarzelend trok hij zijn schouders op. 'Dat weet ik niet, Vrouwe.'

'Vertel dan wat je wel weet!'

'Nou, op een morgen werd ik wakker met deze gevoelens, gevoelens die ik niet begreep. Er roerden zich verlangens in mijn onderlichaam die me beangstigden, maar waar ik ook van genoot. Erg verwarrend.' Hij pauzeerde. Sekhmet gaf met een ongeduldig gebaar aan dat hij verder moest vertellen. 'Toen... Ik ontdekte dat er halflingen in Emowereld woonden. Ik had gehoord van u, Vrouwe, en wist dat ik hier hoorde, bij u. De belichaming van al het schone en pure.'

De andere ratiomensen in de kamer knikten en stemden met zachte geluidjes in.

Sekhmet liet een tevreden grom horen en wuifde de man toe. 'Ga maar weer liggen op de grond.'

Achteruitlopend en met gebogen hoofd trok de man zich terug en deed wat ze hem had opgedragen.

Sekhmet begreep het nog niet. Furries? Zo plotseling? Maar het kon haar eigenlijk niet veel boeien. Als het zo doorging, en er nog meer volgelingen kwamen, dan kon ze misschien opnieuw een machtspositie in Emowereld verwerven. Nee, nog beter, in Ratiowereld! Net als in die goede, oude tijd.

10 Emowereld: dag 3

"Gedachten, dromen, gedichten: een plek waar niemand komt en die niemand ooit betrad, sinds de schepping van de wereld."

Janet Frame

Het uitstapje naar het elfenbos moest worden uitgesteld. Kalon en Kate waren nog maar net aan hun ontbijt begonnen, toen Kates horloge roze oplichtte. Een oproep van Gehlen. Met spijt en een hongergevoel moest ze de heerlijke gerechten laten staan. Ze wierp nog een laatste blik op de borden: omelet met koriander en basilicum, besprenkeld met een zachte kaas, pannenkoeken, witte bonen in tomatensaus, komkommersalade, koffie met room, toast en vers vruchtensap.

'Sorry, lieverd, ik moet weg.' Ze gaf Kalon een zoen.

'Ik ben jammer genoeg niet opgeroepen.' Teleurgesteld keek hij naar zijn horloge, tot ook deze plots zijn roze gloed uitstraalde. 'Hé, wacht eens even!'

Kate draaide zich om. Kalon wees grijnzend naar zijn horloge. 'Idem dito,' zei hij.

Doordat alle fantasiejagers van hun groep in Emowereld woonden, werd er voortaan bij Gehlen thuis afgesproken. Het was zoveel sneller en eenvoudiger. Hun eerdere kantoor, in het prachtige Jugendstilgebouw in Ratiowereld, werd nu door een andere groep fantasiejagers gebruikt. Kalon legde de nodige eenheden op tafel en gearmd liepen ze de straat op. Al na enkele passen veranderde de geplaveide, botergele ondergrond in een modderige, zwarte bodem.

'Hé, verrek, mijn schoenen!' Kate trok haar neus op bij het zien van de smurrie rond haar hakken.

'Die dromer daar,' wees Kalon.

Kate zag inderdaad een dromer, in een tuinpak en met een hark in de hand, iets verderop. Hij vloekte aan een stuk door. Kate slaagde er niet in de modder van haar schoenen te schoppen en zuchtte geërgerd. *Goed, mijn geduld is vandaag niet al te groot.* Plots verdween de dromer, vermoedelijk naar een grasrijkere omgeving, en het straatbeeld hervond zijn oorspronkelijke status, waardoor de vuiligheid aan Kates schoenen in het niets oploste.

'Wat scheelt er?' vroeg Kalon die zijn hand opnieuw in die van haar stak.

Stuurs voor zich uitkijkend antwoordde Kate: 'Mijn stamboom.'

'Meisje, zet het van je af. Ooit komt alles vanzelf aan het licht.'

'Dat dacht Miriam waarschijnlijk ook, maar het gebeurde niet.'

Ze verlieten het centrum en kwamen in de grijze zone tussen het drukke stadsdeel en de buitenwijken aan, waar de lucht naar nachtphlox, jasmijn en engelentrompet rook.

'Misschien was het niet de bedoeling dat Miriam het wist en jij wel.'

Kate antwoordde met een grommend geluid en in stilte liepen ze verder.

Na een poosje zei Kalon: 'Die sparren stonden daar toch niet eerder?' Hij wees een groepje bomen aan. Kate kon de verkwikkende en scherpe geur van dennennaalden al van op afstand ruiken.

Ze schokschouderde. 'Dromer,' zei ze op vlakke toon.

Kalon had gehoopt Kate af te leiden, maar slaagde daar dus niet in. Vroeger was ze telkens opgetogen over en nieuwsgierig naar de effecten van dromers in hun wereld; nu kon zelfs dat haar niet boeien. Hij zuchtte diep en hield zich voor dat hij juist door haar vasthoudendheid zoveel van haar hield.

Bij het huis van Gehlen aangekomen, zagen ze dat Dille en Codie al aanwezig waren. Door het raam zag Kate ze druk pratend in de woonkamer. Kalon kreeg de tijd niet om aan te kloppen; de voordeur zwaaide open en Gehlen vulde met zijn immense gestalte de hele deuropening.

'Is Natasha er?' vroeg Kate, terwijl ze hem omhelsde.

'Nee, Natasha is gaan werken.'

Kate stapte binnen, gevolgd door Kalon.

'Werkt ze nu? Wat doet ze dan?'

Gehlen, die hen naar de woonkamer volgde, zei: 'Ze geeft geschiedenisles. Ze heeft vroeger geschiedenis gestudeerd, weet je.'

'Geschiedenisles? Hoi Codie, hoi Dille.' Kate en Kalon omhelsden de anderen. 'Maar ze kent toch alleen de geschiedenis van Ratiowereld?'

Gehlen grijnsde. 'Vandaar, dat vonden ze nogal interessant. Enkel in de hogere klassen, hoor, en als het haar bevalt, mag ze ook speciale cursussen aan de universiteit geven.'

'Waw, dat is leuk! Zeg, hoe is die vergadering met de IFG afgelopen?'

'Het is gelukt om in elke groep fantasiejagers een emomens te plaatsen, maar enkel dus mensen, niet de andere wezens. Behalve onze Kalon hier.'

Kate nam naast Dille en Codie op de lange bank plaats. Kalon plofte in de fauteuil neer en Gehlen bleef staan, met zijn handen op de heupen. Degenen die hem goed kenden, wisten dat het een teken was van ongeduld.

'Alles goed met de zwangerschap?' vroeg Kate aan Dille.

Dille knikte. 'Ik ben 's morgens soms misselijk, maar verder prima.'

'Ik heb nieuws.' Codie glunderde. 'Ik ben nu al zover dat ik zonder enige moeite naar Ratiowereld, zonder Portaal of dimensiescheur, kan teleporteren.'

Kate grijnsde. 'Maar dat is geweldig! Gefeliciteerd, Codie.'

Ook Codie grijnsde breeduit. 'Bedankt. Alleen mijn helderziende gave blijft een beetje op hetzelfde niveau steken.’

‘Hé, Kalon, werk jij nog in het museum?’ vroeg Dille.

‘Goed, we zijn er nu allemaal,’ onderbrak Gehlen het gekeuvel.

‘Gedeeltelijk,’ beantwoordde Kalon Dilles vraag.

‘Mensen…’ zei Gehlen. ‘Hallo!’

‘Ik vroeg me af of je er schilderijen kunt kopen,’ ging Dille onverstoorbaar verder. ‘Henk is gek op die schilderijen van Frege Donner en-’

‘Er zijn-’ Gehlen weer.

‘Nee.’ Kalon schudde zijn hoofd. ‘Deze zijn niet te koop, althans niet die van het museum. Je moet hem anders maar eens thuis opzoeken.’

‘Waar woont hij?’

‘Dille, Kalon…,’ probeerde Gehlen weer.

‘Kunulu, een dorp net voorbij Randstad, waar voornamelijk kunstenaars wonen.’

‘Oké, dan ga ik daar eens heen. Ik wil Henk verrassen en-’

Gehlen kuchte hard en keek hen allen geërgerd aan.

‘De baas wil aan de slag,’ zei Kate op melodramatisch luide toon. ‘Iedereen opgelet!’

Gehlen wierp haar een vuile blik toe en zuchtte. ‘Jullie raden het nooit.’

‘Het is in Emowereld te doen,’ gaf Kalon aan. ‘Anders zou ik er niet bijgeroepen zijn.’

‘Mis,’ zei Gehlen. ‘Een uitzonderlijke gebeurtenis in Ratiowereld. Iets wat zich al eeuwen niet meer heeft voorgedaan en we hebben jou daarbij nodig, Kalon. Je krijgt alleen bij deze opdracht de exclusieve toestemming om naar Ratiowereld mee te gaan en wie weet laten ze het dan ook in de toekomst toe.’

Dat trok meteen de volle aandacht van de anderen, want als ze een vampier in Ratiowereld toelieten, moest er wel iets heel erg raars aan de hand zijn!

11 Emowereld: dag 3

"De schoonste dromen, droomt men wakend."

C. J. Wijnaendts Francken

Twee wagens scheurden door de smalle straatjes van het drukke centrum van Grensstad. De voetgangers, die dit soort rijgedrag absoluut niet gewend waren, konden nog maar net op tijd opzij springen. De oranje straattegels knarsten op sommige plaatsen, waardoor scherpe steentjes afketsten en in het rond vlogen. Verkeerslichten ontbraken in het straatbeeld; deze waren onnodig in een wereld waar amper gereden werd en waar de wagens uit zichzelf, want gedreven door magie, intelligent genoeg waren om elkaar te ontwijken. Maar zelfs al hadden ze bestaan, dan zouden ze op dit moment toch straal genegeerd worden.

De bestuurder van de eerste wagen heette Duyven en was een emomens. Zijn lichaam voelde en zag er zelfs uit als een strakgespannen veer, pareltjes zweet sijpelden op zijn voorhoofd en zijn ogen keken verschrikt naar de weg voor hem. Zijn dierbare gitaar die op de achterbank lag, hotste vervaarlijk heen en weer. Hij hoopte dat de gitaar de rit zou overleven. Hij hoopte dat híj het zou overleven.

Duyven was op weg naar de muziekschool, althans dat was zijn oorspronkelijke plan geweest. Goedgemutst was hij in een wagen gestapt, die naar zijn grote tevredenheid pal voor zijn huis stond, en had de bestemming doorgegeven. De wagen was rustig aan zijn route begonnen. Zodra hij Hoofdstad echter uitgereden was, was de wagen kuren beginnen te vertonen. In plaats van de berijdbare wegen te gebruiken, week hij soms af naar de grasvelden ernaast. Graspollen en aarde stoven op, konijnen en ander gedierte sprongen verschrikt in de beekjes en bermen weg. Slippend door het lange gras, alsof de wagen dronken was, schreeuwde Duyven de wagen toe dat hij kalmer aan moest rijden of moest stoppen. Zijn scheldtirades veranderden in smeekbedes zodra ze Grensstad naderden, maar ook dat bleek geen enkel effect te hebben. De wielen slokten de weg op als een felle, wilde kat die met een rat korte metten maakt en de wagen scheurde de stad binnen met een dodelijke snelheid die Duyvens hart van angst deed ineenkrimpen.

Alsof dat nog niet voldoende was, stoof er plots een tweede wagen uit het niets achter Duyvens wagen aan. Verwikkeld in een race, zonder toestemming van de passagiers, maakten beide wagens haakse bochten, kronkelende manoeuvres en remden ze onverwachts en hevig. Duyven waagde een snelle blik achterom en zag in een flits dat de bestuurder van de andere wagen net zo angstig keek als hij.

Duyven hield zijn handen krampachtig aan het stuur, tot zijn knokkels maanwit zagen. Al probeerde hij uit alle macht de auto een andere richting uit te draaien, weg van de drukke winkelstraten, het stuur gaf geen millimeter mee. De wagens in Emowereld, die iedereen en niemand toebehoorden, hadden dit soort capriolen nooit eerder vertoond. Het leek wel alsof ze naast een eigen wil, een gigantisch probleem hadden ontwikkeld of een of andere waanzinnig soort rebellie.

De tweede wagen zag kans om voorbij te rijden en haalde hem, met gierende banden waar de rook vanaf kwam, in. Duyven zag de verontschuldigende, vochtige blik van de passagier. De wagen ontweek nog net een vampierkind, dat huilend van schrik naar zijn moeder holde, om enkele seconden later uit het zicht te verdwijnen. Uiteindelijk, na een helse rit die misschien amper vijftien minuten had geduurd, maar voor Duyvens gevoel een eeuwigheid, remde de wagen abrupt en parkeerde. De motor sloeg af en de rust keerde weer.

Duyven haalde opgelucht adem. Hij keek om zich heen en liet toen zijn hoofd op het stuur vallen. Zijn hele lichaam trilde en schokte terwijl hij onbedaarlijk begon te huilen.

Hij hoorde dat het portier openging, maar had de kracht niet om op te kijken.

'Alles goed daar?' vroeg een vriendelijke vrouwenstem.

Hij mompelde bevestigend.

Misprijzend schudde ze haar hoofd. 'Wat had die wagen?'

Met moeite keek hij naar haar op, zijn handen beefden nog steeds. 'Ik weet het niet, ik weet het echt niet.'

'Wat gek,' zei de vrouw. Aan haar irissen te zien was ze een slangenvrouw. 'Ik heb dit een wagen nooit eerder zien doen.'

'Ik ook niet,' bracht Duyven met trillende stem uit. 'Ik zal een heks ernaar laten kijken.'

'Goed idee, maar ik zou er maar uitkomen als ik jou was.' Glimlachend stak ze haar hand naar hem uit, die hij dankbaar aannam. Zijn benen voelden slap aan, maar met de steun van de vrouw lukte het hem de wagen uit te komen.

'Ik denk dat ik voortaan maar de fiets neem,' zei hij en forceerde een zwak lachje.

'Ja,' zei de vrouw. 'Die hebben in ieder geval geen eigen wil.'

12 Ratiowereld: dag 3

"De dromen van vandaag zijn het materiaal van de wereld van morgen."

Peter Gabriël

Kalon keek zijn ogen uit. Hoe Ratiowereld eruitzag, sloeg hem met verbazing. Nee, verbazing was nog te zacht uitgedrukt. Zelfs na alle verhalen die hij van Kate gehoord had, was hij er niet op voorbereid. Het leek wel alsof de kilte van de omgeving tot in zijn diepste wezen doordrong, zodat hij moeizaam ademhaalde en hij zijn hart voelde verstenen. De hemel had de kleur van gebleekt denim, zwanger van de regen die nog moest vallen.

Dit is onnatuurlijk, dacht Kalon, *onmenselijk. Wat is dit voor plaats?*

'Kom.' Kate legde een hand op zijn arm. 'Ik snap het. Dit effect had Ratiowereld de eerste keer ook op mij, maar we moeten verder.'

'Verberg je tanden, wil je,' gaf Gehlen aan. 'We moeten de mensen niet onnodig laten schrikken. Je bent hier, zeg maar, undercover.'

Kalon hoorde Gehlen en knikte, maar bleef gefascineerd rond zich kijken. Kate troonde hem mee.

'We moeten eerst een luchtschip nemen. Ze zijn in Duitskeulen gedetecteerd.' Gehlen ging sneller lopen. 'Baksteen staat klaar.'

Baksteen was de bijnaam die Kate het vierkante luchtschip had gegeven. Ze hadden de vlieghaven achter zich gelaten en gingen richting hun oude kantoor in Antwerpen. Kalon zette snel zijn zonnebril op. Dat was niet alleen omdat zijn ogen te gevoelig waren voor het licht, maar ook omdat hij genoeg had van het deprimerende uitzicht. De kleurloze gebouwen, de nors kijkende gezichten en het ontbreken van een spoortje groen.

'Welke groep fantasiejagers gebruikt nu het kantoor?' vroeg Dille. Ze kon de anderen amper bijbenen, maar ze was dan ook de kleinste van de bende.

'Ik hoorde dat het de groep van Carmel was,' antwoordde Codie.

Dille verschoof de laptop die op haar rug hing. 'O, die. Ik heb ze wel eens ontmoet.'

'Dat klinkt niet al te enthousiast.' Codie keek Dille vragend aan.

'Nou… tja, we hebben eens woorden gehad.'

Het prachtige Jugendstilgebouw kwam in zicht. Kate keek op naar het dak en zag dat Baksteen inderdaad klaarstond om hen weg te brengen. Ze vroeg zich af hoe het met de A.I., Julie, was.

'Woorden over wat?' vroeg Codie.

'Over het feit dat wij allemaal naar Emowereld verhuisd zijn.'

'Je meent het? Waar bemoeit ze zich mee?'

De immense, houten voordeur, met smeedijzeren versiersels bewerkt, werd door Gehlen opengeduwd en allen stapten naar binnen, waarna ze de prachtig gevormde wenteltrap opliepen.

'Codie, je denkt al als een emomens. Vroeger zou je net zoals Carmel gereageerd hebben.'

Codie schokschouderde. 'Zal wel, ja.'

'Ze wil zelfs niet dat een emomens bij haar groep komt.'

'Dat kun je dan wel verwachten.'

Gehlen stond al boven, terwijl de anderen nog op weg waren. Hij keek op hen neer als wilde hij zeggen: schiet nou op. De deur, die vroeger naar hun vergaderzaal leidde, ging knarsend open. Een kleine, slanke vrouw, met bloedsinaasappelrode haren, stond in de opening en haar bruine ogen keken hen minachtend aan.

'Carmel,' zei Gehlen op een manier alsof de naam er uitgeperst moest worden.

'Hallo, Gehlen.' Ze keek de anderen een voor een aan. 'Codie,

Dille, Kate en…'

'Kalon, aangenaam.' Kalon had zijn mond amper durven te openen, bang om zijn hoektanden prijs te geven, en liep op haar af met uitgestoken hand. Carmel keek naar de hand, alsof die besmet was met een dodelijk virus, aarzelde even en schudde die dan toch.

'Nemen jullie Duitskeulen voor jullie rekening?' vroeg Carmel op ijzige toon.

'Inderdaad,' antwoordde Gehlen.

'En waarom kunnen wij dat niet doen? Wij waren hier al aanwezig.'

'Het bevel komt van de IFG, Carmel. Vraag het hen.' Gehlens stem klonk al even koel.

'Nee.' Ze keek Kalon met onverholen nieuwsgierigheid aan. 'Alleen vraag ik me af waarom.'

'Ze zullen hun redenen hebben, zoals altijd.'

'Ja ja. Nou succes dan maar.' Het klonk allesbehalve oprecht. Carmel draaide zich om en sloot de deur achter zich. Kate zag nog net de andere leden van Carmels groep aan de ronde tafel zitten, stuurs voor zich uit kijkend. Wat Kate niet verwacht had, was dat ze een steek van jaloezie voelde bij het zien van die andere groep in hun oude vergaderzaal.

'Kom, we gaan,' zei Gehlen onnodig. Ze liepen een volgende trap op tot ze aan het dak kwamen.

'Wat een kille mensen,' fluisterde Kalon tegen Kate.

'Zo zijn ze bijna allemaal, hoor,' waarschuwde Kate hem. 'Onze groep is een uitzondering.'

Het was warm bovenop het dak en de zon, die eindelijk doorbrak, scheen hier fel. Kalon zette de kraag van zijn jas hogerop en schermde zijn gezicht af met zijn handen.

'Waarom kan Codie ons niet daarheen teleporteren?' vroeg Kate, vlak voor het instappen. Ze liet zich duizendmaal liever teleporteren, dan zich in een vliegend technologisch ding te laten vervoeren. Het was niet dat ze vliegangst had, maar eerder technologieangst.

‘Te omslachtig,’ reageerde Gehlen. Kate zag echter aan zijn aura dat hij loog en ze kon raden waarom. Zijn enige en grote angst was teleporteren. Ze had het hem slechts eenmaal eerder, samen met Codie, zien doen.

Ze stapten in en namen allen plaats, Gehlen en Codie voorin.

‘Hallo, Julie,’ groette Gehlen de A.I. van het luchtschip.

‘Gehlen!’ klonk de zoetgevooisde stem van Julie uit de luidsprekers. ‘Wat enig om jou weer eens te horen! Dat is zoooo lang geleden.’ Ze zuchtte geëmotioneerd. ‘Jammer dat Aqua er niet meer bij is, maar is de rest van de groep er ook?’

‘Ja.’

‘Dag allemaal, lieverdjes, gaat het goed met jullie?’

‘Prima.’

‘Uitstekend, dank je, Julie.’

Julie kreunde. ‘Ik vind die andere groep, van Carmel, lang niet zo leuk. Ze weigeren met me over koetjes en kalfjes te praten.’

‘Dat vind ik jammer voor je, Julie,’ antwoordde Gehlen en aan zijn aura zag Kate dat hij het nog meende ook. ‘Breng ons naar Duitskeulen, coördinaten 65 streep 10.’

‘Met plezier! Daar gaan we! Grijp jullie vast.’ Julie grinnikte.

Het luchtschip kwam zachtjes ronkend in beweging, steeg op en vloog met lichtsnelheid vooruit. De rit was zo kort dat er zelfs geen tijd was om een praatje te houden, maar toch lang genoeg om Kalons gezicht een bleke kleur met enkele tinten groen te geven.

‘Alles goed?’ vroeg Kate bezorgd.

Kalon knikte, maar niet erg van harte.

Het luchtschip landde niet op een dak, maar in een brede straat. De voetgangers keken op noch om en vervolgden snel hun weg naar of van het werk. De straten werden al lang niet meer door gewone wagens gebruikt, sinds iedere reis met luchttransport werd gedaan. De motor sloeg af en Gehlen maande iedereen aan om een energiepistool te grijpen.

‘Zet de pistolen op verdoven,’ commandeerde Gehlen, terwijl hij een pistool onder zijn broeksrand stak. ‘Al zijn ze daar al lang niet meer aanwezig, we moeten op zeker spelen.’

‘Maar je kunt ze toch niet doden met een energiepistool,’ gaf Dille aan. Die van haar stak ze, onder haar jasje, in een holster.

‘Toch wel, Dille.’ Kalon bestudeerde met onverholen interesse het pistool. ‘Er is altijd een kans dat het zijn of haar laatste leven is dat beëindigd wordt.’

‘Hoeveel waren het er?’ Kate die slechts een topje en kort rokje aanhad, kon haar pistool enkel kwijt in de holster om haar bovenbeen.

Gehlen controleerde of iedereen zijn pistool had. ‘Ze waren met zijn drieën. Julie, open de deur.’

De deur gleed sissend open en het buitenlicht drong binnen. Terwijl ze uitstapten, vervolgde Gehlen: ‘Ze zijn hier vlakbij een fabriek en illegale club binnengedrongen.’

‘Wat voor club?’ vroeg Codie met een klein stemmetje en dacht: *toch niet de VR-club waar ik soms heen ga?*

En ja, hoor. ‘Een VR-club. Het was er barstensvol en het bood hen dus genoeg slachtoffers.’

Barstensvol, dacht Codie, *het was er nooit barstensvol geweest.* Hooguit vijf mensen. Hoe kon dat nou?

Ze sloegen de hoek om en kwamen uit bij een fabrieksgebouw waar in grote letters bovenop stond: **VW AIR: jouw unieke luchtschip!**

‘Hoe wisten die vampiers dat hier in de kelder een club zat?’ vroeg Codie.

Ze liepen naar binnen, in een ruime hal waar de receptie gelegen was. Zonder receptioniste echter. Hun stappen klonken hol en luid. De plek was doordrongen van een metaalachtige geur, die Kate uit duizenden zou herkennen. Hier werd bloed gedronken, dat wist ze zeker.

‘Hoe wist jij dat?’ vroeg Gehlen. Hij keek Codie scheef lachend aan.

'Nou... eh.'

'Codie, het kan me geen reet schelen dat je VR-clubs bezoekt.'

'Nu niet meer,' stotterde Codie. 'Niet meer sinds ik in Emowereld woon.'

'Hoe dan ook. De vampiers wisten waarschijnlijk niet dat die club hier zat. Ze kwamen voor de mensen in de fabriek.'

'De receptioniste werd gebeten,' constateerde Kate.

'Ja, ze is al naar een lab gebracht, iedereen trouwens,' beaamde Gehlen. 'Kom, die club ligt onder de werkruimte.'

'Dus ik moet hier even snuffelen en hopen dat ik het spoor van die vampiers oppik?' vroeg Kalon.

Gehlen opende een dubbele metalen deur. 'Dat is de bedoeling, ja. Jouw reukzin is veel sterker ontwikkeld dan die van ons, zelfs beter dan die van Kate.'

De werkruimte die ze betraden, was immens groot. Allerlei machines en computers die normaal gezien zoemden en sisten, lagen er nu griezelig stil bij, zodat het allemaal onnatuurlijk overkwam. Enkele luchtschepen hingen aan onzichtbare kabels, wachtend om afgewerkt te worden. Er viel uiteraard geen mens te bekennen, maar hier en daar verraadde een klein plasje bloed waar een werknemer had gestaan.

Kalon liep voorop en snoof de geuren op. De geur van bloed had zich met het metaal van de apparaten vermengd, maar was toch nog steeds overheersend. Vaag rook hij ook de opgewonden adrenaline die zich via de zweetklieren van zijn soortgenoten had verspreid.

'Het is niet normaal dat vampiers dit doen,' sprak hij zacht uit. 'Mensenbloed wordt alleen geproefd tijdens seks en dan in minieme hoeveelheden.'

De groep stond er verslagen bij.

'Ik begrijp er werkelijk niets van,' besloot Kalon en liep verder, het spoor volgend tussen de machines. De anderen volgden hem stil.

Uiteindelijk zagen ze een deur waar 'eetkamer' op stond; die bracht hen in een kleine ruimte met enkele metalen tafels en stoelen. Ook hier was het een ravage. Stoelen lagen omver en op de tafels lagen restjes half opgegeten voedsel en druppels bloed.

Ze vervolgden hun weg door een kelderdeur die zich moeizaam en knarsend liet openen. Via een stenen trap kwamen ze uit in een kruipkelder, waar ze gebukt doorheen moesten lopen.

'Hoe wist de IFG trouwens dat de daders vampiers waren?' vroeg Kate.

'De typische twee puntjes in de hals en op andere plaatsen,' antwoordde Gehlen vlak.

'En waarom hebben ze dit gisteren niet ontdekt, toen het gebeurd was?'

'Vannacht zijn de eerste slachtoffers in de labs aangekomen. Het duurde een poosje voor ze doorhadden wat er gebeurd was. Sommige slachtoffers waren bewusteloos en anderen waren in shocktoestand.'

Ze openden een deur die uitkwam in de VR club.

'Gelukkig geen doden,' zei Kate.

De rauwe, bloederige stank was hier zo overweldigend, door de kleine ruimte en de vele slachtoffers, dat iedereen van de groep het kon ruiken. Dille sloeg walgend een hand voor haar neus. De club zelf was eenvoudig ingericht; een zwartgeschilderde bar en een luguber lege dansvloer die voor de helft de dieprode kleur van bloed had.

'Wat bezielde ze?' bracht Kalon gesmoord uit.

Hij merkte dat hij het moeilijk kreeg. Zijn verlangen naar bloed borrelde op en sneed door zijn zenuwbanen en maag alsof hij in geen dagen meer gegeten had. Hij kon zich moeilijker en moeilijker concentreren op het spoor van de vampiers, draaide zich toen abrupt om en verliet in allerijl de kelder. Kate die zijn innerlijk gevecht al in zijn aura gelezen had, snelde hem achterna en de anderen volgden, denkend dat Kalon een duidelijk spoor te pakken had.

Buitengekomen stond Kalon gebukt, met zijn armen leunend op zijn knieën. Hij ademde de neutrale lucht met grote happen binnen.

‘Het werd te veel, hè,’ Kate legde voorzichtig haar hand op zijn rug.

Kalon rechtte zich en keek in de vragende gezichten van de anderen. ‘Ik heb hun geur goed opgepikt,’ zei hij ten slotte met een van woede verwrongen gezicht. ‘Die kant uit!’

13 Emowereld: dag 3

"We verlangen altijd naar visioenen van schoonheid, we dromen altijd van onbekende werelden."

Maxim Gorki

De zombie Stef stond met zijn kraampje op het drukke marktplein van Randstad. Randstad was een prachtige stad met een marmeren straatbekleding en ronde krullerige architectuur in overwegend beige en witte tinten. De marktplaats werd omgeven door fruitbomen. Appels, sinaasappels, vijgen en peren sierden hun kruinen, en daartussenin waren prachtige bloemperken aangelegd. Het plein zelf bestond uit vuuroranje marmer, gepolijst door miljoenen voetstappen. Kramen in allerlei kleuren en motieven stonden gezellig dicht bij elkaar. Magische voorwerpen van heksen, parfums van killmoulissen, wijnen uit de bijzondere wijngaard van Bacchus, sterke en kruidige kabouterwodka, exclusieve en dure feeënkledij, de befaamde tabak van Nico en Tine, en nog veel meer spullen waren er te koop.

Omnibollen rolden snel heen en weer, hun buik volproppend met gevallen troep, want markten waren een waar eetfestijn voor de bollige vuilnisopruimers van Emowereld. Door de luidsprekers schalde sfeervolle sirenemuziek. Er klonk vrolijk gepraat en gelach op, kinderen en honden holden achter elkaar aan onder de kraampjes en tussen de wezens door.

Stef had zijn waren, gebottelde flessen bronwater, netjes naast elkaar uitgestald en wachtte geduldig op klanten. Het water schitterde in de zonnestralen en zag er aanlokkelijk uit, nog meer nu het broeierig heet was buiten. Zombies stonden bekend als een gezapig volkje dat teruggetrokken leefde in Zombiegebied, een plaats die gedomineerd werd door waterbronnen en grotten. Stefs ziekelijk bleke gelaatskleur vertoonde grauwe vlekken en zijn felrode ogen waren donker omrand – de typische zombielook die een gevolg was van het leven in een gebied dat slechts enkele uurtjes zon per dag had. Zombies verlieten hun leefomgeving alleen wanneer ze voldoende flessen water hadden om te verkopen en reisden daarvoor vaak dagen achtereen. In tegenstelling tot de vroegere populistische filmcultuur in Ratiowereld waren zombies geen ondoden, noch aten ze de hersenen van mensen. Maar iedereen was het erover eens dat ze een dromer geïnspireerd hadden en daardoor de oorsprong vormden voor die bizar griezelige creaturen.

'Twee flessen.'

Voor het kraampje stond de bekendste muze uit Emowereld, Melpomene. Zij was degene die model voor Assepoester had gestaan en de schrijver onbewust had geïnspireerd. Maar Melpomene, die normaal gezien de vrolijkheid zelf was, keek vandaag stuurs voor zich uit.

Stef kende haar niet zo goed, dus stoorde hij zich niet aan haar onvriendelijke houding. Hij plaatste de flessen in een papieren zak en nam de gevraagde eenheden van haar over.

Bijna onmerkbaar begon de lucht te trillen, vergelijkbaar met opstijgende warmte boven teer. Het was zo subtiel dat niemand het verder in de gaten had, behalve Stef. Doordat zijn zicht uiterst scherp was, beter nog dan dat van vampiers, zag hij de luchtverplaatsing langzaam opkringelen uit de grond. Het fenomeen, geurloos en kleurloos, bedroeg een spanwijdte van zeker tien vierkante meter. Hij begreep niet meteen waar het vandaan kwam of wat het betekende. Gefascineerd staarde hij naar de grond, nog steeds met de papieren zak in zijn handen.

'Krijg ik ze nog?' klonk het scherp.

Normaal gezien bemoeien zombies zich niet met anderen. Niet uit desinteresse, maar eerder uit respect. Daarom vond hij het des te vreemder toen hij vroeg: 'Alles goed, dame?'

Melpomene griste de tas uit zijn handen. 'Nee! Helemaal niet!'

Stef kromp even in elkaar, maar een nieuwsgierige golf overspoelde zijn denken. 'Kan ik u ergens mee helpen dan?'

'Dat denk ik niet!'

Hou nou op met vragen stellen! 'Probeer het toch maar.'

Melpomene zuchtte diep en keek de zombie aan. 'Ik hou niet meer van schoonmaken!'

'Zo, hé.'

'Ja, werkelijk. Ik ben verslaafd aan schoonmaken en sinds gisteren ondervind ik er geen plezier meer aan. Wel, zelfs integendeel! Ik heb er nu een hekel aan!'

'Wat vervelend.' Stef kon zich niet voorstellen dat er wezens waren die graag schoonmaakten. Vegen en flessen uitspoelen, daarmee was zijn kennis van schoonmaken wel opgesoupeerd.

'Dus, zoals ik eerder zei: jij kunt me niet helpen. Ik denk dat ik het Orakel maar eens raadpleeg.'

Stef keek haar nu geschokt aan. 'Ben je dat wel zeker? Het Orakel-'

'Ja ja, laat maar.' Melpomene beende weg. Haar witte haren wipten op en neer en algauw was ze in de marktmassa verdwenen.

Stef keek weer naar de grond, maar wat het ook was dat hij eerder gezien had, het was nu verdwenen. Gebulder en geroep deden hem opkijken. Toen hij om zich heen keek, naar de eerder zo vrolijke marktkramers en bezoekers, kon hij niet geloven wat hij zag. Verwoed wreef hij in zijn ogen, in de hoop dat het enge beeld zou verdwijnen. Tevergeefs. Het marktplein was veranderd in een wirwar van woeste bewegingen. De lieflijke sirenemuziek was al niet meer te horen. De anders zo beleefde heksen scholden voorbijgangers de huid vol; ze vloekten en tierden alsof hun leven ervan afhing. Een vuurduivel schoot een vuurbal uit zijn handen naar een klant die nog net kon wegduiken. Een onderwaterduivel gooide een voor een zijn flessen zelfgestookte whisky op de grond stuk, schreeuwend dat hij de enige was die zijn goedje ten volle waardeerde en de anderen allemaal whiskybarbaren waren. En zo ging het maar door, de ene tegenstrijdigheid na de andere. Het anders zo vredige emovolk ontaardde in een kluwen van schreeuwende, worstelende en duwende wezens. Verbouwereerd schudde Stef zijn hoofd en op dat moment realiseerde hij zich wat het fenomeen daarnet betekende, wat die vreemde luchtverplaatsing werkelijk was.

Een vortex!

14 Ratiowereld: dag 3

"Het leven is een droom, maar dromen is geen leven."

Constantijn Huygens

'Het spoor houdt hier op!' Kalon keek tegen de muur van een doodlopende straat aan. De anderen stonden achter hem. Gehlen zuchtte luid.

'Dimensiescheur,' zei Kate op grimmige toon. 'Al lang dicht natuurlijk.'

'Ze zijn dus weer ontsnapt naar Emowereld,' voegde Codie eraan toe.

'Dan moeten we daar naar hen zoeken,' zei Gehlen.

'Onbegonnen werk.' Kate keek boos naar de muur, alsof die de oorzaak was van alle ellende. 'Ze kunnen waar dan ook zijn en het spoor zal nu wel koud geworden zijn. Een geur oppikken in Emowereld is moeilijker dan hier in deze geurloze wereld.'

'We hebben toch een omschrijving van de daders?' zei Dille die haar laptop nam en deze opende. Ze hurkte neer met de laptop op haar schoot en drukte een paar toetsen in.

'Ik zal Arthur, de A.I., gebruiken,' mompelde Dille, bijna onverstaanbaar.

'Arthur?' grijnsde Codie. 'Heb je hem een naam gegeven? Ik heb jou de A.I. nooit eerder zien gebruiken.'

Iedere computer in Ratiowereld had een A.I., net als de luchtschepen, die je naar believen kon aan- of afzetten. Sommige ratiomensen gebruikten alleen maar hun A.I. om dingen op te zoeken of om hen te helpen bij moeilijke taken. Dilles A.I. kon echter zo vervelend en hautain doen, dat ze het ding zelden opriep.

'Ik gebruik liever mijn vingers dan mijn stem. En je zult snel genoeg begrijpen waarom ik hem zelden oproep.'

'Doe maar.' Codie was nogal benieuwd.

Met een schuin lachje keek Dille op naar Kate en Codie. 'Weet je het zeker?'

'Nou, ik ben wel nieuwsgierig,' zei Kate.

'Daar gaat hij dan.' Dille wendde zich tot haar laptop en drukte een toets in. De witte lichtstraal die uit het scherm de hoogte in schoot, leek de hele straat op te lichten. Meteen vormde zich een driedimensionaal beeld van een boos kijkend mannenhoofd met sluik, blond haar en blauwe ogen.

'Verdorie, je hebt me weer zo lang opgesloten!' klonk het gefrustreerd. 'Ik ben geen kanarie!'

'Je kwettert wel evenveel,' zei Dille. Ze bespeurde enige lacherigheid bij de anderen.

'Moet je jou eens horen. Een beetje ad rem geworden, eh?' kaatste Arthur terug.

'Heb ik van jou geleerd, o grote meester.'

Arthur draaide zijn hoofd naar de andere leden van de groep. 'Spot ze nou met me?'

Kate gaf grijnzend antwoord. 'Ik denk het wel, Arthur.'

'Wie zijn dat allemaal?'

'Gehlen, aangenaam.'

'Codie, hoi.'

Ook Kalon en Kate stelden zich voor.

'Hoi! Wel, wel.' Arthur keek Dille opnieuw aan. 'Nieuwe speelkameraadjes gevonden, kleine meid?'

'Houd je mond nou, Arthur, of ik zet je voorgoed uit.'

Arthur keek quasi gekwetst. 'Nee, toch? Dreig je me nou met iets wat je toch wel doet?'

‘Ik kan je een geslachtsverandering geven.’

‘Wat heb ik daar nou aan als zwevende kop?’

‘Of ik kan je persoonlijkheid aanpassen. Slaafs en braaf en zo.’

‘Phoe, je bedoelt dus eenvoudigweg geen persoonlijkheid.’

‘Klinkt aanlokkelijk.’

‘Ik kan er nou eenmaal niets aan doen dat ik graag praat. Dat komt omdat je me altijd zo lang opgesloten laat.’

‘O, nou is het mijn fout zeker? Je tatert er al op los sinds ik je heb.’

‘Compensatie noemen ze dat. Jij opende je mond amper, in ieder geval vroeger dan.’

‘Hé, dat brengt me op een idee. Ik kan je zo programmeren dat je mond dichtgeplakt zit!’

‘Verdorie, jij leert snel bij! Waar is die kleine, schuchtere meid van vroeger. Halloooo!’ Arthurs hoofd draaide als een tol in het rond. ‘Dille? Waar ben je?’

‘Wat ben je toch een grapjas,’ klonk het sarcastisch van Dille.

‘Tot je dienst!’

‘Begin dan maar hier eens mee. Zoek alle omschrijvingen op van de vampiers die gisteren VW Air en een VR-club in Duitskeulen hebben aangevallen.’

‘Beschrijving.’ De stem van Arthur klonk nu eentonig en verstoken van enige emotie. ‘Soort: vampiers. Herkomst: Emowereld. Drie stuks, allen mannelijk, twee zwartharig en één witblond. Kleur ogen: alle bruin tot donkerbruin. Lengte: minimum een meter negentig. Slank postuur.’

‘Stop Arthur, dat is erg algemeen. Geen specifieke kenmerken? Tics? Gedragingen?’

Zijn holografische hoofd schudde ontkennend. ‘De slachtoffers waren te zeer in schok en kregen de tijd niet om hun aanvallers beter te bekijken.’

‘Verdorie,’ vloekte Gehlen.

‘Ga niet meteen op je paard zitten, krachtpatser,’ zei Arthur bestraffend. 'Die mensen hebben blijkbaar heel wat meegemaakt. Het was nu niet zo dat ze al koffiedrinkend de tijd hadden die vampiers te bestuderen en er een schets van te maken terwijl anderen aangevallen werden. Ze zullen behoorlijk ge-'

'Arthur, bek dicht!' onderbrak Dille zijn woordenstroom.

Mokkend bleef Arthur Gehlen aankijken.

'Hier houdt het dus op,' zei Gehlen. 'Voorlopig in ieder geval. Met die beschrijving kunnen we de helft van de vampierpopulatie arresteren.'

'Bij mij doet het ook geen belletje rinkelen,' gaf Kalon toe.

'Hé, jij zou een van hen kunnen zijn.' Arthur keek Kalon met nauwe oogjes aan.

'Klap dat ding dicht, wil je?' siste Kalon.

Dille voegde de daad bij het woord. Arthurs stem klonk nog een laatste maal. 'Neeeeee, wacht nou even, nog even, toe, nog even....'

'Wat een heerlijke stilte,' zei Dille zuchtend. 'Snap je nou waarom ik hem zelden boven water haal?'

Iedereen knikte heftig.

15 Emowereld: dag 3

"Ik ga zelden naar de bioscoop: dromen is goedkoper, je kunt de hele tijd liggen en je speelt zelf de hoofdrol."

Paul Jacobs

Dille had zich voorgenomen om onmiddellijk de daad bij het woord te voegen en Frege Donner in Kunulu op te zoeken. Henk was bij het Portaal aan het werk, dus het was een uitgelezen kans om stiekem een cadeau voor hem te gaan kopen. Het was al een eind in de namiddag en de hemel vertoonde hier en daar wolkenslierten die leken op uitgetrokken suikerspinnen. De lucht leek zelfs net zo zoet te geuren.

Dille liep naar de eerste wagen die ze zag staan: een hoekig ding dat met grote zonnebloemen beschilderd was. Het paste wel hij haar opgewekte humeur, vond ze. De hitte in de wagen sloeg haar in het gezicht, zodat ze snel de raampjes opende voor ze plaatsnam en haar laptop op de passagiersstoel gooide. Ze liet de temperatuur even op zich inwerken, haalde kleine hapjes lucht binnen en veegde haar bezwete voorhoofd af met een zakdoek. Nu ze zwanger was, leek ze wel een ontregelde thermostaat!

'Het huis van Frege Donner in Kunulu, alsjeblieft,' gebood ze de wagen.

Meteen zette de wagen zich in beweging en reed de straat op.

Dille kende zo ongeveer wel de weg naar Randstad, maar niet naar Kunulu. Ze voelde zich opgetogen een nieuw dorp te leren kennen en vroeg zich af hoe wonderlijk deze plaats eruit zou zien. In een rustig tempo gleed de wagen door Hoofdstad, netjes de voetpaden en fietsers ontwijkend. Dille liet zich onderuitzakken en genoot van de omgeving, die algauw overging in smallere wegen, zomergroene weiden vol stoffig blauwe en rookkleurige violetbloemen en reusachtige knoestige eiken.

Even later zag ze Randstad in de verte opdoemen en stond ze opnieuw vol bewondering voor een van de prachtigste steden in Emowereld. Dille zuchtte, diep onder de indruk. *Die stad zal wel vaak model hebben gestaan voor sprookjessteden uit de vroegere boeken.*

De wagen mocht Randstad niet in, vanwege de delicate bestrating en smalle steegjes. Vanaf de rand bleef het uitzicht echter even indrukwekkend met zijn sierlijke, witblinkende torentjes en daken, alsof de huizen met geslepen diamanten en witte zijde bekleed waren.

Dille bleef de stad nakijken tot ze uit het zicht verdwenen was en merkte toen dat ze opnieuw door een gebied reed waar de natuur het voor het zeggen had. Velden met leerachtige tabaksplanten en wuivend riet gleden voorbij. Tot nu toe bleven gebieden en wegen onaangetast door dromerinvloeden. De hobbelige weg deed haar heen en weer schudden, zodat ze de portierhendel beetgreep. Links van de weg zag ze een kabbelend beekje waar een moedereend met haar kuikentjes zwom. Een glimlach verscheen op haar gezicht.

Kijk, dat zie je nou nog amper in Ratiowereld, wat schattig.

Eigenlijk wilde ze stoppen, haar schoenen uitgooien en door het beekje waden. Uren en uren nietsdoen en simpelweg genieten.

Mijn hemel, daar zou ik nou vroeger, als ratiowereldbewoner, nooit aan gedacht hebben. Toen was het enkel werken, werken, werken en een poosje lanterfanten, hoe kort ook, zou haar een immens schuldgevoel bezorgd hebben.

Na een tiental minuten gaf een gammel, houten bordje langs de kant van de weg aan:

Kunulu
Kunstenaarsdorp
Welkom liefhebber van de kunst!

Dille tuurde voor zich uit, maar zag nog steeds geen tekens van bebouwing. Hoewel... daar in de verte? Ja, inderdaad, minuscule huisjes kwamen tevoorschijn. Dille ging er nu helemaal voor zitten, wilde elk detail grondig in zich opnemen. De wegen bleven hun zanderige ondergrond behouden en werden ook niet breder en de huisjes leken alle in een verschillende kleur geschilderd, alsof het dorp een groot schilderspalet of een doek van een dolgedraaide schilder was. Ze ontdekte niet één huis dat hetzelfde was en uit verschillende schoorstenen kringelde rook. Dichterbij gekomen zag ze dat de huizen opgetrokken waren uit hout, zelfs de daken, zodat het geheel zacht overkwam, ondanks de felle kleuren. Het was een perfecte harmonie van chaos en rust.

Net buiten het dorp stopte de wagen.

'Hier moet ik eruit, zeker?'

De wagen reageerde door de motor stil te leggen.

'Begrepen.' Ze nam de tas waar haar laptop in zat en gooide die over haar schouder voor ze uitstapte. 'Kan je hier op mij wachten?'

De wagen antwoordde bevestigend door eenmaal te toeteren.

Het eerste dat haar opviel, was de sterke geur van olieverf, terpentine en een meer ondefinieerbare stof waarvan ze vermoedde dat het gebakken boetseerklei was. Ze liep de vijf meter naar de eerste huizen toe. Toen ze de hoek om ging, kwamen gelach en het geluid van stemmen haar tegemoet. De straten bestonden uit kinderkopjes in een cakekleurig geel en het leek wel of iedereen buiten leefde. Schildersezels, houten tafels met kralen en metalen, beschilderde stoffen en beeldhouwwerken bestaande uit allerlei materialen stonden voor de huizen uitgestald. Mensen en andere wezens zaten voor hun huis, pratend of werkend, en gezang klonk uit een radio. Een man in een grappig kostuum, als van een nar, beende door de straat, een uitgerold perkament voor zich uithoudend en gedichten reciterend. Een groep meisjes – Dille vermoedde feeën – gekleed in wat leek op een bonte verzameling ragfijne sjaals, kwam Dille dansend voorbij en wierp haar kushandjes toe. Dit dorp kwam op Dille over als het levendigste en meest bruisende dat ze ooit gezien had.

Ze besloot de eerstvolgende persoon aan te spreken. Dat bleek een forse man te zijn, met een wit schort voor en een baard die met een touwtje samengebonden over zijn schouder hing. Appelwangetjes, die eruitzagen alsof hij ze gepolijst had, en guitige oogjes waren het enige dat niet onder de gigantische baard schuilging. Hij zat achter een elektrische draaischijf en was driftig in de weer. Zijn enorme handen en zijn baard zaten onder de spatten klei. Naast hem stond een mollige vrouw die zo hartelijk lachte dat de tranen over haar wangen liepen en de blauwe vegen verf op haar gezicht uitgesmeerd werden. Het huisje waar hij voor zat had de kleur van vanille, waarop allerlei potten en vazen in pastelkleuren geschilderd waren, en een groene voordeur.

'Goedemiddag.' Dille kon haar ogen niet van de draaischijf afhouden. Wat de man maakte, zag er enerzijds bizar uit, maar anderzijds ook erg functioneel. Het was op zijn minst, door de grillige vorm, fascinerend te noemen.

'Hallo!' riep de man met een zware stem uit.

De vrouw lachte nog even en groette toen Dille.

'Wat bent u aan het maken?' vroeg Dille.

De man hield zijn handen op de vorm en leek blindelings aan te voelen hoe hij de klei moest bewerken, zelfs toen hij haar aankeek. 'Een vaas.'

'O.'

'Wat dacht je dan?' De man keek Dille geamuseerd aan.

'Jouw werken zien er nooit uit waar ze voor bedoeld zijn, Shaga!' zei de vrouw glimlachend. 'Dus je kunt het haar niet kwalijk nemen dat ze het niet ziet. Ik zie het ook nooit. Niemand ziet het ooit!' En wederom begon de vrouw het uit te schateren.

'Het is prachtig,' zei Dille. Het leek of de klei bestond uit duizenden glimwormen die dansten en de liefde bedreven, kronkelend door elkaar heen en opklimmend naar de hemel.

'Dank je wel!' Pretlichtjes verschenen in zijn ogen.

'Ik zoek eigenlijk Frege Donner.'

'Frege Donner?' De vrouw zette grote ogen op.

'Ja.'

'Die vind je als je de eerste straat rechts neemt en dan links. Het derde huis links, blauw geschilderd met vissen erop. Niet te missen,' gaf de man aan.

'Zou je haar niet een beetje waarschuwen, Shaga!' zei de vrouw.

De man schokschouderde. 'Nou, goed dan.'

Hij hield op met het pottenbakken en veegde zijn vlezige handen af aan zijn short, dat meer grijs dan wit was. 'Frege is een beetje gek geworden.'

'Hoezo? Wat bedoelt u?'

'Hij was altijd al een beetje gek, hoor.' De vrouw knipoogde. 'Maar handelbaar gek, weet je.'

'Ja, maar sinds gisteren is het nog erger geworden.'

'Ja,' beaamde de vrouw. 'Dat was nog eens bizar, hé, Shaga! Ik bedoel, mijn hemel!'

'Jaag haar niet te veel schrik aan, Claudelle.' Shaga plukte stukjes klei uit zijn baard en piekte die weg tussen duim en wijsvinger.

'Nou, hij zal haar niet opeten of zo, het is een zachtaardige onderwaterduivel.'

'Was,' zei de man.

'Was wat?'

Dille volgde het gesprek als bij een tenniswedstrijd.

'Zachtaardig.'

'Nog steeds, Shaga, nog steeds. Alleen een beetje meer onvoorspelbaar dan voorheen.'

'Ah, kom op nou, Claudelle.' Er verdween weer een stukje klei naar de straatkeien. Dille zag dat ze alle mooi op dezelfde plek terechtkwamen. 'Hij begon haaien op zijn huis te schilderen, dat kan nooit een goed teken zijn.'

'Hoezo? Haaien zijn lief,' stootte Claudelle verbolgen uit.

'Tot ze honger hebben.'

'Frege is geen haai.'

Dille vroeg zich af of ze haar niet in de maling namen.

'Wat niet is, kan nog komen.'

'Grapjas!' De vrouw trok een grimas naar Dille, als wilde ze zeggen dat Shaga een beetje gek was.

'Kan ik er dan wel heen?' Dille voelde de angst opborrelen.

'Natuurlijk! Alleen... nou, je ziet het wel, het is moeilijk uit te leggen.'

De man zette de draaischijf opnieuw aan, gooide zijn baard op zijn rug en ging onverstoorbaar verder met pottenbakken. Dille keek de straat in met de lachende en opgewekte gezichten en de vrolijke kleuren.

Wat kan er nou zo erg zijn? Een beetje gek, en dan?

Toen ze besloot het erop te wagen en verder liep, hoorde ze de vrouw haar nog naroepen: 'Sterkte, meid!'

16 Ratiowereld: dag 3

"De wereld is vol roerloze objecten die op een artiest wachten om tot dromen te ontluiken."

Henri-Floris Jespers

Andrew zat aan de keukentafel en keek met voldoening naar de rest van zijn aankopen. Nog vijf bokalen, dus vijf schimmen. Hij had de keukenverlichting op schemerstand gezet, zodat de schimmen in een soort van rusttoestand leken te verkeren.

Gisteravond, op een samenkomst met vrienden, had hij de overige schimmen aan zijn gasten geschonken. Zijn vrienden kenden hem al langer als gever van excentrieke en originele geschenken. Deze keer echter had hij zichzelf overtroffen. Levende wezens die wensen vervulden uit Emowereld! Hoe bizar ver kon je gaan!

De overige vijf schimmen wilde hij voor zichzelf houden. Al een vol uur was hij de wezens aan het bestuderen. De prachtige kleurschakeringen pulseerden tegen het glas aan. Soms was de mistige substantie van de wezens duidelijk en op andere momenten vaag en bijna onzichtbaar. Ze waren fascinerend en werkten haast hypnotiserend, vond Andrew.

Andrew nam nog een slok van zijn wodka en slikte het goedje met een vertrokken grimas door. Alcohol was al lange tijd verboden in Ratiowereld, maar hij kende de kanalen om aan het illegale en uiterst dure spul te komen. Zoals hij overal wel zijstraatjes voor kende.

Er was niets wat hij of zijn mannen niet konden vinden en hij had geld zat om tot in het extreme te gaan.

Inderdaad, zijn vrienden hadden gelijk. Deze schimmen zouden moeilijk te overtreffen zijn. Andrew grijnsde. Niets was onmogelijk en hij hield wel van een uitdaging.

Na nog een slok wodka besloot Andrew dat hij het niet langer wilde uitstellen. Hij liet zijn vingers kraken, rechtte zijn rug en haalde diep adem. Snel, hij moest snel zijn. Onmiddellijk zijn hand boven de opening van de bokaal houden, zodat de schim zijn huid zou aanraken.

Oké, Andrew, jongen, je hebt al engere dingen gedaan in je leven, zoals zonder bescherming het Orakel bezoeken en uit een luchtschip springen, vlak voor het de lichtsnelheid zou aanvatten. Dit is een peulenschil.

Hij blies zijn handpalmen droog en schoof een van de bokalen dichter naar zich toe. Langzaam draaide hij het deksel los. De schim leek het gewaar te worden, want die begon zich iets meer te roeren en de zachtgele gloed verdonkerde tot dieporanje. Het deksel was nu volledig losgeschroefd, maar Andrew liet het nog steeds op de bokaal rusten. Dieporanje werd vuurrood. In de verder stille keuken was het zachte glijden van de schim tegen het glas van de bokaal te horen. Het deed Andrew denken aan een spinnende kat.

Andrew liet het deksel kletterend op de keukentafel neerkomen en plantte meteen zijn hand op de opening. De schim botste tegen zijn huid aan; een aangenaam, strelend gevoel, zacht als van een katoenen watje. Andrew grijnsde tevreden, het was gelukt. Hij nam voorzichtig zijn hand weg.

De schim wervelde in een spiraal van regenboogkleuren de lucht in. Zelfs in het schemerlicht straalden de kleuren in ragfijne suikerspindraadjes en witte rookslierten. Andrew keek bewonderend naar de vloeiende dans die zich tegen het witte plafond van zijn keuken afspeelde.

Hij was klaar voor de wens!

Het bepalen van de juiste wens was niet eenvoudig geweest. Hij had er zijn tijd voor genomen en afgelopen nacht had hij de slaap niet kunnen vatten. Hij wilde slechts één wens gebruiken om de verslaving, waar Tom hem zo voor gewaarschuwd had, geen kans te geven. Eén wens die alles zou omvatten en geen vervelende neveneffecten zou hebben.

Glunderend wreef hij in zijn handen en sprak: 'Ik wens dat al mijn wensen en dromen uitkomen!'

De schim begon eigenaardig te trillen, spastisch bijna, alsof hij moest kokhalzen. Hij werd donkerder, tot hij volledig zwart geworden was en schoot toen zo plots naar de tafel toe, dat Andrew geschrokken achteruitdeinsde en met stoel en al op de grond viel. Snel krabbelde hij op handen en knieën overeind. De schim had intussen een nog volle bokaal geraakt die omgevallen was en nu vervaarlijk naar de rand van de tafel rolde. Andrew zag het gebeuren als in een vertraagd beeld, voelde zijn hart enkele tellen stilstaan en sprong toen met uitgestrekte armen naar de tafel toe. Maar het was te laat; de glazen bokaal viel op de tegelvloer stuk.

O nee, o nee, o nee, ik heb die schim niet aangeraakt, schoot het door Andrew heen. De schim vloog op uit de scherven van de bokaal en vergezelde zijn soortgenoot die boven de tafel zweefde.

Op zijn knieën zittend, met zijn armen nog altijd uitgestrekt op de tafel, zag Andrew hoe de twee schimmen met forse kracht de andere bokalen omstootten. Het zweet brak hem uit. Dat was slecht. Erg slecht. Trillend ging hij staan en probeerde verwoed de bokalen te grijpen, maar de schimmen beletten hem dit door voor zijn gezichtsveld te cirkelen.

Stuk voor stuk braken de bokalen op de vloer open en wervelden de schimmen hun vrijheid tegemoet. Het ontging Andrew niet dat de schimmen razend waren. Hun eens zo prachtige kleurenpalet was veranderd in inktzwart en ze vlogen ongecontroleerd alle kanten op. Ze botsten tegen keukenkastjes die openvlogen, sloegen het servies aan gruzelementen, openden laden en lieten messen door de lucht vliegen. Binnen enkele seconden tijd was de keuken een ravage.

Andrew dook geschrokken weg onder de keukentafel en hield zijn armen beschermend om zijn hoofd. *Wat heb ik verkeerd gedaan? Wat heb ik verkeerd gedaan?*

Wat Andrew niet wist, en wat Tom had nagelaten te vertellen, was dat een schim maar één wens tegelijk aankon. Het feit dat Andrews wens meerdere eisen inhield, was de schim te veel. Zodoende had de wensvervuller slechts één oplossing gezien: de andere schimmen vrijlaten zodat zij de overige wensen konden vervullen. Maar dat was gebeurd voor Andrew kans had gezien deze schimmen aan te raken.

17 Emowereld: dag 3

"Wil je een duidelijk oordeel over je vrienden hebben, ondervraag dan je dromen."

Karl Kraus

Kate voelde zich behoorlijk rot toen ze samen met Kalon hun flat inliep. Ze begreep niet waar het vandaan kwam, maar kon het gevoel niet onderdrukken. Het was begonnen zodra ze voet in haar wereld gezet had. Eerst sissend en daarna als een vulkaan die zijn lava uitspuwde. Het lag niet aan het weer, want dat zag er nog steeds veelbelovend uit. Het lag evenmin aan Ewok, de groep of Kalon, want die waren zichzelf en hadden niets gedaan waardoor ze zich zo geïrriteerd kon voelen. Maar ze werkten allemaal op haar zenuwen en het liefst wilde ze met rust gelaten worden. Ze wou gewoon in haar bed kruipen, met de dekens over zich heen, volledig afgesloten van de wereld. Een donkere schaduw van negatieve gedachten teisterde haar hoofd dusdanig dat het haar duizelde. Ze had zin om te vloeken en te schelden op alles en iedereen.

Thuisgekomen was Kalon meteen de keuken ingedoken waar hij aan het koken sloeg. Ewok, die haar vluchtig had begroet, bleef in een straal van een meter in Kalons buurt, hopend op toegeworpen restjes. Omdat ze zich zo down voelde, had Kate niet aangeboden om te helpen. En alsof hij het aanvoelde, had Kalon evenmin om haar gezelschap gevraagd. Mokkend zat ze op de bank en staarde uit het grote raam van de woonkamer naar buiten.

Ze vroeg zich af waar die plotse neerslachtigheid vandaan kwam en overliep de afgelopen gebeurtenissen. Het kon niet liggen aan het feit dat er vampiers ontsnapt waren. Toch?

Ze hoorde Kalon die nogal luidruchtig met potten in de weer was en weerhield zichzelf ervan hem toe te snauwen of hij het *alsjeblieft wat zachter aan kon doen*. Er sijpelde een gemene gedachte bij haar binnen. Ontsnappende vampiers en Kalon, alsof die twee onlosmakelijk met elkaar verbonden waren, wat uiteraard absurd was. Hoe meer ze er echter over nadacht, hoe meer ze met elkaar verstrengeld leken. Kalon was tenslotte een vampier. En waren vampiers wel te vertrouwen? Kate sloeg haar armen over elkaar en tuurde boos voor zich uit. Was haar grootmoeder niet door een vampier in de steek gelaten? Een volmondig 'Ja!' schreeuwde door haar hoofd.

'Glaasje bloed?' vroeg Kalon, die plots achter haar stond.

'Hmmf.'

Kalon plaatste het glas voor haar op tafel, keek haar even weifelend aan en liep toen terug naar de keuken.

Wat deed ze eigenlijk met een vampier als vriend? Was ze gek geworden of zo? Vampiers waren onbetrouwbaar, ze waren bloeddorstig en... nou, ze waren gewoon vervelend. Waarom kon ze nou niet, net als Dille, een emomens als partner nemen? Dat maakte alles zoveel eenvoudiger.

Ze hoorde Kalon de radio aanzetten en een vrouwenstem vulde de ether.

'... vortex op de marktplaats van Randstad. Er zijn enkele gewonden naar het ziekenhuis in Hoofdstad afgevoerd. Het is al vijftig jaar geleden dat een vortex werd waargenomen...'

De radio werd uitgezet.

'Wat doe je nou?' Kate draaide zich om.

'Ik denk dat we genoeg slecht nieuws hebben gehoord.' Kalon, met een aardappel en schilmesje in zijn hand, keek haar vanuit de keuken schuchter aan.

'Hoezo slecht?'

'Nou...'

'Een vortex is niet slecht!' gilde Kate. Ze schrok weliswaar van haar eigen stemverheffing, maar was niet van zins haar excuses aan te bieden. Voor de drommel niet!

Kalon staarde haar even aan en draaide zich toen om. Het leek hem beter haar onverklaarbare woede niet nog meer aan te wakkeren, al wist hij niet of het hem zou lukken. Haar gezicht stond zo grimmig dat hij er rillingen van kreeg.

'Zet die radio weer aan!'

Zonder morren deed Kalon wat ze vroeg.

'Nou,' zei hij zacht tegen Ewok. 'We kunnen haar beter even met rust laten.'

Ewok knikte en likte haar muil. Haar woordloze manier van vragen om een hapje.

'Hier,' zei hij en wierp haar een stuk wortel toe.

'... *het plaatselijk droommuseum heeft een record aantal voorwerpen op één dag vergaard. Molpe, een museummedewerkster, staat voor een raadsel. Normaal gezien, aldus Molpe, krijgt het museum maar een enkel voorwerp om de zoveel maanden. Allen dus daarheen! En dan volgt nu het weerbericht door Donder.*'

'Gaan we morgen eens naar het museum?' vroeg Kalon vanuit de keuken.

'Sssst!!!'

De volle, bijna onverstaanbare stem van Donder sprak: '*We hebben nog geen idee wat we de komende dagen willen doen. Er is onenigheid tussen de weerwolven van Hoofdstad.... En daarbij, waarom zouden we het jullie altijd moeten vertellen? Je ziet maar wat voor weer het wordt! Verdorie!*'

Kate draaide zich een kwartslag op de bank en staarde verbaasd naar de radio die op het aanrecht in de keuken stond. De weerwolven leken dus ook al niet in een goed humeur! Ze had nooit eerder geweten dat ze zo moeilijk deden. Zelfs als ze in een slechte bui waren, waarschuwden ze toch meestal of er regen of sneeuw zou komen. En zelfs al veranderden ze de volgende dag hun weerbeleid, ze gaven toch altijd een voorspelling die ze probeerden na te komen.

De radiopresentatrice leek eveneens van slag. Het bleef een poosje stil. '*Euh… goed, dan nu een nieuw nummer dat de hitlijsten omverwerpt. "Na regen komt zonneschijn" van de sirene Kaatjaa.*'

De vrolijke noot die normaal gezien iedereen in een optimistische stemming bracht, kon Kate vandaag niet beroeren.

'Zet dat ding uit!' riep ze naar de keuken.

De radio werd uitgezet en Kalon kwam de woonkamer in. 'Zeg, wat scheelt er met je?' Zijn stem klonk vriendelijk, maar zijn blik stond op onweer. Zijn geduld was ten einde.

'Niets!'

'Kate.' Hij ging voor haar staan, zodat ze zijn blik niet kon ontwijken. 'Je vertelt me nu wat er aan de hand is of ik stop met koken en vertrek!' Hij meende het niet. Althans, hij hoopte dat het dreigement haar gedrag zou verzachten.

Kates ogen vlamden toen ze hem aankeek. 'Vertrek dan!'

'Kate…'

'Ik heb jou niet nodig! Ik heb het al die jaren zonder jou gedaan!'

Een mengeling van gevoelens golfde door hem heen: verbazing, woede, gekwetstheid en koppigheid. Hij gooide de theedoek, die hij in zijn handen hield, met een harde zwaai op de vloer en beende de woonkamer uit. Een harde *beng* van de voordeur gaf zijn vertrek aan.

Het schuldgevoel bij Kate kwam pas later opzetten, toen de woede enigszins bedaard was.

-Je bent een ondankbaar kreng!

Ewok stond voor haar en keek haar boos aan.

-Bemoei je er niet mee.

-Hij kookt lekker voor je, is er altijd voor je. Hij houdt van je.

-Ik zei: bemoei je er niet mee.

-Zou je hem niet gaan zoeken?

-Nee.

-Ik geef het op.

-Laat me met rust.

-Zodra je me eten gegeven hebt. Of ben je van plan om me te laten verhongeren?

Met woeste gebaren stond Kate op en liep naar de keuken.

-Zie je wel, hij laat me in de steek, net als Drake mijn grootmoeder achterliet.

-Je zoekt het zelf, kwam het antwoord van Ewok.

-Ik had het niet tegen jou!

Maar bij het zien van de kokende aardappelen en de pas gesneden ui, zakte de woede volledig weg en voelde ze zich ontzettend moe. Ze greep het aanrecht beet en liet haar hoofd hangen. Wat was er aan de hand met haar?

18 Emowereld: dag 3

"In onze dromen verbruiken wij te veel kunstenaarschap en daarom zijn wij er overdag te arm aan."

Friedrich Nietzsche

Dille genoot van de wandeling door het kunstenaarsdorpje. Er was ook zoveel te zien! Ze voelde zich als een sprookjesfiguur in een wonderbaarlijk verhaal. Kunulu was tot nog toe het meest bijzondere en representatieve dorp voor de mentaliteit van Emowereld, vond ze, zelfs nog meer dan Randstad. Het eerste steegje waar ze doorheen liep, was een drukte van jewelste. Honden, katten, wezens en mensen liepen dooreen, elkaar uitbundig groetend en elkaar omhelzend. Ze wisselden kunstobjecten uit, lachten en praten, aten overvloedig en dronken gulzig.

Eén kraampje trok haar specifieke aandacht en ze liep er opgewekt heen. Het leek wel alsof de zee een golf over het huis had geslagen en het dieppaarse en helderblauwe water aan de gevel was blijven plakken. De voordeur was beschilderd met afbeeldingen van schelpen en koraal die er verbazingwekkend echt uitzagen.

De dame die achter het kraampje zat, op een klein plantsoentje voor haar huis, beschilderde gladde, door rivierwater afgesleten keien. De figuren die ze erop aanbracht en de kleuren die ze gebruikte, leken op te lichten en oefenden een aantrekking uit op Dille die ze niet kon plaatsen. De kunstenares zelf was gekleed in drie lagen jurken, ieder met een bijzonder en kleurrijk patroon. Ze had blauwe haren, waarvan nog enkele plukjes onder een roodwitte sjaal vandaan kwamen en haar handen zaten onder de verfspatten, tot onder de nagels toe.

Dille volgde de handelingen van de kunstenares waarbij haar handen over de keien leken te zweven. Ze dipte de verfborstel slechts met de top in de aquarel en gebruikte verder overvloedig water. Toen blies ze op de steen en legde hem naast de andere.

'Wat zijn dit?' vroeg Dille.

De vrouw keek op met een glimlach die even warm was als een warmwaterbron. Ze had een fijn open gezicht met watervalheldere, blauwe ogen. 'Presse-papiers.'

'Hoeveel kosten ze?'

Ze besloot er een te kopen voor zichzelf en een voor Kate, als een toekomstig verjaardagsgeschenk, maar toen realiseerde ze zich dat niemand in Emowereld hun verjaardag vierde. De filosofie was namelijk dat elke dag er een was om te vieren. Nou, dan zou ze nog wel een andere reden verzinnen om Kate het geschenk te geven.

'Vijftig eenheden per stuk. Maar als je er twee neemt, dan tachtig.' De handen van de vrouw bleven in de weer terwijl ze Dille aankeek.

'Goed.'

'Kies maar uit,' zei de vrouw, strijkend met haar hand over de keien.

'Ze zijn allemaal zo mooi,' zuchtte Dille. 'Het lijkt wel of ze zo beschilderd uit de oceaan komen.'

De vrouw glom van trots. 'Je slaat de paling op de kop, meisje. Ik ben een undine, een waterelementaal.'

'Een waterelementaal?'

'Wij beheersen de kracht van het water,' legde de vrouw uit.

Dille had er wel eens iets over gelezen en had begrepen dat deze wezens zeldzaam waren in Emowereld. Ze keek de vrouw nu beter aan, het was tenslotte haar eerste undine. Het fijne etherische, de zweem van water die om haar heen leek te hangen, de woorden die er breekbaarder uitkwamen dan bij mensen... Dille vond het een prachtig wezen, uitermate fascinerend.

'Jij bent ook een mooie meid,' zei de vrouw.

Dille knipperde met haar ogen. Goed, ze was het al grotendeels gewend dat mensen en wezens in Emowereld rechtuit waren, maar toch overviel het haar nog steeds.

'Dank je,' zei ze blozend. 'U ook. Euh…' Ze richtte haar aandacht weer op de keien en wees er lukraak twee aan. Ze waren toch allemaal even bijzonder, dus wat maakte het uit? De vrouw grijnsde, alsof ze doorhad dat Dille zich ongemakkelijk voelde en stopte de twee keien in een papieren zakje.

'Wat zit daarin?' vroeg de vrouw, wijzend op haar schoudertas.

'Mijn laptop.'

'Je wat top?'

'Laptop, een computer.'

De vrouw trok een vies gezicht. 'O ja, heb ik weleens wat over gehoord. Je bent een ratiomens. Dacht ik al te zien.'

'Oorspronkelijk, ja. Ik woon nu in Emowereld, samen met een emomens.'

'Mooi, dat zal je goed doen,' zei de vrouw beslist. 'Kinderen?'

'Nog niet. Ik ben zwanger.' Het bracht een glimlach op Dilles gezicht en ze glom van trots.

'Mooi. Laat haar of hem veel zwemmen.'

'Hoezo?'

'We bestaan hoofdzakelijk uit water en worden er ook in gemaakt.' Ze wees Dilles buik aan. 'Als je het water blijft respecteren, dan leef je langer.'

'Oké,' zei Dille die nog steeds niet begreep wat het ertoe deed, maar toch knikte. 'Bedankt, ik ga maar eens.' Ze stopte de keien in haar laptoptas.

'Nog een prettige dag, lieverd!' zwaaide de vrouw haar na.

Tevreden met haar aankoop liep Dille verder, vluchtig de overige kraampjes bekijkend. Het was al laat in de namiddag en de zon verloor gestaag aan kracht. Er waren kunstenaars die tafels bewerkten met prachtige mozaïeken, anderen die zijden doeken beschilderden en inlegden met kraaltjes, juweelontwerpers, beeldhouwers die hun kunstwerken aan elkaar lasten en grappige maskers in de vorm van dierenkoppen droegen om hun ogen te beschermen.

Het tweede steegje, waar Frege woonde, was al net zo feestrijk als de andere. Het leek wel alsof de kunstenaars hun vakmanschappen beoefenden onder een koepel van eeuwig feesten en plezier. Het beviel Dille wel, maar ze betwijfelde of ze elke seconde van de dag in die drukte zou kunnen wonen.

Het derde huis links. Met vissen en een haai erop geschilderd. Ja, dat zag ze wel meteen. Het was inderdaad niet te missen, ook al omdat er een figuur op een hoge ladder stond en de houten balken van het dak beschilderde met een gigantische open muil van een haai, met scherpe tanden en al. De dreiging die ervan uitging, deed Dille halt houden. Ze begon nu toch wel sterk te twijfelen. Kon ze niet iets anders voor Henk kopen?

Verdorie, je hebt al voor hetere vuren dan dit gestaan, Dille. Hij zal je heus niet opeten, dus kom op!

Toen ze nog wat dichterbij kwam, merkte ze hoe fanatiek Frege aan het schilderen was. De verfspatten vlogen in het rond en zijn armen leken wel de wieken van een molen. In profiel zag ze dat zijn tong, die blauw was, uit zijn mond hing. Het zweet droop van hem af. Voor zijn huis, tegen de gevel aan, stonden enkele canvasdoeken met afgrijselijke taferelen op geschilderd. Ze kon zich niet herinneren dat hij van bloederige onderwerpen hield. Surrealistische, ja, dat wel, maar geen angstwekkende! Nee, ze zou toch op haar stappen terugkeren en een ander kunstwerk kopen, besloot ze. Keuze genoeg in dit dorp.

'Hé, meisje!'

Dille schrok en wipte op, haar zenuwen stonden blijkbaar behoorlijk gespannen.

Meisje? Ze wist dat ze er ondanks haar achtentwintig jaar nog jong uitzag met haar kleine tengere gestalte en donkerbruine carrékapsel, maar toch.

'Ja?' Ze keek weifelend op.

Frege keek op haar neer en de witte verf waarvan zijn borstel rijkelijk voorzien was, drupte neer voor Dilles voeten, zodat ze een stap opzij zette. Frege, gekleed in een zwart schilderstenue, had de typische blauwe hoornen en puntstaart van een onderwaterduivel en zijn handen die normaal gezien eveneens een donkerblauwe kleur hadden, waren nu wit van de verf.

'Wat vind je ervan?' vroeg hij met twinkelende ogen en een brede glimlach.

'Nou, euh… ' begon Dille.

'Mooi? Zeg het maar eerlijk, hoor.'

'Eerlijk?'

Hij knikte zo heftig dat hij begon te wankelen en Dille vreesde dat hij met ladder en al op de grond terecht zou komen.

'Nou… eng eigenlijk.'

Frege schoot in de lach, een bulderende lach die Dille deed denken aan woeste golven. Zijn knokige schouders wipten op en neer.

Dille lachte schaapachtig. 'U bent mijnheer Donner, toch?'

Frege kwam de ladder af. 'Nog altijd.' Hij stond nu voor Dille en keek haar oogluikend aan. 'In ieder geval, als je een kunstliefhebster bent.'

'Ja, uiteraard, ik kwam u opzoeken.' Dille was niet echt een kunstliefhebber, maar een leugentje om bestwil vond ze hier op zijn plaats. Bovendien was ze vroeger, als ratiomens, nooit met kunst in aanraking gekomen. Het was dus niet haar schuld dat ze nog geen liefde voor het artistieke had ontwikkeld.

Frege deponeerde zijn verfborstel in een pot op de grond en wenkte haar zijn huis in te volgen. Ze twijfelde even, maar deed het toch. *Er zijn getuigen dat ik naar hem op zoek was*, schoot het door haar hoofd. En meteen daarna voelde ze zich schuldig tegenover de tot nu toe vriendelijke onderwaterduivel.

Ze kwamen onmiddellijk terecht in de kleine woonkamer waar een rommelige, maar gezellige sfeer hing. De muren hingen vol met zijn schilderijen. Geen enkele centimeter bleef onbenut, zodat het leek op behang bestaande uit canvasdoeken. Dille telde drie schildersezels, overal lagen tubes verf en gebruikte penselen, de meubelstukken leken geraakt door een ontplofte verfbom en verder zag ze her en der vreemde bloemen, die leken op koraal, in glazen vazen. Opgelucht stelde ze vast dat de schilderijen aan de muren van zijn eerdere – normalere? – periode afstamden.

'Mijn paradijsje!' zei Frege die zich zo plots naar haar had omgedraaid dat ze bijna neus aan neus stonden. Dille week achteruit.

'Het is hier gezellig.'

'Helemaal niet!' riep Frege onverwachts uit. 'Hoe kom je daar nou bij?'

'Euh…'

'En als het zo is, dan moet er dringend iets aan gedaan worden.' Hij begon dingen rond te strooien en te verleggen, zonder enig systeem.

'Ik begrijp niet waarom,' zei Dille voorzichtig.

'Gezellig is voor dames en theekransjes, gezellig is voor wezens die de tijd hebben om zich bezig te houden met de inrichting van hun huis.' Hij stak een zwaaiende wijsvinger naar haar uit. 'En *dat*, meisje, heb ik niet!'

'Nou, oké.'

'Oké is voor de gematigden. Maar ga toch zitten.'

Dille keek naar de bank en vroeg zich af waar in 's hemelsnaam. Er lag overal troep op en ze waagde het liever niet die 'welbedoelde artistieke' chaos opzij te schuiven.

'De bank blijft niet wachten, hoor,' zei Frege op strenge toon. 'Ga zitten!'

Ze ging dan maar bovenop de vellen met schetsen en tijdschriften zitten. Eén bepaalde schets vond ze wondermooi: een verschrikt kijkende olifant op een vlot dat door de golven van de zee dreigde omvergegooid te worden.

'Ben je gek!' schreeuwde Frege, waarop Dille opsprong als had de olifant haar in de kont gebeten. 'Mijn schetsen!' Toen milder: 'Meisje, meisje, toch. Je moet nog veel leren over dé kunst.'

Behoedzaam legde Dille de schetsen opzij en ging opnieuw zitten. Frege nam in een gammele, zwarte schommelstoel plaats voor haar. Het ding kraakte onder zijn gewicht.

'Zo, vertel nu eens. Waarmee kan ik je vereren?'

'Ik wil graag een schilderij van u kopen.'

'U?'

'Ja, ik.'

'Nee, ik bedoel, zeg je nu 'u' tegen mij?'

'Euh… ja.' Dille had zich in tijden niet meer zo gevoeld, een mengeling van opwinding en ongemak. Gevaarlijk kwam hij haar in ieder geval niet over.

'Ik ben 'je' of 'jij' of 'Frege'. Desnoods mag je me aanspreken met 'hé zot' of 'artistiek genie', maar iets anders niet.' Hij keek haar vorsend aan. 'Onthoud je het, kleine meid?' Zijn blauwe hoornen, zag Dille, leken met de invallende duisternis paarser te worden.

'Ja,' antwoordde ze gelaten.

'Oké, dan beginnen we opnieuw.' Hij keek Dille afwachtend aan.

'Opnieuw?'

'Je kent dat woord toch. Herhaling, nieuwe kans, en zo verder.'

'Ik ben niet dom.'

'Jammer, dan zou ik je gemakkelijker een loer kunnen draaien.'

'Zeg!'

'Zeg wat? Jij moet nu spreken, het is jouw beurt.' Toen: 'Een haai moet blijven zwemmen, anders verdrinkt hij.'

Dille had het gevoel dat ze haar grip op de realiteit verloor. En nog meer. Haar tolerantie tegenover vreemde, niet-menselijke wezens, waar ze de laatste jaren zo wanhopig aan gewerkt had, begon af te brokkelen.

Ze zuchtte diep. 'Ik wil graag een schilderij van *jou* kopen.'

'Had ik gezegd dat 'jou' in het lijstje stond?'

‘Mijn hemel.’ De maat was vol. Dille stond op en maakte aanstalten het huis te verlaten.

‘Wacht eens even, wacht eens even,’ riep Frege haar na. ‘Ik ben een stomme hamerhaai die soms te veel doordramt.’

Vertel mij wat, dacht Dille, maar ze draaide zich toch om.

‘Heb je een voorkeur?’ Hij wees met zijn vlakke hand de muren aan.

Dille keek rond en zag een klein schilderij van een surrealistisch onderwaterlandschap. Rode vissen keken haar met getuite lippen aan en leken het doek te kussen. Groene vissen in smoking dansten met zeepaardjes, gekleed in baljurken. De roze achtergrondkleur leek van het doek af te springen en Dille kon bijna de muziek horen waar de waterwezens op dansten.

‘Die,’ wees ze aan. ‘Hoeveel kost die?’

‘Weet je wat?’ Hij liep naar het schilderij en nam het van de muur. ‘Je krijgt het van mij cadeau.’

Dille was door dit onverwachte, vriendelijke gebaar even van slag. Freges persoonlijkheid leek van het ene moment op het andere compleet anders. ‘Maar…’

‘Leer nou eens met volle zinnen te praten, meisje,’ zei Frege, die op haar afliep met het schilderij voor zich uitgestoken. ‘Anders kun je nooit met de andere haaien zwemmen.’

Ze besloot dat laatste te negeren. ‘Dank je wel, dat is ontzettend aardig van je.’

‘Zo, zie je wel dat het helemaal niet zo moeilijk is.’

Dille nam het prachtige schilderij van hem over en stak haar ene vrije hand uit.

‘Ben je gek!’ Hij sloeg zijn armen rond haar en drukte haar stevig tegen zich aan. De verflucht die om hem heen hing prikkelde haar neus, zodat ze een nies moest onderdrukken. ‘Handjes zijn voor amoebes, niet voor haaien!’

Dille kon zich geen amoebes met handjes voorstellen, maar zweeg wijselijk. Hij liet haar los en draaide zich abrupt om.

'Verspreid het woord!' riep hij nog, toen Dille al de deur uit was, maar het nog wel kon horen. ***'De haaien zijn aan het vechten! Er is storm op komst!'***

Dille keek niet meer om.

19 Emowereld: dag 4

"Men kan evengoed dromen zonder te slapen als slapen zonder te dromen."

G.C. Lichtenberg

Emotieloos! Dat was hoe Kate zich, tot haar eigen ontsteltenis, voelde. Afgevlakt, haar gevoelens uitgegumd. *Ratiomens*, flitste het door haar heen, *je weet nu eindelijk hoe het voelt om een ratiomens te zijn.* Het beviel haar absoluut niet.

Ze stond op, waste zich en kleedde zich aan, en dat alles op een slome, ongeïnteresseerde wijze. Ewok sloeg haar, vanaf het bed, oogluikend gade, alsof ze voelde dat Kate zichzelf niet was en elk woord de rust in huis kon verstoren.

Terwijl Kate haar haren borstelde, besloot ze naar het elfenbos te gaan om Melfo op te zoeken. In tegenstelling tot anders nam ze niet veel moeite om zich mooi op te maken, ze had er de energie niet voor. En eerlijk gezegd kon het haar niet schelen wat Melfo ervan zou vinden. Hij zou haar vandaag maar moeten nemen zoals ze meestal was: netjes, maar niet obsessief tot in de puntjes, zoals de elfen.

-Ga je mee naar Melfo? vroeg Kate aan Ewok.

-Best.

-Weet jij trouwens wat er aan de hand is met Donder?

-Donder?

-Ja, gisteren deed hij nogal raar toen hij het weerbericht moest voorspellen.

-Donder is altijd raar.

Ewok sprong van het bed af en volgde Kate de keuken in.

-Maar nu deed hij nog raarder, benadrukte Kate terwijl ze een boterham met kaas smeerde.

-Hij zei dat we het maar zelf moesten ondervinden wat voor weer het zou worden.

Ze at de boterham al staande op, de happen doorspoelend met een glaasje koud bloed.

-Ziet er niet best uit buiten, zou ik zo zeggen, zei Ewok.

Kate keek vanuit de keuken door het raam in de woonkamer en inderdaad, de grauwheid leek de stad in zijn netten gevangen te houden. Grijs, bewolkt, miezerig.

-Maar nee, ik weet niet wat er met Donder aan de hand is. Ik ben geen lopend nieuwsblad van de weerwolven, voegde Ewok er nog aan toe.

Kate wierp Ewok een kwade blik toe en nam de paraplu mee die een magisch afschermschild vormde op enkele meters afstand voor wat er ook maar uit de lucht kon vallen. Pas toen ze de deurklink beetpakte, realiseerde ze zich met een schok dat ze geen moment aan Kalon had gedacht, alsof hij de laatste jaren niet eens bij haar had ingewoond. Alsof ze nooit een intense en liefdevolle relatie hadden gehad. Ze zuchtte diep en trok de deur open. Het hielp natuurlijk niet dat ze er weinig, of zelfs niets, bij voelde.

-Hopelijk brengt het elfenbos je in een beter humeur.

Ewok keek op naar Kates stuurse gezicht.

-Daar hoop ik ook op.

Meende ze dat? Ze wist het niet. Zelfs in haar eigen hoofd voelde ze zich niet meer thuis, maar een totaal vreemde.

Ze griste de uitpuilende vuilniszak mee uit de hal en zette die buiten neer naast de voordeur. Een omnibol schoot als uit het niets tevoorschijn en viel meteen luid smikkelend op de zak aan.

Het viel Kate niet op dat nagenoeg iedereen op straat met hangende schouders, neerkijkende blikken en snelle passen liep. De wandelaars groetten voorbijgangers niet of nauwelijks. Er hing een bedrukte stemming die Ewok, met haar hondeninstincten, als naalden tegen haar aan voelde prikken en met haar verfijnde reukorgaan pikte ze geuren op die aansloten bij wanhoop en verdriet. Wat was er in 's hemelsnaam aan de hand met iedereen?

De verdere wandeling tot aan het elfenbos verliep in een grimmige en stille sfeer. Af en toe blikte Ewok omhoog om dan vast te stellen dat Kates mondhoeken nog steeds naar beneden hingen en haar ogen een doffe uitdrukking vertoonden.

Toen ze geroep en geschreeuw hoorden, draaide Kate zich nieuwsgierig om.

Een dromer, nog een kind, liep hen gejaagd voorbij. Kate keek het kind na en veronderstelde dat het waarschijnlijk van een zogenaamd monster geschrokken was. Kinderen hadden veel vaker nachtmerries dan volwassenen, een natuurlijk versterkend proces in hun opgroeien. Deze keer echter holde het kind terecht in grote angst weg. Want nog geen vijf seconden later besefte Kate dat het geschreeuw niet voortvloeide uit de doodsangst van de dromer, maar van vier apanzers die het kind achternazaten.

Apanzers waren de stoute neefjes van de kabouters. Ooit waren ze zelf ontevreden kabouters geweest die meer wilden dan alleen maar het knuffelobject van andere wezens zijn. Seks wilden ze, veel seks! Ze vonden de oplossing bij de hogere elf Venus die hen in ruil voor de mooie trekken van hun uiterlijk, de kracht gaf om ongezien naar Ratiowereld te reizen. Daardoor zagen de apanzers er werkelijk afschrikwekkend uit: neusloos, emotieloze ogen en een dunne streep die hun mond moest voorstellen. Van hun eens zo weelderige haarbos schoten enkel nog hier en daar vettige plukjes haar over, als bij een geplukte kip. In een ver verleden misbruikten ze die kracht van reizen naar Ratiowereld om de vrouwen en mannen schrik aan te jagen en meer dan knuffels op te eisen. Ze verkrachtten de mensen in hun slaap en vormden daardoor de basis van de succubus- en incubuslegenden. Een ernstige bestraffing van de Raad maakte een eind aan deze vreselijke gebeurtenissen en de apanzers hadden zich noodgedwongen in een verre, dorre uithoek van Emowereld teruggetrokken.

Tot nu dus.

Kate zag nog net kans om er een bij zijn kraag te grijpen. De stof voelde vuil aan, als een natte dweil vol snot.

'Wat doe je in 's hemelsnaam?' Kate voelde zich razend en dat deed haar goed. In ieder geval had ze deze emotie nog behouden.

'Laat me los, kreng!' De apanzer kwam maar tot Kates heuphoogte en schopte met zijn korte beentjes in de hoop haar scheenbenen te raken.

'Je weet dat je dromers niet mag lastigvallen! Dat is ten strengste verboden!'

'En dan?' Hij plooide de spleet die zijn mond moest voorstellen in een groteske grijns. 'Wat denk je daaraan te doen?'

'Ik sta in direct contact met de Raad,' dreigde Kate.

Zijn zwarte oogjes vergrootten even in angst, slechts heel even. Toen herstelde hij zich en spuugde. De klodder kwam net voor Kates voeten terecht.

'Raadslijmerd,' zei hij. Met een onverwachte draai om zijn as en een forse ruk, slaagde de apanzer erin om zich los te krijgen. Hij stoof er als een haas vandoor, nog een paar maal 'raadslijmerd' roepend.

-We zijn verdoemd, zei Ewok.

Kate keek de apanzer na en overwoog hem achterna te hollen. Ze kreeg echter het idee, een twinkeling in haar intuïtie, dat die ene apanzer niet het probleem vormde en er meer aan de hand was. Ze liet hem dus gaan. Of kwam het doordat het haar eigenlijk niet zoveel kon schelen?

-Doemdenker, zei Kate.

-Heb je het niet door dan?

-Wat? vroeg Kate.

-Alles! Jeetje, jij bent blind zeg! De wereld valt uit elkaar en jij zegt als een struisvogel met zijn kop in zijn kont: Wat?

-Kop in het zand, verbeterde Kate.

Ewok gromde. -Dat doet er verdorie niet toe.

-Nou, speurneus, vertel dan maar eens.

-Jij die Kalon zomaar aan de kant zet en...

-Dat zijn jouw zaken niet en daarbij, zoiets gebeurt wel eens in relaties.

Onverstoorbaar ging Ewok verder. -Iedereen op straat liep erbij alsof ze net een familielid verloren hadden.

-Wat is daar abnormaal aan? Mensen en wezens hebben wel eens mindere dagen.

-Iedereen, Kate, *iedereen*!

-En dat is genoeg om de wereld ten einde te brengen?

-De weerwolven.

-Die voelen zich wel vaker rot. Je zei zelf dat het niets betekende.

-Vampiers die, net als vroeger, ratiomensen gaan bijten.

Kate gaf het liever niet toe, want dat betekende dat die kleine haarbal een scherper observatievermogen dan zij had, maar er waren inderdaad veel zaken die niet klopten. Zeker als je het na elkaar opsomde en hoorde.

Ewok vervolgde. -Apanzers die tevoorschijn komen en dan ook nog eens dromen beïnvloeden.

-Kom, we gaan verder.

Kate baande zich een weg door de bosjes, zwaaiend met haar paraplu. Ewok trippelde haar achterna.

-Dat is het? Vind je niet dat je de fantasiejagers bij elkaar moet trommelen? Overleggen, weet ik veel. Brainstormen en actie ondernemen?

-Brainstormen is precies wat ik nu ga doen, maar dan over mijn verleden.

Voor de eerste maal in haar korte hondenleven voelde Ewok zich alleen, alsof ze de enige normale was. Ze herkende haar vriendin niet meer en leek met een halfdode slaapwandelaar samen te leven. Misschien kon ze haar ontdekkingen doorspelen aan Melfo die ook telepathisch met haar kon communiceren, hoewel hij het elfenbos niet graag verliet. Of ze kon het vertellen aan een weerwolf die dan de overige fantasiejagers kon inlichten. Heel misschien zou ze gewoon haar boeltje pakken, meer bepaald haar favoriete kluif en etensbak, en bij Kalon gaan inwonen, waar hij ook zou verblijven. Hij zou haar vast niet weigeren en hij leek in ieder geval nog zichzelf. Toen, op het moment dat ze behoorlijk diep in het bos zaten en de diverse bloemengeuren haar neus prikkelden, deed Ewok een volgende schokkende ontdekking.

-Kate?

-Wat is er?

Kate leek de omgeving niet zoals anders in zich op te nemen, maar de prachtige flora eerder als een obstakel naar haar doel te zien. Met een snel tempo ploegde en stampte ze langs bomen en duwde takken van struiken opzij met haar handen en paraplu.

-Kate!

Ewok stopte en keek op naar Kates bezwete rug.

-Wat!

Nu pas hield Kate halt en draaide zich om. -Wat is er nu weer met je?

-Merk je het dan niet?

Kate keek om zich heen en schokschouderde. -Wat zou ik moeten merken?

Ewok zuchtte diep en schudde haar kop in verontwaardiging. -Je krijgt geen gevoelens door van het bos. Het bos lijkt wel dood.

20 Emowereld: dag 4

"De schone epische, dramatische, lyrische gedichten zijn niets anders dan dromen van een wakende wijze."

Joseph Joubert

Natasha genoot ervan weer les te geven en bovenal aan een klas met zoveel verschillende wezens. Het maakte het uitermate boeiend. In tegenstelling tot Ratiowereld gebruikten ze nog steeds de ouderwetse schoolborden en geen computerscherm. Ook dat kleine detail vond Natasha aangenaam: het neerkrassen van de lessen met een stuk krijt. Het gaf het lesgeven een iets persoonlijkere toets en het gepiep van het krijt nam ze er graag bij.

De laatstejaarsstudenten vonden het bijzonder om les te krijgen van een ratiomens en Natasha moest soms de vele en vaak persoonlijke vragen van de studenten afremmen. Ze wilden weten hoe ze in haar vroegere woonplaats leefden en hoe de kinderen daar les kregen. Hoewel de vragen vaak zijdelings te maken hadden met het vak dat ze gaf, moest ze uiteraard wel op tijd haar lespakket afgerond krijgen.

Ze had nooit eerder voor zo'n enthousiaste groep leerlingen gestaan. Ze herinnerde zich maar al te goed dat het lesgeven in Ratiowereld, tijdens de stageperiode van haar studies, er geheel anders aan toeging. De leerlingen waren leergierig, dat wel, maar op een te volgzame en rustige manier. Hier was dat wel anders. De leerlingen aarzelden niet om in discussie te gaan, voornamelijk de vuurduivels en vampierkinderen, of om echt 'mee te leven' met de onderwerpen die ze aansneed.

'Natasha?'

Natasha draaide zich weg van het schoolbord waar ze de eigenschappen van de woestijnen in Ratiowereld op noteerde, althans, van het kleine stukje woestijn dat nog niet volgebouwd en verstedelijkt was.

'Ja?' Ze legde het krijt neer. 'Zeg het maar, Roosje.'

Het elfenmeisje Roosje had lang golvend rood haar dat, wanneer ze lachte, even fel scheen als flakkerend vuur. Ze had diepbruine ogen en een pruilmondje van een natuurlijke, rode kleur, zonder dat het ooit gestift hoefde te worden.

'Hebben ze in Ratiowereld eveneens zandduivels in de woestijnen?'

Nog voor Natasha antwoord kon geven, sprak een vuurduivel met de naam Hadda. 'Nee, sufferd, natuurlijk niet.' Zijn rode staart zwiepte naast zijn schoolbank heen en weer. 'Je weet toch dat ze, behalve mensen en dieren, geen andere wezens in Ratiowereld hebben!'

'O ja? O ja?' repliceerde Roosje beledigd, met pruillip en al. 'Vroeger leefden er wel andere wezens in die wereld. Ze waren van hier en gingen daar wonen! Dat heb ik gehoord van mijn moeder!'

'Vroeger, vroeger. Maar nu niet meer!' De vuurduivel grijnsde zijn witte tanden bloot.

Voor het uit de hand kon lopen, kwam Natasha tussenbeide. 'Hoe zien die zandduivels eruit?'

'Heb je er nog nooit een gezien?' vroeg Lucas, een cherubijn die al op zijn jonge leeftijd een kop boven Natasha uitstak. Zijn vier immense vleugels, die hij op zijn rug gevouwen had, leken op te lichten door het zonlicht dat door de grote, ronde ramen binnenviel en gaven hem een bovenaards aureool. Hij had zijn ossenhoofd vooraan staan en niet dat van de leeuw, adelaar of mens. Natasha had al opgemerkt dat het telkens weer afwachten was welk hoofd een cherubijn zou gebruiken. Bovendien was het erg waarschijnlijk dat de keuze van hoofd afhing van de stemming waarin de cherubijn op dat moment verkeerde. Het volledige systeem echter had ze nog niet door.

'Nee, nog nooit,' gaf Natasha toe. 'Je mag niet vergeten dat ik nog niet zo erg lang in Emowereld woon.'

'Ze zijn zelden in steden te vinden, hoor!' verdedigde Hadda zijn lerares. 'Behalve de laatste dagen.'

'Hoezo?' vroeg Natasha.

'Ik heb er laatst enkele in Grensstad gezien.' Hadda legde een triomfantelijke klank in zijn stem. 'Echt waar.'

'Ze komen nooit uit de woestijn!' zei Roosje beslist.

Natasha had er zich al eerder over verbaasd dat de bladeren van de plant die naast Roosje stond – de hele klas stond boordevol planten en bloemen – glansden als vochtige aventurijnen wanneer zij dicht in de buurt kwam.

'Ik weet toch zeker wel wat ik gezien heb!' Hadda wierp Roosje een gemene blik toe, waarop zij haar tong uitstak en ze allebei in de lach schoten.

'Waarom komen ze nooit uit de woestijn?' Het voelde voor Natasha aan alsof zij nu les kreeg, maar ze was eigenlijk wel benieuwd geworden naar die voor haar onbekende wezens.

'Omdat ze leven van zand, meer bepaald van de mineralen die in het zand terug te vinden zijn,' antwoordde Hadda.

Ha, een mooie gelegenheid om naar de les terug te keren. Natasha wees het bord aan. 'Bevat het zand hier dezelfde eigenschappen als in Ratiowereld?'

Op het bord stond onder andere: veldspaat, mica, calciet en gips.

'Ik denk het wel,' antwoordde de vuurduivel. 'Ze leven daarvan en hebben amper water nodig.'

'Hoe zien ze eruit?' Natasha verwachtte dat ze op de vuur- en onderwaterduivels zouden lijken: hoornen en een staart, misschien in een andere kleur. Dat bleek ook ongeveer te kloppen.

'Ze zijn klein,' begon Lucas. 'Kort stekelig, zwart haar en een grote mond zonder tanden. Ze zuigen het zand binnen. Hun hoornen en staart hebben de kleur van zand. Het zijn supersnelle duivels die zelden stil kunnen blijven staan.'

'Ze worden ook wel aardduivels genoemd,' voegde Roosje eraan toe.

'O, degene die zo bedreven zijn in het glasblazen?' Daar had Natasha weleens wat van opgevangen.

De leerlingen knikten.

'Volgen ze geen lessen?' vroeg Natasha.

Lucas zei: 'Nee, ze kunnen nooit lang zonder het zand uit de woestijn, dus krijgen ze les van hun ouders. En bovendien richten ze te veel ravage aan.'

'Maar nu zijn ze toch in een stad gezien?' Natasha keek Hadda vragend aan.

Hadda knikte heftig. 'Ja, zeker weten. Mijn vader en ik vonden het al zo raar.'

'Wat deden ze?' vroeg een meisje, eveneens een cherubijn, die haar mensenhoofd vooraan had staan en een haarkleur had die Natasha deed denken aan verse herfstbladeren.

'Zoals ze meestal doen, rondtollen als een gek,' grijnslachte Hadda.

'Rondtollen?' Die laatste beschrijving deed Natasha ergens aan denken. Ze probeerde het uiterlijk van de zandduivel voor zich te zien. 'Worden ze ook wel eens Tasmaanse duivels genoemd?'

De leerlingen gniffelden.

'Nee,' antwoordde Lucas die de anderen bestraffend aankeek. 'Maar de verwarring is te begrijpen. Ik heb van mijn vader over deze dieren uit Ratiowereld gehoord en over die tekenfilmfiguur. Mijn vader is namelijk gek op de oude tekenfilms en strips uit Ratiowereld, in ieder geval die erg oude, van voor het laatste Watermantijdperk. Hij heeft die verzameling van zijn vader overgeërfd.'

'Dus de Tasmaanse duivel is niet op de zandduivel gebaseerd?'

'Toch wel. Er wordt aangenomen dat de cartoonist die de figuur van de Tasmaanse duivel bedacht heeft, droomde over zandduivels die hij zag rondtollen in het zand en dit dan samen met het werkelijke diertje uit Ratiowereld combineerde. Maar er zijn wel degelijk grote verschillen. Ten eerste zijn zandduivels geen dieren, maar wezens en ten tweede hebben ze geen tanden.'

'Klinkt aannemelijk,' moest Natasha toegeven. 'Een andere vraag.' De les was nu toch op een zijspoor beland, dus dan kon Natasha evengoed iets nagaan wat ze zich al een tijdje afvroeg. 'Zijn er naar jullie weten mythologische figuren uit Ratiowereld die niet op wezens van hier gebaseerd zijn?'

'O ja,' antwoordde Hadda. 'Die zijn er zeker.'

'Voorbeeld?'

'Nou, euh.' Hadda kneep zijn ogen samen en dacht na. 'Aha, ja, de sfinx!'

'En de gorgonen!' voegde Lucas eraan toe. 'Ik heb wel eens over hen gelezen in een boek uit de bibliotheek van Toth. En het is maar goed dat die hier niet in het echt voorkomen. Stel je voor. Ze zouden erger zijn dan zandduivels.'

'Nou, dat is niet zo zeker. De zandduivels hebben nogal een ravage aangericht op de plantsoenen in Grensstad, zeg,' zei Hadda die graag in het middelpunt van de belangstelling stond. 'Niet normaal meer. Het gras en de aarde vlogen alle kanten op. Mijn vader vond dat ze er meer dan ooit dolgedraaid uitzagen, alsof ze geen controle meer hadden over zichzelf.'

'Wat hebben de Grensstadbewoners toen gedaan?' vroeg Roosje met grote ogen.

Dat vroeg Natasha zich ook wel af.

'Ze konden niets doen. Ze waren niet aanspreekbaar en je moet eens een zandduivel proberen te grijpen. Dat is onmogelijk! Na een tijdje tolden ze vanzelf weg. Maar het geluid dat ze maakten...' Hij hield even een dramatische pauze en keek de anderen geheimzinnig aan. 'Het sneed mijn trommelvliezen bijna aan flarden. Het was schrijnend.'

21 Emowereld: dag 4

"Abstracte woorden doden de dromen van de werkelijkheid."

Karel Jonckheere

Kate bleef staan en probeerde zich op het elfenbos te concentreren.

-Merk je dan niet dat het bos helemaal niets doet voelen? vroeg Ewok.

-Ja... antwoordde ze onzeker.

Ze sloot haar ogen en wachtte. Ewok had gelijk; ze werd niets gewaar, maar dan ook compleet niets. Normaal gezien zou ze zich goed moeten voelen in het elfenbos: prachtig, gewild, geliefd, gewoon fantastisch. Maar niets van dit alles drong tot haar door. De elfenmagie waar het bos van doordrongen was, tot in de hoogste kruinen en de diepste wortels, leek verdwenen. De bloemen en de bomen zagen er nog goed uit. Er waren nog volop zoete en frisse geuren aanwezig, maar toen ze beter keek, merkte Kate toch een subtiele verandering op. De planten in het bos leken op de flora uit andere bossen, mooi en bloeiend, maar niet bijzonder. Niet zo vol leven dat, als je iets plukte, het meteen verwelkte. Ze had er eerder niet bij stilgestaan, omdat ze zich al emotieloos voelde, maar nu moest ze toch toegeven dat het niet klopte. Ook omdat Ewok het voelde.

-Dit is raar, gaf Kate uiteindelijk toe. Het was opgehouden met regenen, dus klapte ze de paraplu dicht.

Ewok liet luid de lucht uit haar longen ontsnappen en ging op haar achterpoten zitten. -Het zoveelste rare, ja.

Kate draaide een rondje om haar as. -Niets, maar dan ook helemaal niets.

-Vertel mij wat. Ik had gehoopt je in een positievere stemming te krijgen door in dit bos te wandelen.

-Nu ja, niets aan te doen. Kate maakte aanstalten om verder te lopen.

-Wacht eens even. Moet je dit niet rapporteren aan de Raad?

Kate draaide zich om. Ewok keek haar strak aan.

-Waarom zou ik?

-Omdat… het niet normaal is.

-Ze weten het vast zelf al en ik heb er nu de tijd niet voor.

-Kate… Ewok voelde zich wanhopiger en gefrustreerder dan ooit. Was zij nou de volwassene? De verstandige? Dit plaatje klopte gewoon niet. Zij, als hond, was degene die speels en laks mocht zijn! Terwijl Kate vroeger meteen alert op problemen was en in actie kwam om ze op te lossen, leek ze nu een kille ijsschots waar alles van afgleed. Ze leek alleen bekommerd om haar eigen problemen en niet om wat er de laatste tijd gebeurde. Ewok gaf het op.

-Wat?

-Niets. Laten we maar je overgrootvader zoeken.

En hopelijk, dacht Ewok erachteraan, maar alleen hoorbaar voor zichzelf, *ziet hij wat er aan de hand is met haar.*

Niet veel later bevonden ze zich op de open, mosrijke plek met veel bloemen waar Melfo meestal wel te vinden was. Kate ging zitten op de omgevallen boomstronk, de paraplu naast haar. Ewok ging liggen met haar kop op de pootjes en haar blik op Kate rustend.

-Misschien zijn de elfen die hier woonden verhuisd naar een andere plaats en is de magie daarom verdwenen, zei Kate.

-Misschien, antwoordde Ewok.

Daarna hielden ze hun gedachten voor zichzelf en behalve het vrolijk gekwetter van merels en vinkjes hing er een ijzige sfeer. Ewok bleef alleen met haar gepieker en Kate kon enkel aan haar stamboom denken. Ze besteedde geen seconde aan de vreemde anomalieën die zich voordeden de laatste tijd, het kon haar niet in het minst boeien.

Toen, na een hele poos, hoorden ze geritsel. Het had veel langer geduurd dan normaal, wat bijzonder eigenaardig was, omdat Melfo het voélde wanneer zijn kleindochter het bos betrad.

Bijna had Kate het opgegeven en aangenomen dat Melfo inderdaad verhuisd was. Maar daar kwam hij dan tussen de struiken vandaan. Kate schrok hoorbaar bij het zien van haar overgrootvader en verstijfde. En zelfs Ewok sprong op, herkende hem niet meteen en uitte een korte, dreigende grom.

'Melfo?' Kate zette aarzelend een stap in zijn richting.

Hij gebaarde haar niet dichterbij te komen.

Elfen waren, samen met de muzen en sirenes, de meest ijdele wezens uit Emowereld. Een elf vatte het op als een belediging als je niet tot in de puntjes, zelfs tot in het obsessieve, verzorgd bij hen in de buurt kwam en ze konden je aanwezigheid weigeren als je niet volledig opgemaakt en lekker geurend bij hen verscheen. Kate had ditmaal weinig tijd en energie aan haar uiterlijk besteed, maar in vergelijking met Melfo zou zij zo naar een galabal kunnen.

Zijn anders overdreven gekamde, parelwitte haren leken op grijs, oud spinrag en vielen slordig over zijn nu vale huid. Zijn gewaad, een van de pronkstukken van elfen, vertoonde smeuïge vlekken. Kate kon niet eens bepalen wat de oorspronkelijke kleur ervan was geweest.

'Kate.' Het klonk alsof dat ene woord hem ontzettend veel moeite kostte. 'Wat doe je hier?'

De bomen bogen zich niet naar hem toe om hem te groeten, de planten en bloemen leefden niet, zoals anders, in tevredenheid op. De natuur leek even levenloos als de verschijning van Melfo. Nog ademend en bestaand, maar niet meer dan dat.

Kate slikte en voelde, bij het zien van zoveel verval, haar ogen vochtig worden. Een icoon, een idool, was van zijn voetstuk gevallen. Zo voelde het voor haar aan. De problemen die zich in Emowereld leken te verspreiden, kwamen nu wel erg dichtbij en werden wel erg persoonlijk.

'Wat doe je hier, Kate?'

Moeizaam. Bijna... geforceerd? Het trof haar diep dat hij haar niet zijn allerliefste kleindochter noemde. Zoals anders. Niet mijn lieve Kate. Nee, niets van dat alles. Kates hart verkilde en ze wilde het liefst wegrennen. Weg van deze onaardse plaats, die ijskoude dreiging die er hing, dat onnatuurlijke.

'Ik...' Ze bleef hem aanstaren alsof hij een rariteit was. 'Ik kwam je bezoeken.'

'Ik heb nu geen tijd, Kate.' Zijn anders zo statige houding kenmerkte zich nu door hangende schouders en slappe handen.

Hij had *altijd* tijd voor haar, *altijd!* Dat deed haar meer pijn dan ze verwacht had. Ze voelde zich ontzettend afgewezen.

'Maar... wat is er aan de hand, Melfo?'

Hij schudde zijn hoofd en zijn sterke blik keek haar bedroefd aan. 'Niet nu, Kate. Ga terug naar huis.'

'Melfo!' riep ze uit. '*Wat... is... er... aan... de... hand?*'

Hij opende zijn mond en sloot hem toen weer. Zijn lippen trilden.

'Ik ga niet weg voor ik meer weet.' Ze hield zich in eraan toe te voegen: *en je ziet er niet uit, alsof je net uit een riool gekropen bent.* De situatie was al zielig en ernstig genoeg.

Opnieuw schudde hij zijn hoofd.

-Laten we gaan, zei Ewok. -Het voelt niet goed.

'Ewok heeft gelijk. Je moet gaan.'

'Ik begrijp er niets van.' Haar stem trilde. Ze wendde haar blik van hem af. Zijn aanblik deed haar te veel pijn.

'Het is een probleem dat te ernstig en te groot is om door jou of de fantasiejagers opgelost te worden,' zei Melfo ten slotte en verdween toen via dezelfde weg als hij gekomen was.

22 Emowereld: dag 4

"Geluk is de verleden tijd herlevend door de dromen in een onhoorbare branding van beelden."

Lucebert

Kalon voelde zich diep verdrietig en gekwetst. Het leek alsof zijn adem was afgesneden, alsof kilte zich van hem had meester gemaakt. Zelfs bloed smaakte niet meer zoals voorheen. Hij besloot het dan maar op een drinken te zetten en zich op het werk ziek te melden. Doordat vampiers nooit ziek werden, gaf hij eerlijk aan zijn baas toe dat de ruzie met Kate hem zodanig had aangegrepen dat hij de energie niet kon opbrengen om te werken. Zijn baas was een emomens, die het volkomen begreep en hem aanraadde om de tijd te nemen. Hij voegde er nog aan toe: 'Ze komt wel weer bij je terug, geloof me nou maar.' Kalon wilde het graag geloven.

Afgelopen nacht had hij doorgebracht in het huis van zijn vroegere knuffelkabouter. Ze had hem met tegenzin in haar huisje binnengelaten en meermaals duidelijk gemaakt dat het niet de gewoonte was om andere wezens dan kabouters in het kabouterbos te laten overnachten. Voor de volgende nacht zou hij dus een andere oplossing moeten vinden. Codie was een mogelijkheid, of anders een hotel.

Op weg naar 'De Magische Babbel' had hij geen zin praatjes met bekenden aan te knopen of hen zelfs maar te groeten. Hij vreesde voor gesprekken die op Kate zouden neerkomen en had absoluut niet de kracht om het telkens weer uit te leggen. Trouwens, wat viel er uit te leggen? Hun eerste, grote ruzie die nergens over ging en Kate had hem meteen buiten de deur gezet! Zonder de moeite te nemen zichzelf te verontschuldigen of een poging tot uitpraten. Zonder hem nadien ook maar op te zoeken. Er was nu al een dag voorbijgegaan en hij had nog steeds niets van haar vernomen. Hij hoopte maar dat alles goed met haar ging en dat ze niet door een opdracht met de fantasiejagers in de problemen zat.

Zou hij naar de flat gaan? Nee, hij kon haar beter de tijd geven om te bedaren, te overdenken waarom ze zo irrationeel op hem gereageerd had. Morgen, als ze hem morgen nog altijd niet had opgezocht, zou hij de knoop doorhakken. Langer hield hij het niet meer uit. En bovendien had hij schone kleren nodig.

De miezerige regen viel gestaag op hem neer, maar hij deed geen enkele moeite om zich ervoor af te schermen. Het drong niet eens tot hem door dat zijn kleren langzaam aan vochtig en kil werden.

Hij zou Gehlen raad kunnen vragen. Maar drank, veel drank leek op dit moment de beste remedie om de pijn te verzachten. En vooral om de harde woorden, die tussen hem en Kate gevallen waren, te vergeten. Morgenochtend wilde hij zich enkel bekommeren om een barstende koppijn, die jammer genoeg door zijn vampiergenen niet lang zou aanhouden.

Hij stapte binnen in 'De Magische Babbel' en het werd meteen duidelijk dat de anders zo aangename en broederlijke sfeer in het eetcafé vandaag ontbrak. Droevige, klassieke muziek klonk door de luidsprekers en er hing zelfs een geur van verwelkte bloemen en verschroeide bladeren.

De eigenares, geheel in het grijs gekleed als een dode mus, had in overeenstemming met de algemene lethargie het interieur voorzien van saaie zwarte meubelen en een groezelig uitziend donkerblauw tapijt.

Kalon betwijfelde of het nog steeds een goed idee was om zich hier te bedrinken. Misschien kon hij beter enkele flessen drank in een heksenwinkel kopen en in alle eenzaamheid de roes induiken.

Hier liep hij het risico dat de drukkende sfeer hem nog meer naar beneden zou halen.

Toch ging hij aan de bar zitten, enkele krukken verwijderd van een begrafenisondernemer in zijn standaardkostuum, bestaande uit een zwarte lange cape. Het was niet degene die hij persoonlijk kende, Ripper, maar een andere. Hij had zijn capuchon opgehouden, zodat enkel de top van zijn neus zichtbaar was. Geregeld trok hij moedeloos zijn schouders op en zuchtte.

'Een whisky, dubbel, nee, doe maar driedubbel, alstublieft,' zei Kalon, toen de heks zonder woorden de bestelling kwam opnemen en hem alleen maar ongeduldig aanstaarde.

Kalon keek om zich heen, zoekend naar enige vrolijkheid of slechts een glimlach, maar kon deze niet ontdekken. Twee mannen, emomensen zo te ruiken, spraken sporadisch met korte zinnen en diepe keelgeluiden, een halfvolle fles wijn en een schaal onaangeroerde nootjes voor hen. Achter hen staarde een vrouwelijke trol nors in haar glas, gevuld met een of andere witte drank. Zelfs naar trollenmaatstaven zag ze er verwaarloosd en vuil uit. Haar slordige haren waren zo vet dat ze het licht weerkaatsten en sluik en futloos rond haar aapachtige gezicht vielen. Kalon keek snel weg, voor ze hem in de gaten kreeg. Trollen hielden er namelijk niet van om aangestaard te worden en een discussie met een beledigde trol liep niet zelden op een vechtpartij uit.

In het midden van de ruimte zaten nog drie maanlingen, allen druk bezig notities van het een of ander neer te krabbelen op de papieren onderzetters. Ook zij zagen er niet al te opgewekt uit en spraken amper een woord.

Het glas werd voor hem neergezet en hij klokte het in één teug binnen.

'Nog een, alstublieft,' gebood hij de heks die voor hem bleef staan, alsof ze verwacht had dat hij meteen meer zou willen.

'Problemen met het vrouwtje?' vroeg de begrafenisondernemer met een dikke tong en zonder zijn blik van de toog af te nemen.

Kalon had geen zin in een gesprek, maar antwoordde niettemin. 'Kan je wel zeggen, ja.' Van het tweede glas nam hij een grote slok.

'Idem hier. Ik heet trouwens Jack.' De begrafenisondernemer draaide zich naar Kalon toe en stak zijn hand uit die Kalon schudde.

'Kalon.'

'En? Wat heb jij volgens haar verkeerd gedaan?' Nu nam Jack zijn capuchon af. Met rode, vochtige ogen keek hij Kalon aan. Zijn zwarte, krullerige haren zaten in de war, alsof hij er te vaak doorheen gewoeld had en zijn wangen gloeiden van de drank.

Kalon trok zijn schouders op. 'Wist ik het maar.'

'Idem hier.'

Voor hij het besefte, stak Kalon van wal. 'Ze ging door een stomme radio tegen me tekeer en zette me meteen buiten de deur, alsof ik de wekelijkse vuilniszak was. Er viel met haar niet te praten, ze leek wel een andere persoon.' Het deed hem goed zijn hart te luchten, besefte hij plots.

'Die van mij zei dat ze niet meer van me hield,' begon Jack, onduidelijk en langzaam. 'Zomaar, van het ene moment op het andere. Pats boem! Geen ruzie of niets. We hadden het de vorige avond zelfs nog over gezinsuitbreiding gehad.'

Beide mannen zuchtten, schudden hun hoofd in verontwaardiging en namen een flinke slok whisky.

'Fles delen?' vroeg Kalon.

'Het beste idee in tijden.' Jack wenkte de heks, die al met een fles whisky in de hand kwam aanlopen.

'Laat de fles maar staan, alstublieft,' zei Jack, met een trillende vinger naar de fles wijzend.

De heks deponeerde de whisky met een knal op de bar en draaide zich om nadat ze hen met opeengeklemde lippen een beschuldigende blik had toegeworpen. Jack schonk hun glazen tot aan de rand vol.

'Op ons, vrijgezellen,' zei hij, zijn glas ophoudend en morsend.

'Op de vrouwen die we toch nooit zullen begrijpen,' zei Kalon.

'Idem hier!'

Met gebogen schouders, hun handen rond het glas en hun blik gericht op het goudkleurig drankje dronken ze in stilte verder. Het kon een hele poos duren voor een vampier dronken werd, dus Kalon vond dat hij best nog een fles kon bestellen.

Voor hij echter de aandacht van de heks kon trekken, kwamen er twee dromers, met hun kenmerkende wazige verschijning en stomme blikken, tegelijk het eetcafé binnen.

De ene, een nog jong meisje met donkerblond haar en een tennisracket in haar hand, ging een beetje suffig voor zich uitkijkend aan een tafel zitten. Af en toe gluurde ze ongeduldig naar haar horloge, vermoedelijk wachtend op een niet bestaande tennisafspraak. Er verscheen een schaakbord op haar tafel en met ongeïnteresseerde bewegingen verzette ze de pionnen. De andere dromer, een man, liep meteen door naar de bar, waar hij ging zitten en met zijn vuist op de toog klopte.

Onbeschaamd gedrag zoals dit werd door heksen alleen getolereerd wanneer het dromende mensen betrof, maar het was duidelijk dat deze heks er niet blij mee was. Bovendien was het bedienen van dromers verlieslatend, omdat ze er niet voor konden betalen. Het was echter een ongeschreven wet in Emowereld dat je te allen tijde, of toch in ieder geval wanneer het een ongevaarlijke activiteit betrof, de droom moest meespelen. Het was een beetje vergelijkbaar met het wonen in een toeristische stad, waar je de vakantiegangers moest helpen met de weg vinden of het aanbevelen van een goed restaurant.

'Een cognac,' bestelde de dromer. 'En snel! Ik heb niet veel tijd. Mijn moeder wacht op me om de was te doen, want ze kan geen kleuren onderscheiden.'

De heks was slim genoeg om, in plaats van cognac, een glas water voor hem neer te zetten. Kwestie van geen alcohol te verspillen. De dromer dronk niet van het glas – eten en drinken wordt zelden effectief uitgevoerd tijdens een droom, al wordt die suggestie soms wel bij je ingeplant – en stootte Kalon aan.

'Hé makker, jij ook hier?'

Kalon kende die knul uiteraard niet, maar dromers dachten vaak een bekende te zien. De reden daarvoor bleef tot op heden een raadsel.

'Geen zin in een praatje,' mompelde Kalon.

De afwijzing gleed van de dromer af, het drong niet tot hem door. 'Is hier een vluchtroute? Een toilet of zo?'

Kalon wees naar een hoek van het eetcafé.

'Bedankt, makker.' De dromer wipte van zijn kruk en liep erheen.

Ze schrokken allen op van een gil die door merg en been ging. Kalon draaide zich om en zag dat de droomster die aan het tafeltje zat met grote, angstige ogen om zich heen keek.

'Ik droom! Ik weet dat ik droom!' riep ze uit. 'Zowaar ik Stéphanie Vierstraete-Verlinde heet.'

Kalon vond dat het klonk alsof ze zich vastklampte aan haar volledige naam uit angst dat ze anders haar gezond verstand zou verliezen.

'Ik mag niet dromen, dat mag niet! En nu weet ik het! Wat zullen mijn ouders hiervan zeggen!'

'Wat is het probleem?' zei Kalon. Hij wachtte niet op antwoord en richtte zijn aandacht weer op de fles.

'Ik mag niet dromen! Ik slik iedere avond een antidroompil!' De droomster rende jammerend naar de deur. 'Nu ben ik toch dromend in Emowereld. O, ik schaam me diep. Zo raak ik nooit binnen in de biotechnische faculteit van Collegestad. O nee, o nee.' De laatste woorden bleef ze herhalen, zodat ze nog lang, als een vreemde echo, nagalmden.

'Lucide dromer,' zei Kalon tegen niemand in het bijzonder. Hij verfoeide zijn vampiergenen op dit moment. Hij voelde zich nog altijd te nuchter. Misschien een klein beetje tipsy, dat was alles.

'Dacht dat het niet meer voorkwam,' zei Jack. 'Dacht dat die antigeheugenpillen die ze nu slikken ook het lucide dromen zou tegenhouden.'

‘Blijkbaar niet,’ schokschouderde Kalon.

Ratiomensen dachten inderdaad dat ze iedere avond trouw een antidroompil slikten, zodat ze zichzelf niet voor gek zouden zetten tijdens het dromen in een werkelijke wereld. Toen echter bleek dat het niet meer dromen te veel negatieve consequenties had, zoals het elkaar de kop inslaan, vonden ze een andere soort pil uit. De antigeheugenpil vermomd als een antidroompil. Slechts een handvol ratiomensen, onder wie President Anissa Clinton, waren op de hoogte van dit bedrog dat levensnoodzakelijk bleek te zijn. De Emowereldbewoners wisten het uiteraard ook, maar hielden het strikt geheim.

De tweede dromer die het in zijn verwarde hoofd had gehaald dat hij moest ontsnappen via de toiletten, kwam opnieuw naast Kalon zitten.

‘Het raampje was te groot,’ zuchtte hij.

‘Dan kon je er juist toch gemakkelijker door,’ constateerde Kalon.

‘Daarom dus, ze zouden meteen weten dat ik daarlangs ontsnapt was.’

‘Wie zijn ‘ze’?’

‘Ze, je weet wel, degenen die het wasgoed boycotten.’

‘Oké.’

‘Verdorie!’

‘Wat?’ Kalon keek hem van opzij aan.

Het leek of de dromer behoorlijk geschrokken was. Zijn onderlip trilde toen hij verder sprak. ‘Ik realiseer me opeens iets.’

‘Wat?’

‘Ik droom! Verpotterdrie, ik droom!’ Hij keek om zich heen. ‘Maar.... Dat kan toch niet? Ik bedoel, ik...’

‘Slik iedere avond trouw een antidroompil,’ vulde Kalon toonloos aan.

‘Ja,’ knikte de dromer. ‘Heb ik iets geks gedaan of gezegd?’ Zijn hele gezicht was doordrongen van paniek, tot in de kleinste zenuwtrekjes van zijn neusvleugels.

'Niet dat ik weet,' antwoordde Kalon.

'Oké, en nu wakker worden! Nu! *Nu*!' Hij kneep zijn ogen samen en hield zijn adem in zodat zijn gezicht rood en dik opzwol. Dan: 'Ben ik er nog?'

'Jup.'

'Nu, nu, nu!'

'Nog steeds.'

'Sla me dan.' Hij had zijn ogen opnieuw geopend en keek Kalon smekend aan. 'Zodat ik wakker word.'

'Dat zit er niet in.'

'Toe nou, als-je-blieft?'

Kalon hoorde een klets. De dromer had zichzelf geslagen en zei: 'Ben ik stom of wat. Ik kan nu doen wat ik wil, want ik droom!' Hij stak zijn hand naar voren uit, met de palm omhoog. 'Tienduizend eenheden.'

Zijn hand bleef leeg.

'Waarom lukt het niet? In een droom kun je toch alles wensen wat je wilt?'

'Daar weet ik het antwoord op,' lalde Jack. 'Normaal is dat inderdaad zo, slimmerik. Maar dat geldt niet altijd bij helder dromen. Sommige ratiomensen zijn zo rationeel ingesteld dat wanneer ze beseffen dat ze dromen, hun rationele denken... – shit, ik gebruik het woord rationeel anders nooit zo vaak. Maar waar was ik?' Hij zwaaide gevaarlijk met zijn glas in de lucht en keek peinzend naar het plafond. 'O ja, je bent te rationeel, engerd, daar ligt het aan.' Jack grijnsde alsof hij net de beste mop aller tijden verteld had.

Maar Jack, dronken als hij was, had wel gelijk. Stel nu dat je als dromer iets wilde drinken. Dan kon je óf een café opzoeken, en dan zou een heks het spel meespelen en je een drankje aanbieden, óf je kon het simpelweg 'wensdenken'. In het tweede geval was de drank er slechts gedurende een kort moment en loste normaal gezien vanzelf op in het niets wanneer de dromer ontwaakte.

'Daar ben ik wat mee, zeg.' De dromer keek Jack boos aan. 'Ik ga maar eens op rooftocht. Wat winkels leegplunderen. Ik ben toch aan het dromen. Lucide of niet.'

Hij beende met grote passen naar de deur, maar nog voor hij de deurklink had beetgepakt, vervaagde hij, tot hij volledig verdwenen was. Wakker geworden.

Kalon nam de fles whisky beet. *Goed, tijd voor de grove middelen.* Hij schonk het glas van Jack bij en zette daarna de fles aan zijn lippen. *Zelfs de dromers gedragen zich niet meer zoals ze behoren te doen.*

23 Ratiowereld: dag 4

"Dromen is erg belangrijk. Je kunt alleen iets realiseren als je je er een voorstelling kunt van maken."

George Lucas

De menigte, die woest door de straten van de stad Paris marcheerde, was uitzinnig. Ze kon nog het best vergeleken worden met een troep wilde dieren, grauwend en snauwend. De anders zo rationele controle van beschaving en redelijkheid was veraf. De grijze lucht, beladen met fijne regendruppels, leek het geheel een nog onheilspellender aura te geven.

Uitgelaten hielden mensen spandoeken en borden de hoogte in, de boodschap schreeuwend en onder de aandacht brengend.

Er stonden diverse teksten op:

Zwangerschap Natuurlijk!
Seks is normaal, labo's zijn banaal!
Mensen zijn GEEN machines!
Ik wil kunstschilder worden!
Verbeelding en fantasie bevorderen open denken!

De blikken stonden furieus. Hun monden, waarvan de lippen weggetrokken waren zodat hun tandvlees zichtbaar werd, riepen door de minuscule megafonen die voor hun gezicht hingen:

'Wij zijn mensen!'

'Wij willen seks!'

'Weg met IVF!'

'Vrijheid in denken!'

'Vrijheid in doen!'

'Weg met de regels!'

Het anders zo rustige, doorsnee stadje, waar vooral voedselverwerkingsbedrijven gevestigd waren en keukenapparatuur vervaardigd werd, had meer weg van een oorlogsgebied. De politie kon de opstand amper de baas. Het enige dat ze konden doen, was meelopen en zorgen dat er onderling of met omstanders geen gevechten uitbraken. De menigte was op weg naar een plaatselijk, klein laboratorium, waar de kunstmatige zwangerschappen en zorgverlening van het stadje werden verstrekt. De politiediensten baden dat ze de massa konden beletten het laboratorium te bestormen, maar hadden er geen goede hoop op. Hun eenheid telde tien man en kon het wel vergeten een groep van honderden razende mensen tegen te kunnen houden.

Straatcamera's legden de beelden zoemend en ronddraaiend vast en speelden die onmiddellijk door naar nieuwsstations, de plaatselijke burgemeester en de presidente van Ratiowereld. Algauw was de woedende massa in elke woonkamer, slaapkamer of badkamer te zien. De kijkers reageerden niet ontzet of geschrokken, nee, integendeel. Het leek hen op ideeën te brengen en begraven emoties werden wakker geschud. Het duurde niet lang voordat meerdere mensen anderen optrommelden om hetzelfde in hun stad te doen. De technologie die hen aanvankelijk gevoelloos en koel had gemaakt, zorgde er nu voor dat het dunne vlies van hun beschaving meer en meer scheuren vertoonde.

Presidente Anissa Clinton zag dit alles met groeiende verbazing aan. Ook de minister van Algemene Veiligheid Charlie Cross begreep niet waar dit gedrag zo plots vandaan was gekomen. Ze hadden het toch moeten zien aankomen? En de problemen beperkten zich niet alleen tot hier, het Continent Eurazië, maar ook tot de overige continenten: Afrika, Amerika, Antarctica en Oceanië!

'Het is niet te geloven!' uitte Anissa.

Het grote beeldscherm, dat uit een deel van de muur recht tegenover haar bureau bestond, toonde in woede vervormde gezichten en opgeheven vuisten.

'De politiediensten zijn niet genoeg bemand om deze rellen te onderdrukken. En niet voldoende getraind,' zei Charlie, een man die zo lang en dun was dat hij op de mast van een vlaggenschip leek.

'Wie kunnen er nog helpen? De veiligheidsmensen die voor verschillende bedrijven werken? Kunnen we die laten opdraven?'

'Dat is een optie, maar die zijn klein in aantal.' Hij blikte even naar buiten door het grote raam dat bijna de hele rechtermuur in beslag nam. De regen viel nu met bakken uit de lucht, maar zodra de druppels het raamglas raakten, verdampten ze.

'De IFG? Ze kunnen alle fantasiejagersgroepen inschakelen!'

'Enkele zijn bezig met binnengekregen meldingen en tips dat er emomensen magische spullen in onze wereld verkopen.'

'Ook dat nog,' zuchtte Anissa. 'Is de wereld helemaal gek geworden?'

'En bovendien zijn er veel ontsnappingen van wezens uit Emowereld gesignaleerd, ook daar zijn een aantal groepen druk mee in de weer.'

'Dus,' Anissa vouwde haar slanke handen voor haar buik, 'als ik het goed begrijp zijn alle fantasiejagersgroepen bezet?'

Charlie knikte. 'Jawel, mevrouw de president.'

'Die van Kate De Lille en Gehlen Tomin?'

Charlie opende een laptop ter grootte van zijn hand en toetste een knop in waardoor op een van zijn ooglenzen gegevens verschenen. De verder overwegend grijze meubelen schenen door de data heen.

'Ze waren bezig met een aanval van vampiers, maar momenteel niet. De vampiers zijn ontsnapt naar Emowereld.'

'Het heeft geen nut,' zei Anissa verslagen. 'We hebben nooit voldoende manschappen om zoveel mensen te bedwingen. En dan? Ze allemaal in de gevangenis gooien? Dat is onmogelijk en bovendien hebben we veel te weinig cellen! En met welke aanklacht dan?'

Ook de minister zag voorlopig geen oplossing.

Anissa wees het scherm aan. 'Deze mensen doen niets verkeerd. Niet op zich, althans. Ik begrijp alleen niet waarom ze protesteren. Ze willen meer vrijheid? Hoezo? Ze willen natuurlijk zwanger worden? Waarom in 's hemelsnaam? Het lijkt wel een bende primitieve wilden. Hoe kan dat nou?'

'Ja, mevrouw, dat ben ik met u eens,' knikte Charlie. 'Misschien ligt de oorzaak in Emowereld?'

'Misschien. En waarom gebeurt alles tegelijk?' Anissa keek peinzend voor zich uit. 'Eigenaardig toch dat, nu er zoveel wezens uit Emowereld binnenglippen, er ook rellen zijn onder onze eigen bevolking.'

'Je zou denken dat er meer achterzit, mevrouw de president.'

'Het kan geen toeval zijn,' beaamde Anissa. 'Absoluut geen toeval! Geef de boodschap aan de IFG door dat Gehlen Tomin en zijn groep erachteraan gaan. Het kan me niet schelen dat ze naar lucht zoeken. Het is beter dan niets ondernemen! En ze kunnen eventueel de Raad contacteren.'

Een laatste blik op het scherm toonde een hysterisch geworden vrouw die met vurige ogen scandeerde: ***'Dood aan het rationalisme. Dood aan het rationalisme!'***

Deel
2

E.M.G. en E.E.G. van de remslaap:
tijdens het dromen zijn de spieren van het lichaam 'verlamd', dit in tegenstelling tot een hoge mate van hersenactiviteit. M.a.w. actieve hersenen in een inactief lichaam.

24 Emowereld: dag 5

"Dromen zijn vrijetijdsbesteding van de hersens."

Robert Lembke

'Er is iets aan de hand in Ratiowereld,' begon Gehlen, toen ze allemaal samen zaten bij hem thuis. 'Gisteren en vandaag waren in diverse steden betogingen gaande.'

'Betogingen?' vroeg Codie. 'Waartegen?'

Hij zat naast Dille op de bank. Kate had plaatsgenomen in een fauteuil, opzettelijk ver van Kalon vandaan. Ze hadden elkaar slechts mompelend begroet. De anderen hadden nog niets in de gaten of waren zo respectvol te doen alsof, al moesten alleen al Kalons gekreukelde en groezelige kleren een indicatie zijn dat er iets niet helemaal klopte. Codie was de enige die op de hoogte was, doordat Kalon gisteren bij hem gelogeerd had. Ze hadden echter niet veel gepraat. Kalon was dronken binnengestrompeld, had iets gemompeld dat leek op *weg van Kate, hier slapen*, en was als een blok op de bank in slaap gevallen.

'Protest tegen de huidige samenleving,' antwoordde Gehlen schouderophalend.

'Dat is ruim,' zei Dille. 'Niets specifieker?' Het was haar opgevallen dat Kalon en Kate zich eigenaardig gedroegen, maar ze had besloten er niet op in te gaan. Het was er noch de tijd, noch de plaats voor en bovendien wilde ze zich er niet mee bemoeien zonder dat ze er zelf om vroegen.

Gehlen telde op zijn vingers. 'Nou ja, baby's gemaakt in labo's, ontbreken van kunst, geen seks, die dingen.'

Kate vond het eigenaardig dat het haar niet aangreep. Het kon niet liggen aan het feit dat het zich in Ratiowereld afspeelde en niet in haar wereld. Het was anders, het voelde anders, alsof menselijk leed en problemen haar niet meer raakten. Ze had niet die energieke drang om na te gaan waar het aan lag, wat de oorzaken waren. Ergens begreep ze dat dit nieuws haar in ieder geval zou moeten verheugen; ratiomensen die eindelijk wat menselijker werden. Vroeger zou ze dit alleen maar toegejuicht hebben. Waarom nu niet?

Het was vergelijkbaar met hoe ze zich voelde bij het zien van Kalon daarnet. Ergens had ze gehoopt dat ze zich zou realiseren wat voor kreng ze geweest was, zeker toen ze zijn gekwetste blik opmerkte. Maar ook dat had niets bij haar losgemaakt, niet eens een gemis.

'Kan dat niet het gevolg zijn van de kennismaking tussen beide werelden?' opperde Codie. 'Je weet wel, ratiomensen zien hoe de mensen hier leven en willen dat ook.'

'Misschien.' Gehlen ging op de rand van de sofa zitten. 'Maar dat verklaart niet waarom emomensen het verbod op handel in magische artikelen negeren. En de vele ontsnappingen van wezens naar Ratiowereld, zoals die vampiers. Maar het blijkt dat het niet alleen zij zijn. Alle fantasiejagersgroepen zijn opgetrommeld wegens diverse meldingen.'

'En de vortexen!' voegde Dille eraan toe.

'Hoezo, de vortexen?' vroeg Kalon.

Hij had altijd een fascinatie voor dat natuurfenomeen gehad. Hij blikte even naar Kate en verwonderde zich over haar stoïcijnse uitdrukking. Het was net of hij naar een kartonnen afbeelding van zijn geliefde keek, niet naar een wezen van vlees en bloed. Ze rook zelfs net iets anders; vlakker en met minder verschillende geurlaagjes.

'Hoorde je het dan niet op de radio? Er was een vortex actief in Randstad en Henk vertelde mij even daarvoor over een andere,' vertelde Dille opgewonden. 'En op de radio meldden ze dat er plots veel nieuwe droomobjecten achterblijven en de weerwolven gedragen zich ook al eigenaardig.'

'Wacht eens even.' Gehlen stond opnieuw op. 'Dus niet alleen in Ratiowereld, maar ook hier gebeuren meerdere vreemde zaken?'

'Daar lijkt het wel op,' zei Kalon en dacht meteen aan Kates explosieve gedrag tijdens hun ruzie en aan haar nu zo gevoelloze verschijning. Zou dat er iets mee te maken hebben? Hij wilde het echter niet in de groep gooien.

Kates gedachten flitsten even naar de apanzers, Melfo's vreemde gedrag en het magieloze elfenbos. Ze zou dit aan de lijst moeten toevoegen, zodat ze een completer beeld kregen van de situatie. Maar waarom eigenlijk? Zodat ze het nog moeilijker zou maken dan het al was voor zichzelf? Ze had helemaal geen zin in een opdracht of zoektocht. Het enige waar ze haar tijd aan wilde besteden, was het achterhalen van haar stamboom en verder niets. Het had haar al ontzettend veel moeite gekost om hier alleen maar op te dagen.

'Misschien is het niets,' sprak Dille. 'Maar ik heb Frege Donner opgezocht en hij bleek zich anders te gedragen, althans volgens zijn vrienden. Bovendien zei hij dat er storm op komst was. Zoals ik al zei, het betekent waarschijnlijk niets, want hij deed nogal raar.'

'Alles kan iets betekenen,' zei Gehlen. 'Het kleinste detail kan ons helpen. Nog iemand?'

'Ehum.' Kalon schraapte zijn keel. 'Gisteren ontmoette ik twee dromers. Allebei realiseerden ze zich plots dat ze droomden.'

'En Natasha hoorde van enkele leerlingen dat er zandduivels in een stad verschenen waren,' voegde Gehlen eraan toe.

'Zandduivels gaan nooit weg uit hun woestijnen,' zei Kalon.

'Nu blijkbaar wel.'

'Dit kan geen toeval meer zijn,' zei Dille. 'Zoveel fenomenen en ongewoon gedrag en dat in beide werelden.'

'Zouden vortexen daar de oorzaak van kunnen zijn?' vroeg Gehlen zich af.

‘Lijkt me niet,’ antwoordde Kalon. ‘Vortexen komen erg plaatselijk voor. Ze zijn misschien wel de oorzaak van sommige problemen, maar ik kan me niet voorstellen dat ze zo verspreid te werk gaan. Trouwens, hoe verklaar je dan het gedrag van de ratiomensen in al die steden?’

‘Nou, een vortex veroorzaakt toch een omgekeerde reactie? Wit wordt zwart, gelukkig wordt ongelukkig?’ vroeg Gehlen.

‘Ja.’

‘Dan is het gedrag van die ratiomensen toch op zijn minst het omgekeerde van vroeger.’

‘Ja, inderdaad, maar ik meende dat vortexen juist verschijnen op plaatsen waar een enorme spanning of anomalie optreedt,’ verklaarde Kalon. ‘Het lijkt mij eerder dat die vortexen een zoveelste symptoom zijn van wat er aan de hand is.’

‘En het verklaart niet het achterblijven van al die droomobjecten, toch?’ opperde Dille. ‘Of de verkoop van magische spullen.’

‘Daarom juist.’

‘Goed.’ zei Gehlen. ‘Kate?’

‘Ehum.’

‘Je bent nogal stil. Heb jij misschien een idee wie of wat dit allemaal veroorzaakt?’

‘Nee, helemaal niet. Compleet niet.’ Ze hoopte dat dit antwoord voldoende was om de aandacht van zichzelf af te leiden.

Gehlen keek haar peilend aan. Hij vond dat ze er niet goed uitzag, de ongeïnteresseerdheid straalde van haar af. ‘Laten we dan beginnen met het zoeken naar een overeenkomst tussen de verschillende zaken.’

‘Maar wie zegt dat er een gemeenschappelijke oorzaak is?’ merkte Dille op.

‘Niemand,’ antwoordde Gehlen. ‘Ik zie anders niet meteen wat we kunnen doen.’

De groep verviel in stilzwijgen. Dille opende haar laptop en begon te typen. Ze maakte een lijstje van alle eigenaardigheden, zodat ze de eventuele overeenkomsten duidelijker kon overzien. Codie leunde opzij en keek mee. Dilles zoete parfumgeur voerde hem terug naar Molpe. Zijn verlangen naar haar was nog steeds groot, maar langzaam klaarden zijn hersenen op en kon hij al eens aan iets anders dan aan de sirene denken.

'Hebben jullie niet gemerkt dat de mensen en wezens er nogal depressief bij lopen?' vroeg Kalon.

'Nee,' zei Gehlen en ook de anderen, behalve Kate, schudden hun hoofd. 'Opvallend anders?'

'Vind ik wel,' zei Kalon.

'En jij, Kate? Viel het jou op?'

'Niet echt op gelet, denk ik,' antwoordde ze vlak.

Gehlen bleef het gevoel behouden dat Kate zichzelf niet was. Hij liet zijn blik nog even op haar rusten voor hij zich tot Kalon wendde. 'Jij mag trouwens overal bij betrokken worden, Kalon. Zelfs als dat betekent dat we naar Ratiowereld moeten. Ik heb het duidelijk aan de IFG gevraagd en ze benadrukten dat we alle mogelijke hulp en bronnen moeten gebruiken. Daar hoor jij dus ook bij.'

Kalon peilde Kates reactie bij dit nieuws, maar ze bleef onverstoorbaar voor zich uit staren.

'Ik stel het volgende voor,' ging Gehlen verder. 'De meeste fenomenen zijn terug te brengen naar gedrag. Veranderingen in persoonlijkheid die mogelijk met elkaar te maken hebben, maar mogelijk ook niet. Het blijft een beetje vaag, dus het is moeilijk om na te gaan of de oorzaak bij de personen zelf ligt of niet. Maar één ding kunnen we wel even checken en dat is de verkoop van de magische spullen.' Gehlen pauzeerde en keek de anderen een voor een aan. Ze luisterden. Goed. 'Kalon en Kate. Ik laat jullie het fijne hiervan uitzoeken. Wie verkoopt die spullen? Zijn er meerdere of is er maar één organisatie? Wat verkopen ze? Zijn er bewijzen en lijsten met namen te vinden?'

Kate en Kalon wisselden een blik. Er viel niet aan te ontkomen. Ze konden onmogelijk een opdracht samen weigeren omdat hun relatie moeilijkheden vertoonde. Dat zou ten eerste niet professioneel overkomen en ten tweede zouden ze dan onvermijdelijk hun hele situatie uit de doeken moeten doen.

'Hebben jullie hier een probleem mee?' vroeg Gehlen, die hun twijfel opmerkte.

'Nee, geen probleem,' antwoordde Kalon.

'Oké, vooruit dan.'

Ze stonden op en verlieten de woonkamer.

De deur viel net in het slot, toen er dwingend geklopt werd. Gehlen maakte aanstalten naar de deur te lopen, zich afvragend of Kate misschien iets vergeten was.

'Wacht, Gehlen, het is niet de voordeur,' zei Dille.

Hij draaide zich vragend naar haar om. 'Klonk wel zo.'

'Het is Arthur.'

'De A.I. van je laptop?'

'Ja.' Dille grijnsde. 'De slimmerik heeft er iets op gevonden om mijn aandacht te trekken. Nou ja, dat mag beloond worden. Kom binnen, Arthur, of beter gezegd, kom buiten.'

25 Emowereld: dag 5

"Als een handwerksman er zeker van was, elke nacht twaalf uur te dromen dat hij koning was, geloof ik, dat hij bijna even gelukkig zou zijn als een koning, die elke nacht twaalf uur lang droomde, dat hij een handwerksman was."

Blaise Pascal

'Kunnen we normaal met elkaar omgaan, denk je?' vroeg Kalon zodra ze buiten stonden.

Kate trok haar schouders op. 'Ik zou niet weten waarom niet. We blijven nog altijd partners.'

Haar koele houding sneed door Kalon heen. Verbolgen keek hij hoe ze van hem wegliep en haalde haar toen snel in. 'Kate. Wat is er met je? Ik heb dit toch niet verdiend? Alleen maar vanwege een stomme radio?'

Ze bleef strak voor zich uit kijken. 'Nu niet, Kalon, we zijn aan het werk.'

Kalon zuchtte diep. 'Waar ga je trouwens heen?'

'Renilde,' klonk het kortaf. 'Ik sta op goede voet met haar.'

'Moet ik vanavond mijn spullen bij je komen ophalen?'

'Wat je wilt.'

Kalon deed er het zwijgen toe gedurende de rest van de wandeling naar het centrum van Hoofdstad. Hij vreesde voor wat hij zou zeggen en moest zich inhouden haar niet hardhandig door elkaar te schudden, tot de echte Kate weer tevoorschijn zou komen.

Het straatbeeld was er vandaag niet vrolijker op geworden. Nog steeds liepen de wezens erbij alsof hun wereld in stukken gescheurd was. En het mistige weer bewees dat ook de weerwolven in een neerslachtige bui waren. De winkelstraat, die normaal gezien volgepompt werd met een mengeling van zoete en lekkere geuren, vertoonde daar nu niets van. Zelfs de heksen namen de moeite niet meer hun klanten met magische geuren binnen te lokken. Dit sloeg alles, meende Kalon. Het voelde alsof het einde van de wereld in zicht was.

Kate leek het niet op te merken of nam althans de moeite niet er met een woord over te reppen. Resoluut stapte ze, met Kalon in haar kielzog, de heksenwinkel van Renilde binnen.

Het duurde een hele poos eer Renilde tevoorschijn kwam en alsof potentiële klanten vergelijkbaar waren met storende schaduweters, keek ze hen geïrriteerd aan. De heks nam niet eens een uiterlijk aan dat door Kalon of Kate geassocieerd kon worden met goede herinneringen. Nee, ze verscheen als zichzelf: een kleine, pezige vrouw met halflang, bruin haar en scherpe gelaatstrekken. De dofgroene jurk hing vormloos om haar heen.

'Kate. Kalon.' Ze sprak de namen uit als vermoeide zuchten.

'Goedemorgen Renilde,' groetten ze terug.

Renilde bracht haar hand omhoog. 'Ik heb er niet veel zin in vandaag. Wat heb je nodig?'

'Als ik zo onbeleefd mag zijn,' begon Kate. 'Is er iets gebeurd dan?'

'Nee, hoezo?'

'Nou.' Kate weifelde. Met heksen moest je immers voorzichtig zijn. 'Het lijkt mij de eerste maal dat u geen zin hebt om iets te verkopen.'

Renilde trok haar schouders op. 'Iedereen heeft wel eens een baaldag.'

Kate knikte, daar kon ze zich helemaal in vinden. 'Ik kom niet om iets te kopen, Renilde.'

'O, nou.' Renilde maakte aanstalten zich om te draaien.

'Maar als u het niet erg vindt, zouden we u graag enkele vragen stellen,' zei Kalon snel. Hij bleef het vreemd vinden in een geurloze heksenwinkel te staan. Het voelde zo tegennatuurlijk aan, onvoltooid.

Renilde keek hen met een ongeïnteresseerde blik aan. Na een ongemakkelijke stilte, waarin Kate en Kalon roerloos bleven staan, maakte ze een wenkende beweging met haar hand.

'Kom maar op,' zei ze ten slotte.

Kate zuchtte diep voor ze van wal stak. 'Zonder u te willen beledigen. Het blijkt dat er in Ratiowereld magische voorwerpen verkocht worden.'

'Ik ben niet de enige heks in de omgeving,' zei Renilde toonloos.

'Nee, uiteraard niet,' sprak Kate snel.

'Nou dan.'

'Hebt u erover gehoord?'

'Tja.'

'U kent iemand die dit doet?'

'Het is verboden magische spullen te verkopen aan ratiomensen,' negeerde Renilde Kates vraag.

'Ja, dat is zo, vandaar ons onderzoek.'

'Wie wil dit weten?' vroeg Renilde.

'De regering van Ratiowereld.'

'Ze hebben het dus ontdekt.'

Het klonk nog steeds niet alsof Renilde onschuldig was, waardoor het koude zweet bij Kate uitbrak. Een heks ondervragen was al geen sinecure. Haar op de vingers tikken zag Kate helemaal niet zitten.

'Ja, ze hebben het ontdekt.'

'Heksen kunnen niet naar Ratiowereld.' Terwijl dit in het verleden grimmig werd uitgesproken, leek het de heks nu koud te laten.

'Dat klopt, maar emomensen fungeren waarschijnlijk als tussenpersoon,' verduidelijkte Kalon, 'en gebruiken een dimensiescheur als doorgang.'

‘Slim.’

‘Ik hoop u niet te beledigen, maar heeft u ermee te maken of heeft u informatie?’ Kate beet gespannen op haar onderlip.

‘Weet de Raad ervan?’ vroeg Renilde.

Kate keek Kalon vragend aan. Hij haalde zijn schouders op en antwoordde: ‘Waarschijnlijk niet. We weten het niet. We hebben al een tijd niets van ze gehoord.’

‘Ik heb er niets mee te maken, Kate. Ik zou eens polsen bij Klara die een winkel in Grensstad heeft. Dat geldzieke kreng weet er vast meer over.’

Die laatste woorden uit de mond van een heks te horen, trof Kalon als een mokerslag. Heksen onderhielden een gezonde concurrentie met elkaar en zouden een andere heks, of welk wezen dan ook, nooit zomaar beledigen. Kate kon geen leugenkleuren in Renildes aura ontdekken, dus moest ze haar wel geloven.

Renilde draaide zich om en terwijl ze naar de achterkamer liep, zei ze nog op vlakke toon: ‘De dreiging komt trouwens van overal.’

De deur viel met een klap achter haar dicht.

‘Ik zou het niet wagen haar om meer uitleg te vragen, Kate,’ zei Kalon, die perplex naar de deur gaapte.

‘Mijn idee,’ zuchtte Kate.

26 Emowereld: dag 5

"Zij die overdag dromen, hebben weet van menige zaak die ontgaat aan al diegenen die enkel 's nachts dromen."

Edgar Allan Poe

Arthur keek de groep met een zelfvoldane grijns aan, maar maakte aanvankelijk geen aanstalten om te praten.

'Wel, Arthur, wat heb je te zeggen?' drong Dille na een lange stilte aan.

'O, nu wil je me wel horen praten, hé,' sneerde hij.

'Arthur!'

'Qué?' Hij keek hen een voor een spottend aan.

Codie onderdrukte een grinnik. Hij moest Arthur niet aanmoedigen.

'Jij wilde iets zeggen! Of moet ik je afsluiten?' dreigde Dille.

Arthur wierp haar een vuile blik toe. 'En dan te bedenken dat je vroeger van me hield,' zei hij op gekwetste toon.

Dille zette grote ogen op en bloosde. 'Hoe… wat zeg je nu?'

'Ah, kom op nou,' vervolgde Arthur. 'Jaren geleden had je alleen oog voor mij. Weet je wel, toen je amper je huis uit kwam en de woorden 'sociaal contact' associeerde met 'vuil ondergoed'.'

'Arthur…' Dille wierp hem een waarschuwende blik toe.

'Het is zo!' pruilde hij. 'En nu met je gezinnetje en je werk als fantasiejager laat je me in de steek.' Zijn lippen trilden.

'Arthur,' sprak Dille, nu op zachtere toon.

Arthur uitte een verwijfd klinkende gil en barstte toen in huilen uit. De virtuele tranen die over zijn wangen stroomden, verdwenen in het niets voor ze zijn kin bereikten. Codie en Gehlen wendden hun gezicht af om hun opkomende lachbui te verbergen.

'Die Henk is niet zo lief als ik,' snikte Arthur.

'Nou...' zei Dille.

'Nee!' Arthur snoof virtueel snot op. 'Echt niet. Ik begrijp je meer dan wie dan ook. Ik was je maatje, je binaire minnaar!'

Codie hield het niet meer en proestte het uit. Gehlen verdween naar de hal en zijn afschuwelijk losgebarsten lach klonk luid en duidelijk tot in de woonkamer door. Dille schaamde zich ontzettend. Ze had zich nooit eerder zo kwetsbaar en naakt gevoeld.

'Arthur,' fluisterde Dille, zodat in ieder geval Gehlen het niet kon horen. 'Vind je het goed als we het daar een andere keer over hebben?'

Arthur keek haar aan, liet zijn onderlip nog eenmaal dramatisch trillen en knikte toen. 'Goed. Beloof je het?'

'Ja.'

Plots waren zijn ogen droog en glimlachte hij breeduit. 'Ik heb nieuws.'

'Gehlen!' riep Codie naar de hal toe. 'Arthur heeft een mededeling.' Hij veegde de tranen van zijn gezicht af met zijn mouw en klemde zijn lippen op elkaar om een nieuw lachsalvo tegen te houden.

Gehlen kwam de woonkamer in met pretlichtjes in de ogen en een rood aangelopen gezicht. 'Een mededeling? Gaan jullie trouwen?'

Opnieuw barstten Codie en Gehlen in een bulderlach uit. Ze hielden hun buik vast en Gehlen moest gaan zitten voor zijn benen het zouden begeven.

Arthur grijnsde. 'Die twee hebben een hoop plezier.'

'Ja,' beaamde Dille grimmig. 'Trek je er niets van aan. Ik krijg ze nog wel.'

Geduldig wachtte Arthur af tot Gehlen en Codie weer bij hun positieven waren.

‘Zeg het maar,’ drong Dille aan. ‘Dan houden ze wel op met me uit te lachen.’

‘Het… is… geen uitlachen,’ stootte Codie er met moeite tussen het lachen door uit. ‘Het is alleen…’

‘Zo romantisch,’ vulde Gehlen aan.

En opnieuw volgde een onbedaarlijk lachsalvo.

Het plezier in de woonkamer is vast enkele huizenblokken verder te horen, dacht Dille geïrriteerd.

Toen ze eindelijk gekalmeerd waren, kon Arthur zijn nieuws vertellen.

‘Zoals jullie weten sta ik in contact met computers uit Ratiowereld,’ begon hij bloedserieus. ‘En dat wil zeggen, werkelijk met alle computers. Dus ook met de camera’s die er overal in Ratiowereld hangen, zowel in bedrijven als op straat. Die aanpassing heeft de IFG, toen Dille als fantasiejager ging werken, bij me ingevoerd.’

Gehlen maakte een gebaar dat hij moest opschieten. Arthur draaide zijn hoofd in Gehlens richting. ‘O, en nou moet ik opschieten? Ik liet jullie toch ook uitlachen?’ Hij keek Dille opnieuw aan. ‘Maar goed, waar was ik? O ja, ik sta dus in-’

‘Dat weten we al,’ zei Dille snel. ‘Wat heb je ontdekt?’

‘Twee dingen.’

‘Ja?’

‘Ten eerste zitten de VR-clubs sinds enkele dagen afgeladen vol. Zelfs in die zin dat sommige mensen niet meer op hun werk verschijnen en de VR-clubs amper verlaten.’

‘En ten tweede?’ drong Dille aan.

‘Er zijn heel wat ratiomensen verdwenen. Zomaar zonder boe of bah. Zonder hun werkgevers in te lichten of zelfs maar hun gezin op de hoogte te stellen. Nergens te detecteren. Compleet verdwenen uit Ratiowereld.’

27 Emowereld: dag 5

"De toekomst behoort aan hen die geloven in de schoonheid van hun dromen."

Eleanor Roosevelt

Hoewel de mist optrok, leken de wolken zich meer en meer op te stapelen en hingen ze dreigend boven de stad. Alsof dat nog niet genoeg was, kwam er een stevige wind opzetten.

'Grensstad dus.' Kate en Kalon liepen regelrecht naar een wagen die aan de overkant van de straat geparkeerd stond. Kates lange haren wapperden alsof ze door onzichtbare draadjes opgehouden werden.

Ze openden de portieren, die een kreunend geluid maakten, en namen plaats. Kate aan het 'stuur' en Kalon ernaast. De wagen rook naar seringen en madeliefjes. Kate herkende de geur; het was 'Betoverd', een peperduur parfum van een killmoulis.

'Grensstad, de winkel van Klara, alsjeblieft,' zei Kate.

De reactie was op zijn minst verrassend te noemen. De wagen zette de airconditioning aan, waardoor een stroom warme lucht in hun gezicht geblazen werd en het geluid voortbracht als van een lange, vermoeide zucht. Fijne stofdeeltjes kwamen rechtstreeks in Kates neus terecht. Ze niesde. 'Grensstad alsjeblieft,' probeerde ze opnieuw.

Het antwoord kwam in geluiden van knarsend metaal en toen sprong de radio aan. Kate en Kalon keken elkaar verbaasd aan.

‘*Zo moe ben ik nog nooit geweest. Mijn bed te veraf. Mijn kussen niet opgeklopt*,’ klonk het uit de speakers. Het was een liedje van de sirene Sealy.

‘Dat zal toch zeker niet een boodschap van de wagen zijn?’ Kate staarde met grote ogen naar de radio.

Nog voor Kalon kon antwoorden, liet de auto een luide toeter horen.

‘Daar heb je het antwoord, veronderstel ik,’ antwoordde Kalon schouderophalend.

‘Dit is al te gek!’

‘… *slaap. Mijn dekens niet gewassen en het waspoeder op…*’

‘Ik denk dat de wagen te moe is om ons ergens heen te brengen.’

‘Een wagen moe? Dat lijkt me niet erg realistisch, toch?’ Kate keek grimmig naar het dashboard.

‘… *kruimels in het bed. Gescheurde pyjama’s…*’

‘Auto’s dragen geen pyjama’s!’ riep Kate naar het stuur.

‘Een andere auto dan maar?’ stelde Kalon voor, met zijn hand al op het portierhendel.

‘Tja.’ Kate stapte uit en tuurde om zich heen. ‘Daar staat een andere,’ wees ze aan.

Ze staken de straat over, op weg naar een zwart wagentje.

‘Er komt onweer aan,’ zei Kalon met zijn blik naar de hemel gericht.

‘Ook dat nog.’

De tweede wagen gehoorzaamde meteen, zette zich in beweging en reed de weg op.

‘De wereld is gek geworden,’ mompelde Kalon.

‘Wat?’

‘Niets. Laat maar.’ Hij draaide zich naar haar toe. ‘Hierna ga ik thuis mijn spullen wel halen.’

‘Oké.’

De wagen reed in een kuil die net door een dromer gegraven was, zodat Kalon omhoog gegooid werd en zijn hoofd bonkend tegen het plafond terechtkwam. Dat, bovenop Kates reactie, deed zijn bloed koken.

'Is dat alles! *Oké?*'

Kate keek hem sloom aan. 'Wat dan?'

'Je vindt het dus prima dat we uit elkaar gaan?' Hij schreeuwde nog net niet, maar het scheelde niet veel. Krampachtig, om zijn zelfbeheersing niet compleet te verliezen, kneep hij in het leer van zijn stoel.

'Jij stelt voor om je spullen weg te halen,' antwoordde Kate mat.

'Ik...' Verbouwereerd kon hij even niets uitbrengen. 'Kate?'

'Ehum.'

'Jij hebt me het huis uitgegooid, weet je nog?' Kalon probeerde kalm te blijven. 'En sindsdien laat je niets van je horen.'

'Ik heb andere dingen aan mijn hoofd.'

'Belangrijker dan onze relatie?'

'Momenteel wel, ja.'

Ze reden door weilanden met enkele schapen die alle naast elkaar lagen, alsof ze beschutting zochten. De takken van de platanen langs de modderige weg zwiepten wild heen en weer.

'Dan zit er niets anders op,' besloot Kalon droevig.

'Kun je Ewok meenemen?'

Perplex keek Kalon haar aan. 'Ewok?'

'Ja.'

De wagen remde af voor een overstekend konijn dat snel voorbijsprong, waarna het hen met de snuit in de lucht nakeek.

'Waarom?'

'Ik heb tijd nodig voor mezelf.'

Kate zonder Ewok, dacht Kalon. Dat sloeg alles.

Ze beschouwde de hond als een soort kind en vriendin in één. Ze aanbad het harige mormel! En nu wilde ze dat Kalon haar meenam?

Grensstad, en de heuvel waar de stad tegenaan gebouwd was, kwam in zicht en de wagen minderde langzaam snelheid. De stad had zijn naam te danken aan het feit dat het op architectonisch vlak op de grens van het decadente was. 'Overdaad schaadt soms niet' en 'op de grens tussen afgrijselijk en prachtig' waren termen die vaak gebruikt werden om de bizarre stad te omschrijven.

Huizen in barokke stijl, waarvan de al grillige patronen een nog belachelijker asymmetrie vertoonden dan mogelijk was. Niervormige huizen met groteske atoomdecoraties. Koepels bovenop daken die eruitzagen alsof ze elk moment konden vallen en de straat oprollen. Pilaren die sommige huizen ondersteunden maakten het bijna onmogelijk om erdoorheen te komen, tenzij je flinterdun was. Je vroeg je vaak af hoe de eigenaars in de huizen konden komen, tenzij al vliegend. Ronde vensters in vierkante raamlijsten, deuren die je van bovenaf moest opentrekken en plat neervielen en strakke raamloze gebouwen die eruitzagen alsof ze door een zuchtje wind konden instorten. Maar dat alles was verklaarbaar. De stad, die iets kleiner dan Hoofdstad was, werd voornamelijk bevolkt door architecten en bouwers die hun bizarre en originele ideeën naar hartenlust konden en mochten uitvoeren.

De wagen parkeerde netjes voor de heksenwinkel van Klara en zette de motor af. Kate en Kalon stapten uit. De wind sloeg meteen in hun gezicht en deed hun kleren hoog opwaaien. Er hing een knisperende geladenheid in de lucht, die rook naar verschroeide bladeren. Kate vervloekte zichzelf dat ze een rok aanhad en holde snel de winkel in.

Klara, de heks, kwam naar hen toe en nam meteen de vorm aan van Kates betovergrootmoeder Elise. Een slanke, stijlvolle dame met lange, grijze haren en wijze ogen. Ieder ander moment zou dit Kate ontroerd hebben, maar niet vandaag.

'Goedemiddag. U bent Klara?'

'Dat klopt.' De heks glimlachte stralend.

'Ik ben Kate De Lille en dit is Kalon Dracul. Mogen wij u enkele vragen stellen?'

De heks vernauwde haar ogen tot spleetjes en keek hen peilend aan. 'Waarover?'

‘Het spijt ons ontzettend, maar we hebben vernomen dat u mogelijk magische spullen in Ratiowereld verkoopt,’ zei Kalon op zijn meest vriendelijke toon.

Klara perste haar lippen even strak opeen. ‘Wie zegt dat?’

‘Zonder u te willen beledigen, maar dat kunnen we u niet zeggen. Is het zo?’

Klara keek misnoegd en dat paste absoluut niet bij het zachte gezicht van Elise. ‘Ik ben niet alleen,’ zei ze vinnig. ‘En dan nog? Wat gaat jullie dat aan? Ben je van de ratiopolitie misschien?’

‘Nee.’ Kate schudde haar hoofd. ‘We zijn fantasiejagers en moeten uitzoeken wie er achter zit.’

‘O, zit het zo? Fantasiejagers? Stuurt de IFG nu al emowezens op ons af? Worden we nu al door ons eigen volk in de gaten gehouden?’ Elk woord kwam eruit als een verwoestende kogel en ze voelden de spanning oplopen.

‘Weet u wie er nog meer handel in Ratiowereld verkoopt?’ vroeg Kalon.

Klara’s hoofd draaide met een ruk in Kalons richting. Haar ogen schoten vuur en haar gezicht was vertrokken van ongenoegen. ‘Ja, maar dat zal ik niet aan jullie neus hangen!’

‘Luister,’ begon Kate op sussende toon. ‘Als de Raad het te weten komt…’

Voor Kate kon uitpraten, begon de heks hysterisch te lachen. ‘De Raad? Kate, Kate, Kate. Die zullen hier helemaal niets aan doen!’

‘Maar…’

‘Schaam je, Kate De Lille, achterkleindochter van Elise! Werken voor ratiomensen!’ Klara trok haar neus op en spuugde op de grond. ‘En ik had nog wel een boodschap van Elise voor je.’

Kate schrok merkbaar, haar handen balden zich tot vuisten. ‘Van Elise?’

‘Dat zeg ik toch net.’

Kate, houd je rustig, dacht Kalon in paniek en hopend dat ze de boodschap zou oppikken, *als je de heks kwaad maakt, komen we hier niet in dezelfde vorm als we binnenkwamen weg.*

De heks keek Kate triomfantelijk aan. 'Als jullie me met rust laten, dan zeg ik je wat Elise me vertelde.'

Kate dacht verwoed na. Als het een boodschap was die te maken had met haar zoektocht naar haar stamboom, dan moest ze het weten! Het kon haar niet schelen dat deze heks illegale spullen verkocht in Ratiowereld. Trouwens, ze was waarschijnlijk maar een van de velen en zou toch niet loslaten wie de anderen waren.

Kate knikte. 'U hebt mijn belofte.'

'Kate…' Kalon keek haar verwonderd aan. Vroeger zou ze voor persoonlijk gewin nooit een misstap door de vingers gezien hebben.

Kate schudde haar hoofd. 'Bemoei je er niet mee.'

Klara glimlachte opnieuw poeslief. 'De boodschap was: *Je hebt het ooit geweten en was het daarna vergeten. De wijsheid opnieuw gevonden, bevat de oorzaak van alle zonden.*' Als om aan te tonen dat de boodschap afgelopen was, plaatste de heks haar handen in haar zij.

'Dat is alles?' vroeg Kate teleurgesteld.

'Is het misschien niet genoeg?' Parmantig draaide Klara zich om en beende naar de achterkamer.

'Kom.' Kalon raakte zacht Kates schouder aan.

Kate schudde zijn hand van zich af. 'Waarom kan oma nou nooit eens een duidelijke boodschap overbrengen?'

Kalon zuchtte diep. Hij had zich eveneens meermaals afgevraagd waarom boodschappen van overleden heksen altijd zo cryptisch moesten zijn. 'Je kunt haar zelf oproepen,' stelde hij voor.

'Wat heb ik ooit geweten? De oorzaak van alle ellende nu? Of wie mijn voorouders waren? Verdorie!' Woest stampte Kate op de grond. Haar hoofd voelde aan alsof het vol donkere kamertjes zat waarin nachtmerries tussen de kieren van de deuren naar buiten loerden.

'Potje breken, potje betalen!' hoorden ze de vrolijke stem van Klara uit de achterkamer. Al viel er, doordat de winkel compleet leeg was, niets te breken.

‘Ik ga wandelen. Alleen!’ Kate beende de winkel uit en liet een verslagen Kalon achter.

Alsof het weer het met Kates ergernis eens was, brak er plots een onweer los. Een bliksemschicht doorkliefde de hemel en deed de traan die uit Kalons ooghoek gleed fel oplichten.

28 Emowereld: dag 5

"God, die vergaarbak van onze dromen."

Jean Rostand

Er leek geen einde te komen aan het onweer. De donder kwam als een traag getij aanrollen en niet veel later volgden de felle bliksemflitsen elkaar op als kogels uit een machinegeweer. Behalve enkele snelle wandelaars, die gebogen voor de wind een huis of portiek indoken, lagen de straten er verlaten en donker bij.

In Kates flat propte Kalon de rest van zijn kleren in een leren tas. In de badkamer pakte hij zijn weinige spullen bij elkaar. De aanblik van de douche en het bed, waar hij en Kate zoveel intieme en fantastische momenten hadden beleefd, deed zijn ingewanden aanvoelen alsof ze uit elkaar vielen. Ewok sloeg alles gade met een begrijpende blik, liggend op het bed.

'Jij gaat met me mee. Kate vroeg het me,' riep Kalon vanuit de badkamer. 'Ze heeft tijd nodig voor zichzelf.'

Ewok jankte even kort.

'Ik weet het, liefje.' Een lange, diepe zucht. 'Ze is zichzelf niet echt en je zult haar missen.'

Een diepe grom.

Kalon kwam de badkamer uit en stopte zijn toiletspullen in de tas. Met een droevige blik keek hij Ewok aan. 'Het komt allemaal wel weer goed. Er is iets vreemds gaande dat zijn weerslag heeft op beide werelden, maar we vinden wel een oplossing.'

Ewok knikte en knipoogde.

'Heb jij verder nog iets nodig?'

Ewok sprong van het bed af en trippelde naar de keuken toe. Even later kwam ze met een kauwbeen in haar mond terug. Ze sprong op het bed en deponeerde het ding in de tas. Ze keek Kalon met een schuin kopje aan en blafte kort, waarna ze opnieuw naar de keuken liep.

'Moet ik je volgen?' vroeg Kalon geamuseerd.

Blaf.

In de keuken wees ze met haar neus een kast aan waar blijkbaar hondenvoeding en koekjes in lagen.

'Begrepen.' Kalon stak de spullen in een papieren tas.

Voor hij vertrok, belde hij eerst nog Gehlen op en vertelde hem hun ontdekkingen van die dag. Ook het kleine feit dat de wagen die ze eerst wilden nemen, weigerde te rijden, wat nooit eerder voorgekomen was in Emowereld, tenzij de passagier grof of onbeleefd was.

'Is Kate in orde?' vroeg Gehlen. 'Ik bemoei me niet graag, maar ze deed nogal… hoe zal ik het zeggen…'

'Koel?' vulde Kalon aan.

'Ja.'

Het bleef even stil. 'We zijn uit elkaar, Gehlen.' Kalons stem sloeg over bij het laatste woord. Hij slikte zijn tranen door.

'Dat spijt me voor je,' klonk het oprecht. Toen na opnieuw een stilte: 'Heb je een slaapplaats? Je bent altijd welkom hier.'

'Dank je. Ik logeer bij Codie… tot ik een eigen plek gevonden heb.'

'Fijn, dat is goed.'

'Ja.'

'We moeten die heks arresteren, Kalon.'

'Kate heeft haar woord gegeven.'

'Dat had ze niet mogen doen.'

Zoals zoveel wat ze de laatste tijd doet, dacht Kalon wrang, maar hij zei: 'Het zal niets oplossen, Gehlen. Er zijn meerdere handelaren die illegale spullen verkopen en het lost het grote probleem niet op. Ze is volgens mij een kleine vis.'

Een diepe zucht klonk aan de andere kant van de lijn. 'Ik veronderstel dat je gelijk hebt.'

'Nog iets opgeschoten verder?'

Kalon hoorde Gehlen zijn keel schrapen. 'Arthur heeft nog iets vreemds ontdekt.'

'Wat dan?'

'De VR-clubs in Ratiowereld zijn tegenwoordig ongelooflijk populair en er zijn een hoop ratiomensen die spoorloos verdwenen zijn.'

'Misschien zijn ze wel hier komen wonen,' opperde Kalon.

'Lijkt me niet. Ze lieten hun gezin achter en waarschuwden hun werk niet eens. Geloof me, de werkplaats in Ratiowereld is belangrijker dan het gezin. Niemand weet waar ze zijn, zelfs hun collega's of werkgevers niet.

'Eigenaardig.'

'Kun je wel zeggen, ja.'

'En nu?'

Kalon kon haast zien dat Gehlen zijn schouders optrok.

'Ik weet het niet meer. Ik denk dat we allemaal eens goed moeten nadenken over wat de oorzaak van zoveel tumult kan zijn. Wat zou die heks bedoeld hebben met: de dreiging komt van overal?'

'Ik heb werkelijk geen idee.'

'Hm, wat komt er van overal…'

'Zouden de antigeheugenpillen uitgewerkt zijn? Gewenning of zo, bedoel ik,' suggereerde Kalon.

'Nee, ik heb al gebeld met Dr. de Weerd. En trouwens, dan zouden we het al vernomen hebben.'

'Ja, waarschijnlijk wel.'

'Dr. de Weerd gedroeg zich een beetje vreemd, maar dat zegt niets, want hij was altijd al een aardige vent met een gek kantje.'

Een zuinig glimlachje verscheen op Kalons gezicht.

‘Ik denk niet dat we nog veel hulp van Kate moeten verwachten, niet?’ vroeg Gehlen.

Nu was het Kalons beurt om diep te zuchten. ‘Nee.’

‘Heb jij dan enig idee welk wezen of fenomeen hiervoor verantwoordelijk kan zijn?’

‘Nee, behalve dat het aanvoelt alsof de werelden uit elkaar aan het vallen zijn.’

‘Ja, zo voelt het wel aan, hé.’

Het bleef even stil.

‘We komen morgen weer allemaal samen, Kalon.’

‘Hoe laat?’

‘Om twee uur. Kate had blijkbaar een tandartsafspraak morgenochtend waar ze niet van af wilde zien.’

‘Klopt, ja.’

‘Nou, tot morgen dan.’

‘Goed, tot morgen en sterkte.’

Met een loodzware arm legde Kalon de hoorn op het toestel en bleef nog een tijdje naar de telefoon staren, tot hij Ewoks pootjes op hem voelde.

‘Ja, we gaan, lieverd.’

Hij liet nog eenmaal zijn blik door de flat dwalen en voelde zijn ogen prikken alsof er zand in zat. Toen nam hij de tassen op en liep naar buiten.

Zijn hoofd diep weggedoken in de kraag van zijn lange, zwarte jas, ging Kalon op weg naar Codie. Ewok trippelde naast hem mee, haar vacht strak naar achteren geblazen door de hevige wind, zodat ze er veel dunner dan anders uitzag.

Twee dromende honden, een kleine en een veel grotere, kwamen hen tegemoet. Huisdieren die onder één dak opgroeiden, hadden de neiging om samen de droomwereld te betreden, iets wat mensen zelden lukte. Vrolijk kwispelend liepen ze hijgend op Ewok af.

-Krijgen we dat weer, dacht Ewok.

‘Volgens mij vallen ze op je,’ voegde Kalon er met een brede grijns aan toe.

-Ja ja, net wat ik nodig heb. Besnuffeld worden aan mijn kont door een dromende Deense dog en een weet-ik-veel-wat-voor-ras-het-is.

En inderdaad, ze cirkelden om Ewok heen en besnuffelden haar nieuwsgierig en uitbundig. Ewok gromde hen toe, maar ze leken het alleen maar op te vatten als een uitnodiging om te spelen. De kleinere hond maakte uitdagende sprongen en blafte, waarmee hij Ewok zijn naam meedeelde en vroeg om achter hem aan te komen.

-Ga op een piepding knagen, Spike, en laat me met rust.

Omdat de hond haar telepathische boodschap niet begreep, blafte ze het hem toe.

Kalon grinnikte toen de grotere van de twee onmiddellijk in overgave op zijn rug ging liggen. Spike bleef vrolijk proberen om Ewok te versieren. Ewok snoof luid en draaide hem haar kont toe.

-Hierin, mister playboy, raak jij nooit binnen. Kijken mag, aanraken niet.

De Deense dog rolde om en ging weer op zijn poten staan. Een gemene grauw van Ewok liet hen beiden achteruitdeinzen. Nu pas roken ze het vreemde aan Ewok, haar weerwolvenbloed. Op het moment dat ze jankend afdropen, vervaagden ze en werden ze wakker.

Kalon en Ewok zetten er opnieuw stevig de pas in en niet veel later doemde het eenvoudige huis van Codie op. Het plantsoen voor het huis was netjes gemaaid en het zongebleekte gras rook fris en gevoed. De appelboom, die het grasperk domineerde, wiegde gevaarlijk heen en weer, maar de vruchten zelf bleven koppig vasthangen. Kalon had een sleutel, dus hoefde hij niet aan te bellen en stapte snel naar binnen.

Nostalgisch als Codie was, had zijn hele interieur een antieke toets gekregen: zware middeleeuwse meubels, prachtige wandtapijten en kaarsen in gekruld, smeedijzeren houders. Kalon had zich er meteen thuis gevoeld.

Hij liep door naar de woonkamer, intussen de heerlijke geuren opsnuivend van gebraden kip, ui en aardappels, en plofte neer op de ruime bank die zo groot was dat hij net zo goed als bed kon dienen. Ewok sprong meteen op zijn schoot.

‘Het is nu jij en ik, meid,’ zei Kalon zacht en streelde haar kopje.

Ewok zuchtte diep.

Codie kwam de woonkamer binnen met een dienblad. ‘Aperitiefje?’ zei hij glimlachend.

‘Lekker.’

Codie zette een glas bloed en een glas wijn neer op de ronde Ottomaanse salontafel, waarvan het bewerkte blad uit koperen motieven bestond. Hij ging zitten en ze klonken de glazen.

‘Het ging niet goed zeker met Kate vandaag?’ vroeg Codie op zachte toon.

Kalon nam een grote slok van zijn glas en knikte toen in de richting van de volgepakte tassen.

‘Zal ik haar gedachten eens lezen,’ stelde Codie voor. ‘Kijken wat er aan de hand is met haar?’

‘Zou ik niet doen. Als ze het merkt, vermoordt ze je.’

‘Die kans zit erin, ja.’ Codie nipte van zijn wijn. ‘Of ze vilt me levend.’

‘Dan ben je evengoed dood.’

‘Ik kan vliegensvlug weg teleporteren.’

‘Dan stuurt ze alle schaduweters achter je aan.’ Kalon grijnsde. ‘Die vinden je geheid.’

‘Niet als ik teleporteer naar Ratiowereld,’ zei Codie met een spottende ondertoon.

‘Ze belaagt je huis tot je er ooit terugkeert. Ze zet desnoods een demi-reus voor je deur,’ speelde Kalon het spelletje verder.

‘Types die spinnen doen verstijven?’

‘Precies. Die. En met spieren die noten kraken.’

‘Daar kan ik niet tegenop,’ zei Codie. ‘Tenzij ik mijn telekinetische krachten gebruik.’

‘Een schot gaat waarschijnlijk sneller.’

'Waarschijnlijk.'

'En dan ben je alsnog dood.'

'Geen telepathie dus,' besloot Codie gespeeld teleurgesteld.

Kalon glimlachte. 'Niet bij Kate.'

Ze deden er even het zwijgen toe, hun glimlachen bevroren op hun gezicht. Ongewild dwaalden hun gedachten naar hun verloren liefdes.

Codie stond abrupt op. 'Ik heb een kip gebraden. Honger?'

'Eigenlijk wel, ja. Lijkt me heerlijk.'

'Zie ons hier nu. Wat doen die vrouwen ons toch aan?' Codie leek het vooral tegen zichzelf te hebben.

'Wat doen we onszelf aan,' mompelde Kalon. Codie was echter al verdwenen naar de keuken.

Toen Kalon enkele uren later in bed lag, kon hij de slaap niet vatten. Hij miste Kates koude voeten die de warmte van zijn lichaam opzochten, haar zachte tepels tegen zijn rug, de gesprekken die ze voerden tot een van hen in slaap viel, de welterustenzoen die ze zo liefdevol in zijn nek plantte.

Ewok, die aanvankelijk naast hem bovenop de dekens lag, koos ervoor aan het voeteinde te gaan liggen, omdat ze continu door het gewoel en geschuif van dekens gestoord werd. Kalon nam ten slotte een kussen beet en omarmde het alsof het Kate was. Hij begroef zijn gezicht erin om het huilen te dempen.

Ook dat bezorgde hem geen rust of opluchting. Zijn gedachten maalden als cement in een molen rond in zijn hoofd, met evenveel kracht en geklieder. Langzaam gleed hij uiteindelijk toch weg in de zachte omhelzing van de slaap.

Tot hij een vrouwelijke kreun naast zich hoorde.

29 Emowereld: nacht 5

"Het kon me niet schelen dat ik vreselijk zou dromen, want ook als je je ogen openhield leefde je voortdurend in een benauwende droom."

Ward Ruyslinck

Kate liep al enkele uren doelloos rond, hopend dat de huilende wind haar ratelende gedachten op orde zou stellen. Ze merkte nauwelijks de bliksemschichten op die haar moedeloze verschijning als vuur in een donkere kamer deden oplichten. Ze miste haar ouders op dit moment zo erg dat haar hart leek te roffelen, net als de donder. Op dit moment zou ze de wijze, rustige woorden van haar vader kunnen gebruiken of de beschermende omhelzingen van haar moeder. Meer dan wat dan ook. Ze begreep niet waarom ze dit niet bij haar vrienden zocht. Het lag niet aan hen. Zij zouden haar met open armen ontvangen en net zolang naar haar luisteren als nodig was. Waarom joeg ze iedereen weg die haar enigszins verlichting en troost kon brengen? Kalon, Ewok, de groep?

In de verte hoorde ze vaag maar onmiskenbaar het schrijnende gehuil van een aatxe. Aan het loeigeluid te horen, was hij blijkbaar nog steeds in zijn oorspronkelijke stierengedaante. Gelukkig. Aatxes kwamen enkel bij woelig stormweer buiten, maar als ze dan een emovrouw ontmoetten waar ze verliefd op werden, dan gingen de poppen pas echt aan het dansen. In de ban van een emovrouw lieten ze zich ogenblikkelijk ombouwen tot mens, zelfs al bleef de liefde onbeantwoord en was de transformatie niet altijd even succesvol.

Kate stopte haar handen in de zakken van haar truitje en liep nog wat steviger door. Waarheen? Naar huis? Nee, ze voelde zich zelfs niet meer thuis in haar eigen flat. Als een schip dat stuurloos dobbert op zee, zo zou ze zichzelf nu omschrijven.

Ze hoorde de man pas toen ze hem rakelings voorbijliep.

'Ze maken er een zootje van!' schreeuwde hij tegen de wind in.

Kate keek op en zag dat het een Persoon Van De Verloren Voorwerpen was. Zoals de naam al verraadde, spoorde deze achtergelaten voorwerpen op met een speciaal daarvoor voorzien apparaat, door heksen ontwikkeld, en stuurde de voorwerpen naar de eigenaars terug. Gevallen vuilnis kwam zo weer in je huis terecht, waar je het ook achterliet.

Ondanks het gure weer bleef hij zijn werk onverschrokken uitvoeren. Het lichtgewicht apparaat, dat leek op een metaaldetector, zwalkte over de grond heen en weer.

'Ze maken er werkelijk een zootje van!'

Hij bewoog het apparaat over een raar uitziend voorwerp, dat Kate niet herkende. Het ding loste meteen op en verdween.

'Al die spullen, al die spullen,' ging de man onverstoorbaar verder. Hij lette nauwelijks op Kate.

De man liep iets verder door en vond opnieuw een achtergebleven voorwerp. Kate stapte op hem af, hield haar handen naast haar mond en riep: 'Zijn dit allemaal spullen van dromers die je vindt?'

De man keek op, zijn gezicht bloedrood van de inspanning. 'Ja! Het is ongelooflijk wat er tegenwoordig achterblijft. Het is niet normaal meer!'

'Waar stuur je ze heen?'

'Naar het dromersmuseum.' Hij knikte in oostelijke richting.

Kate zag het museum op een tiental meter afstand. 'Laat de voorwerpen gewoon liggen,' stelde ze voor. 'Dan lossen ze vanzelf wel weer op.'

De man trok een gezicht alsof hij tegen een kind van twee praatte. 'Dat is het hem nu juist!'

'Wat dan?'

'De voorwerpen blijven bestaan! Het ligt niet aan het feit dat ik er te snel overheen ga met mijn apparaat. Die voorwerpen liggen hier al uren en sommige al dagen! Ze lossen niet op nadat de dromer ontwaakt, maar blijven achter.'

'Het maakt jouw werk nogal wat zwaarder.'

'Heb je het door?' De man liet zijn oog vallen op een nieuw voorwerp, een meter verderop en liep erheen. Het ding leek nog het meest op een sponsachtige baksteen. 'Verdomme toch, het is niet te geloven. Ze maken er een zootje van!'

'De dromers kunnen hier niets aan doen,' riep Kate de man na.

'Wie zegt dat ik het over de dromers heb?'

De woorden gingen gedeeltelijk verloren in de wind, dus vroeg Kate: 'Wat?'

De man wierp Kate nog een laatste geïrriteerde blik toe en beende toen weg, het apparaat achter zich aanzeulend. Op dat moment begon de lucht te kolken en vielen de eerste zware druppels naar beneden.

Kate liep snel naar het museum om te schuilen. De matgroene, hoge deur zwiepte continu open en dicht, bespeeld door de wind. Ondanks de kleine afstand was Kate toch doorweekt en liet ze plasjes water achter toen ze de ruime zaal binnenliep. Haar haren plakten aan haar gezicht en de natte, koude kleren bezorgden haar rillingen, zodat ze haar armen om zich heen sloeg.

Ze was hier ooit al eens eerder geweest, maar kon zich niet herinneren dat het er toen zo overvol had uitgezien. De vloer lag bezaaid met allerhande objecten en de glazen vitrinekasten puilden uit. Kate zag onder meer een stoel met drie poten, een handtas zonder bodem, een kanariegele onderbroek, flessen zonder etiket en nog enkele ondefinieerbare voorwerpen.

Het museum was dag en nacht open, maar Kate verwachtte niet

dat Molpe, die hier werkte, op dit late uur nog aanwezig zou zijn. Toch was ze er, half verborgen onder de troep graaide ze naar de voorwerpen. Nadat ze een ding fronsend bekeken had, gooide ze het op een stapeltje.

'Hoi, Molpe.' Kates stem klonk oorverdovend in de grote zaal.

Molpe streek haar krijtwitte haren opzij en keek schuin naar Kate op. 'O, hoi Kate. Wat doe jij hier nog zo laat?'

'Ik zou hetzelfde aan jou kunnen vragen.'

Molpe hees zich overeind en zuchtte diep. 'Kijk maar!' Ze liet haar rechterhand over de troep dwalen. 'Nooit eerder hebben dromers zoveel spullen achtergelaten. Het druist in tegen alle natuurwetten.'

Kate zette een paar stappen dichterbij. 'Ja, ik hoorde het al van een Persoon Van De Verloren Voorwerpen. Het was trouwens ook op de radio.'

'Ik begrijp er niets van. Jij wel?'

Kate schokschouderde. 'Niet echt.'

'Hoe gaat het met Codie?' Molpes donkere ogen kregen iets zachts en haar stem werd warmer.

'Goed, hoor.'

'Dat is goed.' Molpe veegde haar sierlijke, fijne handen af aan haar diepblauwe jurk. 'Doe je hem de groetjes?'

'Ik weet niet of dat zo verstandig is.'

'Nee.' Molpe staarde in de verte. 'Ik veronderstel van niet.' De intonatie in haar stem nam weer een normale toonhoogte aan. 'Zijn jullie, ik bedoel, zijn de fantasiejagers de oorzaak hiervan aan het uitzoeken?'

'De oorzaak van wat?'

'Dit hier. Die achtergelaten voorwerpen. Vroeger kwam het maar eens in de zoveel tijd voor, nu elke minuut. Binnenkort is dit museum te klein en moet ik spullen weggooien of in de kelder opbergen. En daar heb ik een hekel aan. Het is zo zonde.'

'Ja, we zijn het aan het uitzoeken.'

‘Dat is goed.’

De regen kwam nu in dichte vlagen uit de hemel en kletterde tegen de grote ramen met de kracht van gegooide kiezelsteentjes.

‘Wat een weertje, hé,’ zei Molpe met haar blik op een van de ramen. ‘De weerwolven zullen vast in een slecht humeur zijn.’

‘Tja.’

‘Maar iedereen lijkt wel in een slecht humeur,’ voegde Molpe eraan toe.

‘Tja.’

Molpe hield haar hartvormige hoofdje schuin en keek Kate met samengeknepen ogen aan. ‘Jij lijkt me ook niet al te vrolijk, zeg.’

‘Kalon en ik zijn uit elkaar.’

Molpe zette grote ogen op. ‘Kalon is vrij?’ Haar stem klonk meteen als gouden snippers op de bodem van een heldere bergbeek.

Kate nam geen aanstoot aan wat Molpe suggereerde. Sirenes waren nu eenmaal vreselijk promiscue. Seks was voor hen levensbelangrijk en ze konden eveneens nogal egoïstisch uit de hoek komen.

‘Ja, hij is vrij, Molpe, dus sla je slag.’

Molpe kreeg een gelukzalige uitdrukking op haar gezicht. ‘Waarom heb je hem in vredesnaam laten lopen. Hij is zo *njammie*.’ Ze likte haar lippen en bewoog onbewust sensueel haar smalle heupen naar voren.

Kate kon en wilde niet verklaren waarom ze uit elkaar waren. Dan nog liever de stortregen in.

‘Ik ga er weer vandoor, Molpe. Sterkte met het opruimen.’ Kate wachtte niet op antwoord en draaide zich om.

Toen ze de striemende regen in liep, vervloekte ze zichzelf dat ze geen paraplu had meegenomen. En voor het eerst vroeg ze zich af wat Kalon nu aan het doen was.

30 Emowereld: nacht 5

"Ik ben zo vroom, lieve Heer, dat ik zelfs mijn dromen censureer."
Simcha Looijen

Kalon sliep nog niet eens zo lang toen hij het gekreun naast zich hoorde. Half slaperig verwachtte hij Kate naast zich aan te treffen en draaide zich om. Hij vlijde zijn arm over haar heen en opende zijn ogen. Meteen was hij klaarwakker en zat rechtop in bed.

'Hé!' riep hij uit.

De vrouw naast hem schrok nog erger dan hij en gilde het uit, waardoor Ewok van het bed afdonderde en met een ontevreden grom op het tapijt ging liggen. Met nerveuze bewegingen grabbelde de vrouw naar het laken, trok het tot boven haar kin en keek hem met grote ogen aan. Kalon knipte het nachtlampje aan en zag nu pas, aan haar vage contouren, dat het een droomster was. De vrouw was knap, merkte hij meteen op, alhoewel hij enkel een deel van haar gezicht kon zien. Haar ogen waren zo blauw als een zonovergoten meer en haar haren waren zo zwart als de veren van een kraai. Ze perste haar lippen strak opeen en schoof van hem vandaan.

'Jij bent mijn man niet,' zei ze met trillende stem.

Kalon grijnsde, maar lette erop zijn hoektanden niet prijs te geven. De vrouw was al angstig genoeg. 'Inderdaad.'

Het laken zakte een klein beetje doordat de vrouw om zich heen keek. 'Dit is wel mijn huis… maar ook weer niet helemaal. Eigenaardig.'

Kalon die zonder pyjama sliep, verborg zijn naaktheid niet, waardoor de vrouw zicht had op zijn borst en smalle heupen. Kalon onderdrukte een grinnik. Ze deed duidelijk haar best haar blik boven de lendenen te houden, maar slaagde daar niet goed in. Hij zag de sluimerende begeerte in haar ogen.

'Ik ben aan het dromen.' De toon waarop ze het zei, hield het midden tussen verbazing en opgewondenheid.

Kalon knikte. 'Ja.'

Nu liet de vrouw zonder schroom het laken volledig zakken, zodat haar boezem ontbloot werd. Schaapachtig staarde ze hem aan, een lichte blos kleurde haar wangen.

'Ben ik knap?' Ze wendde haar blik af. Haar lange, zwarte haren glinsterden in het licht van het nachtlampje.

'Dat ben je zeker,' meende Kalon.

'Mijn man raakt me nooit aan.' Haar stem klonk zwaar teleurgesteld, als de as van afgebrande dromen.

Kalon schoof dichter naar haar toe en legde een hand op de zacht aanvoelende huid van haar arm. 'Ik dacht dat dat gebruikelijk was in Ratiowereld.'

De vrouw zuchtte. 'Niet sinds de revolutie.' Ze schudde haar hoofd. 'Maar hij vertikt het nog altijd, vindt het nog altijd afstotelijk.'

'Dat vind ik jammer voor je. Je bent een erg aantrekkelijke vrouw.'

'Werkelijk?' Haar ogen waren vochtig toen ze hem opnieuw aankeek.

Kalon verplaatste zijn hand naar haar gezicht en streelde haar wang. 'Werkelijk.'

Ze nam zijn hand beet en leidde die van haar hals naar haar borsten. 'Zelfs al droom ik, dan kunnen we toch wel de liefde bedrijven?' vroeg ze met een klein stemmetje.

Kalon schoof nog wat dichter naar haar toe en legde zijn benen om haar heupen. De vrouw sidderde toen zijn huid die van haar raakte en haar tepels werden hard onder zijn vederlichte strelingen. Een zachte kreun ontsnapte aan haar lippen en ze sloot haar ogen.

Kalon boog zich naar haar toe, kuste haar voorhoofd en haar wangen, waar hij een zilte traan proefde, en dan haar trillende, vochtige lippen. Hij snoof haar geur diep op: een mengeling van lavendel en slaap. Ze opende haar mond en gaf zich aan hem over.

Ze bedreven de liefde met de wanhoop van een ongelukkige en klampten zich aan elkaar vast als drenkelingen aan de kade. Hun lichamen raakten elkaar voortdurend en overal aan en versmolten in blinde passie en genietende zuchten en hun afgewezen harten vloeiden samen als witgloeiend metaal. Kalon voelde het bed niet meer, alleen haar, zijn gedachten voor het eerst in rust met zichzelf, los van problemen.

Haar rauwe kreet op het hoogtepunt klonk alsof ze zich eindelijk vrouw voelde en vrij was. Kalon trok zich uit haar terug, ging met zijn hoofd op haar borst liggen en streelde met lome bewegingen de binnenkant van haar dijen.

'Dank je,' zei ze met overslaande stem.

'Jij bedankt.'

'Ik heb mijn man nu toch niet bedrogen, hé? Het is maar een droom?'

'Het is maar een droom,' stelde Kalon haar gerust.

Hij voelde hoe ze begon op te lossen, hoe ze langzaam wakker werd en verdween uit de droomwereld. Kalon hief zijn hoofd op en keek haar diep in de ogen. Haar blik keek hem uiterst liefdevol en dankbaar aan.

Ze vertrok met de eigenaardige woorden: 'De Goden zijn bedankt, ondanks alles.'

Hij dacht er verder niet over na en klemde de deken vast. Ewok sprong op bed, zuchtte en rolde zich op.

Opnieuw trof de melancholie Kalon met een overweldigende kracht. Hij bleef achter met een dieper gemis naar Kate dan daarvoor, tot het donker hem insloot en de slaap weer bezit van hem nam.

31 Emowereld: dag 6

"Ik geloof dromen eerder dan statistieken."

William Saroyan

Het aarden pad was nog drassig van de regen van de afgelopen nacht en de lucht rook naar modder, ozon en de brokkelige geur van ouderdom, maar gelukkig had Kate haar enkelhoge laarsjes aangetrokken.

Vanmorgen was het vreemd om in een leeg huis te ontwaken, zonder Kalon die haar wakker zoende of Ewok die om eten bedelde. Toch miste ze hen eigenaardig genoeg niet. Het voelde aan alsof ze eindelijk ademruimte en aandacht voor zichzelf had en haar zoektocht door niemand meer gehinderd kon worden.

Zelfs de kirbjs die onder haar bed verbleven, lieten haar met rust en hielden zich stiller dan gewoonlijk.

Ze had nog niet beslist of ze deze middag naar Gehlens huis toe zou gaan, want ze had er absoluut geen zin in. Maar eerst naar de afspraak bij de tandarts en daarna een lunch met haar grootvader Drake. Daarna zou ze wel zien wat ze zou doen.

De praktijk van de tandarts had ronde, houten ramen en een donkerrode, gebogen deur. Doordat de tandarts een vampier was, hingen er zware gordijnen voor de ramen. De wachtkamer zag er, ondanks het gebrek aan daglicht, gezellig en warm uit: behangpapier met een ontwerp bestaande uit bloedrode rozen, een smeedijzeren gekrulde tafel en zachte stoelen. Kate begroette de andere patiënten kort, nam plaats en griste een tijdschrift van het tafeltje dat ze een beetje doelloos doorbladerde.

Tersluiks nam ze de anderen in de wachtzaal op. Het leken emomensen, maar het uiterlijk verraadde niet altijd wat voor wezens ze waren. Een donkerblonde man met ruwe handen staarde met een chagrijnige blik naar het tafeltje voor hem. Geregeld keek hij op zijn polshorloge en zuchtte diep. Kate zag dit met verbazing aan. Dit gedrag was compleet in strijd met het leven in Emowereld. Tijd was een subjectief begrip en zodoende kende men het concept 'haast' en 'op tijd willen zijn' niet. *Tenzij hij een ratiomens is*, bedacht Kate.

Ze concentreerde zich op zijn gedachten. Ze realiseerde zich dat het een inbreuk op de privacy van de man was, maar haar intuïtie negeerde dit. Toen hij echter voelde wat ze aan het doen was, wierp hij haar een woeste blik toe. Kate staakte het gedachtelezen onmiddellijk en draaide gegeneerd haar hoofd van hem af. Nee, het is dus een emomens, besloot ze, maar het weinige dat ze uit zijn gedachten opgevangen had, was niet al te rooskleurig geweest.

De derde persoon in de wachtkamer kon wel eens een slangenmens zijn, vermoedde Kate. Hij was extreem lang, dun en kaal. Hij las in een beduimeld magazine en alsof hij voelde dat ze hem observeerde, keek hij plots op. Ja, ze had gelijk, een slangenmens. Hij had zijn ogen in de natuurlijke stand, met de gestreepte elliptische pupillen. Zijn gespleten tong sidderde razendsnel in en uit zijn mond. Kate beantwoordde de groet met een glimlach.

De slangenman legde het magazine weer op tafel, waarna hij zijn arm uitrok om een ver afgelegen blad te kunnen grijpen. *Handig toch, een dergelijk soepel en elastisch lijf*, dacht Kate en moest onwillekeurig denken aan de heerlijke vrijpartij die ze ooit met een slangenman had gehad.

'Dat is mijn magazine!' schreeuwde de emomens zo plotseling dat Kates hart een slag miste.

Hij rukte het blad uit de handen van de slangenman en keek hem furieus aan. De slangenman staarde hem aanvankelijk verbouwereerd aan, tot het geel in zijn ogen wel in vuur en vlam leek te staan.

'Zeg, kan het wat vriendelijker!' stootte hij boos uit.

'Mijn rug op!' repliceerde de emomens spugend. Ze hadden nog helemaal niets gedaan en toch trilde het geweld in de lucht.

'Klootzak!'

'Zeg dat nog eens!' De emomens stond nu rechtop en zwaaide dreigend met zijn vuist naar de slangenman.

'K L O O T Z A K,' spelde de slangenman en ging ook staan.

De twee mannen stonden op slechts enkele centimeters van elkaar vandaan. Hun blikken als zwaarden in de aanvalspositie, hun handen gebald in vuisten en hun lippen samengeperst.

'Mannen.' Kate stond op en ging naast hen staan. 'Waar is dat nou voor nodig?'

'Het zijn jouw zaken niet, vrouw!' siste de emomens.

Opeens gebeurde alles zo snel dat Kate niet eens wist wie of hoe het begonnen was. Er was een wazige beweging en even later zag ze de slangenman dubbel klappen. De vuist van de emomens bungelde alweer voor hem, voor Kate ook maar besefte dat hij zich bewogen had. De slangenman boog hoestend voorover, verwoed naar adem happend. Dan strekte hij zijn been en slingerde die in een snelle, vloeiende beweging rond de benen van de emomens die onderuitgehaald werd en als een houten plank achterovierviel. Zijn hoofd kwam hard op de vloer terecht en zijn armen maaiden in de lucht. Onmiddellijk wierp de slangenman zich op zijn aanvaller en pinde zijn armen op de grond. Hij kwam echter te dichtbij met zijn hoofd, zodat de emomens de kans zag hem een kopstoot te verkopen. De slangenman schreeuwde het uit en verslapte zijn greep, waardoor de emomens opzij rolde en vliegensvlug opkrabbelde. Hij gaf een welgemikte schop in de ballen van de slangenman.

Kate besloot dat het genoeg was. Ze ging voor de emomens staan en greep zijn polsen beet.

'Stoppen! Nu stoppen!' gilde ze.

De emomens leek haar niet eens te zien staan. Hij keek met een razende blik langs haar heen, gefocust op de slangenman en probeerde zich los te rukken uit haar greep. Intussen stond de slangenman achter Kate en toen ze vluchtig achteromkeek, zag ze zijn van pijn verwrongen gezicht en zijn handen ter hoogte van zijn kruis. Ze voelde dat de slangenman dichterbij kwam, dus liet ze een pols los en stak haar hand naar achteren uit om hem tegen te houden.

'Nokken, allebei!' riep ze fel uit. 'Tenzij jullie willen dat de tandarts een nieuw gebit in jullie mond moet stoppen!'

De mannen stonden nog steeds gespannen scherp, hun ademhaling als briesende stieren, elkaar dodend met hun blikken.

De emomens wilde zijn mond openen, maar Kate was hem voor. 'Nee, niets zeggen! Jij, ga daar zitten!' Ze wees een stoel aan, ver van de slangenman. Toen hij geen aanstalten maakte zich in die richting te begeven, keek Kate hem diep in de ogen en kneep zo hard in zijn pols dat hij er zeker een blauwe plek aan zou overhouden. 'Ik meen het! Ik ben sterker dan ik eruitzie!'

De emomens rukte zijn pols los, wierp Kate een gemene blik toe en beende toen naar de stoel. Ogenblikkelijk ontspande de slangenman zich en ging aan de andere kant van de kamer zitten. Kate voelde zich beverig, zodat ze snel ging zitten. Het magazine pakte ze niet meer op. Ze wilde niet dat ze zagen hoezeer haar handen trilden.

Gelukkig kwam de tandarts, die blijkbaar niets gehoord had omdat zijn praktijkkamer te veraf lag, op dat moment de volgende patiënt halen. Met een laatste hatelijke blik naar de slangenman verdween de emomens uit de kamer. Het leek wel alsof er eindelijk opnieuw lucht aanwezig was en de temperatuur meteen enkele graden steeg.

'Bedankt nog, maar iedereen lijkt wel gek geworden te zijn,' fluisterde de slangenman, zijn stem nog steeds niet volledig onder controle. Hij wreef over zijn voorhoofd en trok een grimas. 'Dat wordt een lelijke bult.'

'Gaat het verder met je?' vroeg Kate. Zijn aura vertoonde vegen van angst en schaamte: moddergroen en vuilgrijs.

‘Ik vraag zo meteen wel een algemene verdoving in plaats van een plaatselijke,’ grijnsde hij.

Kate grinnikte.

De deur van de wachtkamer ging opnieuw open en een dromer, zijn ogen groot en angstig, stapte binnen. Het was een man van middelbare leeftijd, gekleed in een babyroze pyjama en warrig, bruin haar.

‘Waar ben ik?’ vroeg hij.

‘Bij de tandarts,’ antwoordde Kate grijnzend.

Zijn lippen vormden een grote ‘O’ en zijn tanden vielen uit zijn open mond op de grond, waarna ze meteen verdwenen. Verschrikt draaide hij zich bliksemsnel om en liep met een gillende ‘*Neeeeeeeeeee*’ weg.

Kate en de slangenman schoten in de lach.

‘Typische nachtmerrie,’ zei Kate tussen het lachen door. ‘Tanden die uitvallen.’

‘Weet je,’ zei de slangenman plots serieus. ‘Ik kwam daarnet voorbij ‘De Magische Babbel’ en zag een zoveelste ruzie. Iedereen loopt er gespannen bij, lijkt het wel.’

Kate knikte. ‘Tussen welke wezens?’

‘Een vampier en een elf, nota bene. Een elf! Die heb ik nog nooit zien vechten! Ik hoorde de naam van de vampier, Drake.’

Kate sprong op en snelde de deur uit.

32 Ratiowereld: dag 6

"Mijn dromen zijn geen bedrog maar dromen."

K. Schippers

Ze hadden hem vrij gelaten! Hij kon wel juichen en dansen van geluk! Eindelijk, na al die maanden! Vrij! Aqua zoog de buitenlucht gretig in zich op, grijnsde breeduit en stapte toen de miezerige regen in. Het kon hem geen moer schelen dat de wind zijn lange, blonde haren liet opwapperen en hij niet echt voor dit ongure weer gekleed was. Het raakte hem evenmin dat hij nu een slechte reputatie had, met grote moeite nog een baan zou vinden en hij zijn vrienden voorgoed kwijt was. De vrijheid lonkte! Zijn nieuwe levensvisie trok aan hem en spoorde hem aan actie te ondernemen.

Terwijl hij nat en koud verder liep, gingen zijn gedachten uit naar de vele maanden die hij in de gevangenis doorgebracht had.

De eerste tijd had hij aan woede en wraaklust verspeeld. Hoe konden zijn collega's, die hij toch een beetje als vrienden was gaan beschouwen, hem zomaar aangeven en laten wegrotten in een cel? Het was niet alsof hij die wezens eigenhandig had vermoord! Er kleefde geen bloed aan zijn handen! Maar zonder pardon hadden ze hem in de steek gelaten, waardoor hij zich nog minder waard had gevoeld dan stof op een laars. En dat terwijl hij alle reden had gehad om te doen wat hij gedaan had. Ze hadden echter geen greintje begrip voor hem kunnen opbrengen en daarom had hij zijn frustraties op de medegevangenen afgereageerd. Alleen jammer dat die geen van allen partij voor hem waren geweest. Met zijn gevechtstalenten en gedragshelderziendheid, waardoor hij bewegingen van de ander al voorzag voor die ze uitvoerde, had hij hen allemaal gemakkelijk aangekund. Aqua had de isoleercel vaker vanbinnen gezien dan een slak zijn schelp.

Naarmate de weken tergend langzaam voorbijkropen, was zijn woede gesust tot die niet meer was dan een vage herinnering. Berustend in zijn lot had hij zich zodanig voorbeeldig gedragen dat hij meer en meer privileges verkreeg en een favoriet van de bewakers werd.

En dan, plots, pas enkele dagen geleden, had hij het licht gezien! Een golf van empathie en emoties had hem zodanig overspoeld dat hij aanvankelijk dacht erin te zullen stikken. Zijn gedachten maakten een scherpe bocht naar de positieve kant en hij kon alleen maar aan liefde en vriendschap denken. Waarom had hij al die wezens en mensen pijn gedaan? Waarom was hij zo verschrikkelijk en koelbloedig geweest? En in 's hemelsnaam: vechtsporten? Kon hij geen vredevollere interesses hebben? Macramé of bloemschikken of iets dergelijks?

En vandaag hadden de bewakers alle gevangenen vrijgelaten, zonder aanleiding of reden. De cellen werden een voor een geopend en de opgewekte gevangenen (niet alleen Aqua leek plots een ander mens, maar ook de bewakers en de overige gevangenen) werden letterlijk naar buiten geduwd. Allen hadden ze een glimlach op hun gezicht en de gevangenen werden vrolijk uitgewuifd alsof ze een feestje verlieten.

En zo voelde Aqua zich ook: gelukkig en optimistisch. Hij had het aanvankelijk vreemd gevonden, maar algauw aanvaard. Liefhebben en steun verlenen aan anderen, dat was wat hij nu van plan was. En als eerste zou hij Eric een bezoek brengen om zijn excuses aan te bieden. Zou Eric hem kunnen vergeven? En misschien…. heel misschien… hem in zijn armen willen sluiten en als geliefde nemen?

Opgewonden versnelde Aqua zijn pas. Een man met een laptop onder zijn arm geklemd kwam hem tegemoet. In het voorbijgaan botste hij ruw tegen Aqua op.

Aqua draaide zich om en riep de man na: ‘Geeft niet, hoor. Liefde, man, liefde.’ En wierp hem een kushandje toe.

De man keek vluchtig achterom, verbaasd en tegelijk met walging in zijn blik, en liep toen snel verder.

De nieuwe ik komt eraan, dacht Aqua, *en mijn ouders zouden nu trots op me zijn.*

Zijn ouders hadden tot de laatste generatie uit het Watermantijdperk behoord, de tweede ‘hippiegolf’ of New Age golf. Vandaar zijn naam Aqua. Tot dan toe had hij zijn ouders verloochend, belachelijk gemaakt en verweten om hun vrijzinnige opvoeding en losbandige denken. Waarom konden zijn ouders niet zijn zoals de meeste ouders: rationeel en normaal? Zij van hun kant hadden hun zoon aanvaard zoals hij was, al druiste het in tegen alles waar ze in geloofden en probeerden ze hem vaak, in verband met zijn vechtlust, op andere gedachten te brengen. Nu echter begreep hij hen en hij besloot om na zijn bezoek aan Eric, het graf van zijn ouders een eerbetoon te brengen. Hij hield van hen. O ja, hij hield innig en ontzettend veel van hen. Hij hield van iedereen!

33 Emowereld: dag 6

"Het leven is een slagveld van dromen, een kerkhof van vertrapte, verraden, verkochte, verlaten, vergeten dromen..."

Pierre Schoendoerffer

Kate rende alsof haar leven ervan afhing, haar ademhaling piepte en haar hart tolde rond in haar borst als een op hol geslagen zandduivel. Water uit de vele plassen spatte tegen haar op en haar spieren begonnen pijnlijk te protesteren. *Ik moet meer aan mijn conditie gaan werken*, schoot het door haar heen. Zou ze een wagen nemen? Nee, al lopend zou ze er waarschijnlijk sneller zijn.

Drake en een elf! Dat kon maar één ding betekenen, maar ze hoopte met elke vezel in haar lijf dat ze het bij het verkeerde eind had. Ze kon het zich niet voorstellen en toch... Melfo was zichzelf niet geweest tijdens hun laatste ontmoeting. En Drake had altijd al een slechte verstandhouding gehad met zijn voormalige schoonvader. Zeker nadat Miriam, Melfo's dochter, door Drake in de steek gelaten werd.

En trouwens, niets of niemand leek zich normaal te gedragen tegenwoordig! Ze schoot voetgangers voorbij, struikelde bijna over een stoeprand en zag toen eindelijk het eetcafé in zicht komen.

Verdorie! Het waren inderdaad Drake en Melfo die daar op straat stonden! Alleen waren ze nu niet meer aan het ruziën, maar aan het vechten. Wat Kate nog meer verbaasde toen ze hen naderde, was dat er enkele wezens en mensen het tafereel aanschouwden alsof ze naar een sportwedstrijd keken. Ze juichten de twee vechters toe en spoorden hen zelfs aan!

'Kom op, elf, laat je niet doen!'

'Bijt hem, vampier!'

Melfo stond ongeveer een halve meter van Drake vandaan. Hij stond voorovergebogen en had een grote pluk ravenzwart haar van Drake beet. Zijn rechterhand kwam vlak en hard op Drakes wang terecht. Drake had Melfo's witte haren beet en schopte tegen zijn linkerknie. Beide mannen lieten de haren los, maar gingen meteen opnieuw in de aanval. Drakes vuist schoot de hoogte in, maar Melfo dook net op tijd sierlijk weg en stompte met zijn vuist in Drakes maag. Kate kwam bij hen aan op het moment dat Don Quichote, een methusal, hen zwaarden toewierp.

'Hier, dat maakt het wat spannender,' riep Don er op de koop toe nog bij.

Kate kon het gewoon niet geloven! De idioot! En bovendien waren emowezens over het algemeen niet vechtlustig! Dit plaatje vertoonde zoveel abnormaliteiten, dat het absurd werd.

'Opa! Melfo! Stop! Allebei!' gilde Kate hen toe.

Maar ze hoorden haar niet of negeerden haar compleet! De zwaarden kletsten met een oorverdovend klinggeluid tegen elkaar aan. Melfo, die als elf heel wat minder spierkracht had dan Drake, viel het zwaarder om het wapen de lucht in te krijgen. Het zweet parelde op zijn voorhoofd en hij hijgde als een hond. Drakes al zwarte irissen leken het wit van zijn ogen volledig op te slokken. Met een verbeten gezicht stak hij het zwaard naar voren. Kate zag geen mogelijkheid tussenbeide te komen, zonder zelf gespietst te worden.

'Opa! Stop!' probeerde ze nogmaals. Tevergeefs uiteraard.

Melfo werd geraakt, maar Kate meende dat het slechts met het puntje van het zwaard was. Daarop zwierde Melfo het zwaard opzij en mikte op Drakes middel. Drake sprong achteruit en stootte voor een tweede maal.

Ik moet iets doen voor dit een bloedbad wordt, dacht Kate gejaagd, *en snel!*

Zonder nadenken gooide ze zich alsnog tussen hen in. Ze voelde een scherpe pijn, keek verbaasd naar de plaats waar het vandaan kwam en zag het zwaard volledig door haar buik steken. Haar bloes kleurde rood op. Eerst dacht ze nog: *hé, wat raar*, en het volgende moment zakte ze door haar benen.

'Kate!'

'Je hebt haar vermoord!' was het laatste dat ze hoorde.

Toen werd alles zwart.

34 Emowereld: dag 6

"Grote dromers doen nadenken. Grote denkers doen dromen."

Scutenaire

'Ze hebben alle gevangenen vrijgelaten!' Gehlens stem hield het midden tussen verbazing en ontzetting.

Iedereen was aanwezig in het huis van Gehlen: Codie, Kalon en Dille. Alleen Kate ontbrak. Ze zaten allen in de woonkamer, met een kopje thee of koffie om zich op te warmen.

'Hé?' wist Codie enkel uit te brengen.

'Gevangenen?' Kalon keek Gehlen vragend aan.

'Ja, alle gevangenen. In Ratiowereld is het zo dat als je iets tegen de wet doet, je dan opgesloten wordt,' verklaarde Gehlen.

'Je bedoelt in ballingschap?'

'Zoiets. Alleen niet zoals hier. Je krijgt geen huis op een terrein toegewezen waarrond een magisch schild geplaatst wordt. Niets van die luxe. In Ratiowereld word je in een cel gepropt, samen met enkele andere criminelen.'

Er sloop een duistere en smerige herinnering in Kalons gedachten. Een herinnering die hij zorgvuldig verborgen had gehouden voor Kate, anderen en gedurende lange tijd ook voor zichzelf.

Zijn ouders. Vlad Dracul en Elisabeth Bathory.

De meest wreedaardige en bloeddorstige vampiers uit de geschiedenis van Emowereld. Tijdens hun kortstondige verblijf in Ratiowereld, eeuwen terug, bouwden ze een reputatie op waar seriemoordenaars jaloers op zouden zijn. Ze veroorzaakten honderden slachtingen, in naam van politiek en schoonheid of gewoon uit krankzinnigheid en verveling. Tot ze uiteindelijk stierven, opnieuw herrezen en terug naar Emowereld vluchtten, waar de Raad hen in ballingschap stopte en waar ze nog steeds in verbleven. Toch voor zover Kalon vermoedde en wat hij ook vurig hoopte. Daar, in die ballingschap, was hij verwekt en zodra hij bij zijn geboorte het schemerige licht had aanschouwd, was hij weggebracht. Degenen die hem meenamen, beweerden dat zijn ouders niet in staat geweest zouden zijn om hem enige opvoeding te verschaffen, laat staan genegenheid en affectie. Zijn ouders zouden zijn ziel bevuild hebben, zijn ware aard vernietigd en zijn bloeddorst gecorrumpeerd hebben. En daarom werd hij weggerukt uit, wat mogelijk een leven zou zijn geweest met een vader en moeder. Een normaal leven? Hoogstwaarschijnlijk niet.

Kalon schudde de pijnlijke feiten van zijn afkomst van zich af en richtte zich weer op het heden. 'Ik hoop niet dat de weinige wezens die hier in ballingschap leven eveneens vrijgelaten worden,' zei hij.

'Daar heb ik nog niets over opgevangen,' antwoordde Gehlen.

'Ik dacht dat criminaliteit niet meer voorkwam in Ratiowereld. Wat hebben ze dan uitgevreten?'

'Meestal gaat het om computermisdaden of agressief emotioneel gedrag dat bestraft wordt,' legde Codie uit. 'Promiscue gedrag, smokkelaars of dieven, al komt dat laatste nog zelden voor.'

'Aqua loopt dus ook weer vrij rond!' realiseerde Dille zich plots.

'Dat zal dan wel,' zuchtte Gehlen.

'En Burgemeester Guntu,' voegde ze er verslagen aan toe en toen opnieuw verschrikt: 'O nee, en al zijn moordende en gestoorde volgelingen!'

'Waarom werden ze vrijgelaten?' vroeg Kalon.

'Niemand weet het precies.' Gehlen was de enige die rechtop stond en nu begon hij ook nog te ijsberen. 'De bewakers beweerden dat ze er niet meer tegen konden om mensen als dieren in een kooi te zien. Ze hadden medelijden met hen.'

'Medelijden?' zeiden Codie en Dille in koor.

'Waar is het Voynich manuscript eigenlijk?' vroeg Dille.

'Veilig bij Toth, geloof ik,' antwoordde Codie. 'Kate heeft het daar gebracht.'

'En waar verdomme is Kate?' riep Gehlen uit.

Alle ogen richtten zich op Kalon, die zijn schouders optrok.

'Net nu we haar dringend nodig hebben. Ze zou misschien een magisch ritueel kunnen doen om uit te zoeken wat de oorzaak is van alle ellende,' zei Gehlen.

'Misschien moet ik voor de zekerheid maar even checken of het Voynich manuscript echt bij Toth ligt,' stelde Codie voor. Wat hij er niet bij vertelde, was dat hij popelde om de bibliotheek van Toth weer eens te zien.

'Doe maar,' zei Gehlen. 'Het kan geen kwaad, al denk ik niet dat het met dit alles te maken heeft.'

'Tja, het kan altijd gestolen zijn,' voegde Codie eraan toe.

'Ik kan het Orakel raadplegen,' stelde Dille vervolgens voor.

'Ze is met vakantie,' zei Kalon.

'Vakantie?' Codie dacht aan zijn laatste ontmoeting met het Orakel. Een enorm vadsig wezen dat er afschuwelijk uitzag, nog scherper klonk dan krassend krijt op een schoolbord en stonk naar een beerput met mensenresten erin. Hij kon zich niet voorstellen dat een wezen dat zo log was zich kon verplaatsen, laat staan de grot waarin ze leefde verlaten.

'Ja, vakantie. Ze zit nog altijd in die grot, maar heeft zich mentaal afgesloten voor onbeperkte duur. Ze was het zat om al die ratiomensen de toekomst te voorspellen.'

'Zou het opnieuw een vortex kunnen zijn?' vroeg Dille. 'Ze komen toch ook voor in Ratiowereld?'

'Vortexen die toevallig alle gevangenissen treffen? Dacht het niet,' antwoordde Gehlen gepikeerd.

Dille stond op. 'Zeg, vriendelijker mag ook!'

‘Sorry,’ zei Gehlen heel wat zachter. ‘Ik weet gewoon niet wat te doen. De IFG wordt overspoeld met oproepen voor de fantasiejagersgroepen. Er ontsnappen meer en meer wezens naar Ratiowereld en volgens mij houdt alles verband met elkaar.’

Dille ging weer zitten, na een laatste kwade blik richting Gehlen.

‘Het zou inderdaad maar al te toevallig zijn allemaal,’ vulde Codie aan.

‘Kalon? Heb je nog geen idee wat of wie hiervoor verantwoordelijk kan zijn?’ vroeg Gehlen.

‘Nee, het spijt me.’

‘Ik had vanmorgen, denk ik, een visioen,’ zei Codie.

‘En dat zeg je nu pas!’ Gehlens stem schoot de hoogte in. Codie deinsde achteruit.

‘Het was weer erg vaag,’ verontschuldigde Codie zich. ‘Daarom heb ik niets eerder gezegd.’

Gehlen wapperde met zijn hand. ‘Oké, wat zag je dan?’

‘Twee planeten, een groene en een grijze, die om elkaar heen wervelden en dreigden te botsen. Ik dacht eerst dat het om knikkers ging. Het visioen verdween op het moment dat ik doorhad dat het om planeten ging en ik sterk het gevoel kreeg dat ze Ratio- en Emowereld waren.’

‘Wat betekent dat nu weer? En waar blijft Kate?’ Gehlen was nog steeds niet opgehouden met het nerveus heen- en weergeloop.

‘Planeten die gaan botsen? Dat is inderdaad erg vaag. Dat lijkt me niet waarschijnlijk ook,’ zei Dille peinzend. ‘Nee, toch?’

‘Alles lijkt me nu mogelijk.’

‘Ratiowereld en Emowereld zijn toch planeten uit twee verschillende dimensies?’ vroeg Kalon.

Dille knikte. ‘Ja.’

‘Dan lijkt het onlogisch dat ze kunnen botsen,’ opperde Codie.

‘Ik snap er de ballen van,’ zei Kalon en nam een slok koffie.

De telefoon ging. Gehlen beende er heen. ‘Wat?’ snauwde hij in de hoorn.

Het bleef een poosje stil. Kalon merkte dat Gehlen wit wegtrok en zijn greep om de hoorn verstevigde tot zijn knokkels eveneens wit werden. Misschien kwam het doordat alle leven uit Gehlen leek weg te sijpelen of omdat hij naar de hoorn staarde alsof hij niet wist wat het was. Misschien kwam het doordat Gehlen daarna de hoorn zo zacht neerlegde en nog steeds niets zei of omdat hij zijn hoofd boog. Achteraf wist Kalon het niet meer. Hij wist enkel dat hij zich plots verdoofd voelde, zijn keel dichtgeknepen werd en hij helemaal niet wilde horen wat Gehlen te zeggen had.

Maar Gehlen zei het toch, na een lange en enerverende stilte. Zijn stem klonk als een dunne, breekbare draad. ‘Kate is dood.’

35 Emowereld: dag 6

"Van liefde dromen is soms heerlijker dan ze te bedrijven."
Georges Guilbert

Hecate veerde op en uitte een gil die al haar omringende honden en wolven jankend deden opspringen. Ze ging hijgend rechtop zitten, rillend over haar hele lijf. Pan, die naast haar lag, opende langzaam zijn ogen. Pas toen hij haar verschrikte uitdrukking zag, ging hij eveneens rechtop zitten en vroeg: 'Wat scheelt er?'

Ze lagen op een natuurlijk tapijt van zachtgroen mos, in slaap gevallen na een lome, heerlijke vrijpartij, haar benen en zijn bokkenpoten nog steeds verstrengeld in een innig kluwen. Hun naakte lichamen werden slechts bedekt door vochtdruppeltjes en gevallen boombladeren. De zon, die toch haperend weer zijn intrede had gedaan, voelde aan als warme, gouden stroop op hun huid. De honden keken haar allemaal aan, peilend naar informatie in haar gezichtsuitdrukking.

'Ik weet het niet. Het leek alsof iets het bloed uit mijn hart kneep.'

Tussen de struiken kwam een weerwolf vandaan die regelrecht op Hecate af liep. Zijn normaal zo statige rug stond gekromd, zijn weelderige staart gespannen tussen de achterpoten en zijn oren plat op zijn hoofd.

Een koude siddering trok door Hecate heen, nog voor ze gehoord had wat voor slecht nieuws de weerwolf zou brengen. Misschien had de boodschap te maken met het eigenaardige gedrag bij de weerwolven. De laatste dagen waren ze geen van allen zichzelf, knoeiden ze met het weerbeleid en namen ze zelfs niet meer deel aan de nachtelijke kerkhoftochten die Hecate zo graag, samen met haar roedel, ondernam. Ze had nog altijd geen idee waarom ze zo deden, maar had begrepen dat er de afgelopen dagen wel meer in beide werelden niet klopte. De weerwolven zelf verklaarden enkel dat ze zich lethargisch, lusteloos en leeg voelden.

'Hecate,' zei de weerwolf en boog door zijn voorste poten.

'Wat heb je te vertellen?' Hecate had haar stem nog amper onder controle.

'Kate De Lille is gestorven.'

'Wat is er met Kate?' Ze meende het niet goed begrepen te hebben.

'Kate De Lille werd in een gevecht door een zwaard doorboord en is aan de verwondingen overleden.' De weerwolf uitte een jankgeluid.

De honden, die het dichtst bij Hecate lagen, voelden en merkten haar verdriet meteen en begonnen haar handen te likken.

'Ze is dood,' bracht Hecate er zacht uit. Haar lippen trilden. 'Dood.' Het klonk alsof ze het niet kon geloven en al zeker niet kon bevatten.

Haar gezicht dat er eerst jong en gaaf had uitgezien, haar verschijning van jonge maagd, veranderde naar die van de moeder. Fijne, bijna onmerkbare rimpeltjes verschenen om haar mondhoeken en naast de ogen. Haar zwarte, lange haren vertoonden hier en daar lichtere strepen die net geen grijs waren. Pan vond haar er nog steeds schitterend uitzien. Hij hield van alle drie haar gezichten: maagd, moeder en wijze, oude vrouw. Teder bracht hij zijn hand naar haar wang en veegde de tranen weg.

'Lieveling?' zei hij.

Hecate draaide haar hoofd naar hem toe en keek hem triest aan. 'Ja?'

'Waarom grijpt het je zo aan?'

‘Omdat…’ Hecate stokte en beet op haar onderlip.

‘Omdat wat? Wat was er zo speciaal aan haar? Oké, goed, ze was een raar wezen met al die verschillende genen. En ik weet dat je een zwak hebt voor vampiers en heksen, wat Kate allebei was. Maar zo goed kende je haar toch niet?’

Hij moest eens weten, dacht Hecate. Sommige van haar honden en wolven waren op de hoogte, maar verder niemand. Nee, zelfs haar minnaar kon ze het niet vertellen. Als hij het zou weten… Maar vooral als de Raad het te weten zou komen! De straf op haar overtreding zou verschrikkelijk zijn; nooit meer een voet in Emowereld mogen zetten. Het was niet zo dat ze Pan wantrouwde, dat niet. Ze deelde verder alle lief en leed met hem, hield intens veel van hem, voelde zich geborgen en goed bij hem. Alleen dat ene ding, dat ene feit. Dat kon ze hem niet vertellen. Nooit!

Hecate slikte de opkomende tranen in, zuchtte diep en trachtte zichzelf in de hand te houden. Ze forceerde een glimlach, streek door haar lange haren en zei: ‘Ik heb haar goed leren kennen doordat ik altijd een oogje op haar gehouden heb. Ze is bijzonder, weet je.’ Ze merkte dat ze nog in de tegenwoordige tijd sprak over Kate en het nog niet aankon om haar in het verleden te zien.

Pan beantwoordde haar glimlach en streelde haar blanke schouders. ‘Je was dus een beetje haar persoonlijke beschermster?’

Hecate knikte. Ze ging rechtop zitten, waardoor de bladeren van haar af vielen en haar fulpen borsten naar voren staken. Pan onderdrukte de neiging om zijn lippen erop te plaatsen. Ondanks het slechte nieuws en Hecates verdriet, voelde hij zich broeierig worden.

‘Ik dacht dat je alleen je honden en wolven beschermde,’ zei hij lichtelijk hees.

Hecate veranderde nu in de oude, wijze vrouw. De rimpels werden dieper, levervlekjes verschenen op haar handen en haar haren waren nu overwegend grijs. De transformatie had in nog geen twee seconden plaatsgevonden. Deze verschijning hielp haar om het verdriet makkelijker aan te kunnen en te relativeren.

Pan zoende haar zacht op de lippen. 'Nou?' vroeg hij. Zijn grote hertenhoornen waren bedekt met een laagje dauw, zodat ze glinsterden in het weinige licht.

'Kate is een uitzondering. Ze heeft me ooit eens om hulp gevraagd en sindsdien... wel, ze greep me nogal aan en daardoor...'

Pan grinnikte. 'Je bent veel gevoeliger dan je reputatie doet vermoeden. Strenge en rechtvaardige Hecate! Ja ja, ze zouden beter zeggen: moederlijke en zachte Hecate. Lieveling?'

'Ja?'

'Je gaat nu toch niet opnieuw verdwijnen, hé?'

'Hoe bedoel je?'

Pan overwoog zijn woorden. 'Wel, de vorige keer dat je verdrietig was, ben je bijna twintig jaar verdwenen. Niemand wist waar je was. Ik werd er gek van...'

Hecate snoerde hem de mond door hem te kussen. Hun lippen raakten elkaar voorzichtig aan en de puntjes van hun tongen beroerden elkaar vluchtig. Langzaam streelde Pan haar hals, haar schouder, de zijkant van haar zachte borsten, haar warme buik en liet zijn hand rusten op haar venusheuvel. Zijn vingers draaiden cirkeltjes, plagend haar genotsknopje vermijdend. De zucht die Hecate uitte was vol verlangen, maar het verdriet klonk er in door. Ze vlijde zich dichter naar Pan toe en omsloot met haar hand de plaats van zijn genot. De kus werd harder, dwingender. Pan liet haar op zijn lip en daarna in zijn hals bijten. Hij liet haar de leiding nemen, wetende dat seks de manier was om haar hoofd leeg te maken en haar hart te genezen. Ze liet een vochtige streep van tranen en speeksel achter op zijn borst en buik. Zijn kreunen van genot vermengden zich met haar wanhopige kreetjes tot deze laatste gesmoord werden door zijn gewillige lid in haar mond. Niet veel later vloeiden haar sappen van verdriet samen met zijn witte uitbarsting.

Hecate had gehoopt zich gereinigd te voelen. Het was echter niet gelukt.

'Gaat het al wat beter?' vroeg hij toen ze naast hem kwam liggen.

'Ja,' loog ze, maar ze voelde zich helemaal niet goed; ze voelde zich miserabel.

Ze bleven even in stilte opkijken naar de hoge bomen die als een beschermend schild om hun slaapplaats stonden. De kruinen wiegden zachtjes heen en weer en vogels tsjilpten in de hoogste toppen. *Het had een mooie dag kunnen zijn*, dacht Hecate, *maar het is de donkerste uit mijn duizendenjarige bestaan.*

Hoe kon ze nou niet voorvoeld hebben dat Kate in de problemen zat? Zij, Hecate, degene die haar wil kon opleggen van ver, degene die macht had over lichaam, gedachten en geest?

Pan keek even opzij en zag de piekerende blik in de ogen van zijn geliefde. Het brak zijn hart haar zo zwak en gebroken te zien.

'Lieveling, jij hebt toch invloed op leven en dood,' stelde Pan voor. 'Kun je niets aan de situatie doen?'

'Ik heb invloed op de geest van doden, maar ik kan geen doden tot leven wekken. Zelfs niet met magie.' Het klonk alsof ze er zelf ook al over nagedacht had. 'Vroeger... toen kon ik het, net als jij.' Ze draaide haar hoofd van hem af, zodat hij de nieuwe tranenvloed niet zou opmerken. Pan zag haar licht schokkende schouders en voelde zich ellendig omdat hij haar niet kon troosten.

'Ja, we hebben er zelf voor gekozen,' voegde Pan eraan toe.

'Ja.' Een diepe zucht.

'Manipuleer de tijd dan. Draai de tijd terug!' zei Pan. De hoop klonk door in zijn stem.

'En de Raad alarmeren? Nee, ik denk niet dat ze het deze keer onbestraft zouden laten. Eén leven is voor hen niet van belang. En trouwens, alleen maar de tijd veranderen om een dode tot leven te wekken... Nee, dat verstoort het al zo broze evenwicht.'

'Kan je de Raad niet om hulp vragen dan?'

Hecate trok haar neus op. Uit walging? Of om haar tranen op te snuiven? Met een hoofdruk keek ze Pan opnieuw aan. 'Je weet eigenlijk wel dat ze dat weigeren, stelletje...' Hoewel Hecate soms wel vermoedde dat de Raad wist dat ze Kate in bescherming had genomen, en dat tegen alle regels in.

Beschermster van Kate. Wat een lachertje! Dan had ze wel heel slecht haar werk gedaan.

Kate had nooit geweten wat Hecate allemaal voor haar gedaan had. Voor Kate was het inderdaad begonnen met haar vraag om het geheugen van alle ratio- en emomensen te wissen, zodat de negatieve gevolgen van het contact tussen de beide werelden zouden verdwijnen. Wat Kate echter niet wist, was dat Hecate haar voordien al gestuurd en geholpen had. Ze had haar in gedachten troost toegestuurd toen haar ouders verongelukten. Zij was degene geweest die Klappende Handen op Kate had afgestuurd om haar tot voorzichtigheid te manen. Zij was degene die de auto waarin Kate en Dille zaten naar het huis had geleid waar net een moeder treurde om haar verloren zoon die gestorven was aan die droompillen. En zij was ook degene die zich had voorgedaan als Elise en Ave op Kate had af gestuurd om een heksenfles ter bescherming te maken. Ze had Kate kracht toegestuurd bij magische rituelen en raad ingefluisterd bij het zoeken naar oplossingen. Ze had… maar dat was allemaal voor niets geweest, want nu was ze dood. En deze keer had Hecate het niet kunnen voorkomen. Maar ze kon wel een ding doen, en dat was een groot geschenk aan Kate bezorgen. Het zou Kate niet terugbrengen tot de levenden, maar ze zou meer zielenrust kennen. De zoektocht naar haar oorsprong zou dan toch in de dood een antwoord krijgen.

Hecate sloot haar ogen en richtte al haar energie op Kate.

-Kate, luister naar me. Ik weet dat je me kunt horen, ondanks het feit dat je nu overgaat naar een andere wereld. Nu pas kan ik het je vertellen en het spijt me dat ik het zo lang voor je verzwegen heb, maar het was voor je eigen belang en veiligheid. Je zoektocht naar je familiestamboom kan ik beëindigen. Ik weet wie je voorouders zijn…

36 Emowereld: dag 6

"Wij zijn als datgene waarvan dromen zijn gemaakt, en ons beetje leven is omgeven door slaap."

William Shakespeare

De oceaan roerde zich. Kolkende, woeste golven schoten meters hoog de lucht in op plaatsen waar dit normaal gezien niet voorkwam. Het witte schuim borrelde en spoot alsof het vulkanen waren bestaande uit water. Op meerdere plaatsen verschenen draaikolken die in omvang toenamen tot ze elkaar raakten en tot een gigantische carrousel van kracht verwerden.

De zeemeerminnen, zowel mannen als vrouwen, zwommen gejaagd op zoek naar veiligere regionen in de hoop die te vinden. Hun staarten raakten vermoeid en hun longen, door het ongecontroleerde ademen, te gevuld met water. Andere zeedieren, vissen, dolfijnen, haaien en schildpadden volgden in hun kielzog, hen met moeite bijhoudend. Koraal en algen lagen horizontaal door de harde onderstroom en knakten af. Kleinere vissen en schaaldieren konden de kracht van de oceaan niet meester, tolden rond en werden wild weggeslingerd.

Zelfs Poseidon kon de oceaan niet bedwingen. Er waren sterkere krachten aan het werk, waarvan hij de herkomst vermoedde, maar niet kon bevatten of wilde aanvaarden. Hij zat dan wel verscholen in een onderzeese grot, toch kwamen de heftige waterstromen zelfs tot daar en sloegen zijn lange haren woest in zijn gezicht. Hij hoopte dat zijn kinderen hem op tijd konden bereiken, omdat de grot maar tijdelijk bescherming bood.

Hij zou de wezens en mensen op land kunnen waarschuwen voor het dreigend onheil dat volgens hem alleen maar in volume zou toenemen. Maar de oncontroleerbare oceaan was enkel het begin, zoals altijd. Anderzijds verwachtte hij niet op tijd aan land te raken, niet met die krachtige stroom. En als zijn vermoedens juist bleken te zijn, dan zou een waarschuwing niets uitmaken en werden de werelden toch verscheurd. Terwijl hij wachtte, voor de eerste maal in zijn langdurige bestaan in angst, dacht hij aan de dag dat hij beslist had om zijn leven onder water te leiden.

Als zoon van een elf, Rhea en een hogere elf, Cronos, had hij de krachten geërfd om de natuur te manipuleren. Het bleek algauw dat zijn voorkeur uitging naar alles wat met water te maken had: meren, rivieren, vijvers, maar vooral de oceaan. Doordat hij als hogere elf onsterfelijk was, kon hij niet verdrinken en zag hij de mogelijkheid om zijn leven door te brengen omringd door zijn grootste passie: de oceaan. Het duurde dan ook niet lang voor hij die sprong maakte en voor altijd verdween in de koele, donkere wateren, heersend over alle zeeleven.

Hij had het een tijdje in Ratiowereld geprobeerd, maar verlangde al snel weer naar zijn thuisdimensie. Bovendien lieten de ratiomensen hem toen niet met rust, wat hem op den duur begon te vervelen.

Ook was zijn vlucht het gevolg geweest van een onbeantwoorde liefde die hem tot waanzin had gedreven. Amphritrine, eveneens een overgelopen elf uit Emowereld. Ze was het enige positieve punt van zijn verblijf in Ratiowereld geweest. Nog steeds verwarmde het zijn koele hart wanneer hij aan haar vreemde, giftige schoonheid en lieftallige karakter dacht. De schaduwzijde was echter dat hun passionele verhouding al snel verwaterde, toen duidelijk werd dat Amphritrine zich niet aan hem wilde binden en er op een duistere nacht vandoor ging. Poseidon, horendol van verdriet, stuurde de dolfijn Delphinus op haar af. Die vond haar, maar kon haar niet overhalen zich opnieuw bij haar minnaar te voegen, met als gevolg dat Poseidons woede en frustratie meerdere orkanen veroorzaakte die hele kuststeden vernietigde. Niet veel later vluchtte Poseidon, samen met Delphinus, terug naar zijn wereld. Smachtend naar liefde vergreep hij zich aan Delphinus, die zwanger raakte en zo de eerste zeemeerminnen voortbracht.

En nu wachtte hij op zijn kinderen die volkomen in paniek naar hem op zoek waren. Hij voelde hen naderen en hun doodsangsten waren even tastbaar als de schelpen onder zijn blote voeten.

Nee, hij kon niet aan land gaan en zijn kinderen in de steek laten. Als hij ten onder ging, dan zou het samen met hen en alle andere zeeleven zijn.

37 Emowereld: dag 6

"Dood is wakker worden aan de verkeerde kant van je dromen."
Harry Mulisch

Ze stormden het ziekenhuis van Hoofdstad binnen, passeerden als een wervelwind verbaasd kijkende dokters, verpleegkundigen en patiënten. Twee demi-reuzen die een brancard droegen, met daarop een gewond vuurduiveltje, konden er nog net voor zorgen dat het hele geval niet op de grond terechtkwam. Ze wilden het geen van allen geloven dat Kate gestorven was en hoopten dat de dokters het bij het verkeerde eind hadden, een blunder gemaakt hadden of een wel erg misplaatste grap.

Kalon zag het ziekenhuis door een waas van tranen; de vrolijk geschilderde muren in turkoois, lavendel en geeloranje tinten schoten in een vlek van kleuren aan hem voorbij. Hij vervloekte zichzelf dat hij haar alleen gelaten had. Waarom had hij zich in 's hemelsnaam door haar laten wegjagen? Hij had niet moeten luisteren, haar nukken en grillen voor lief moeten nemen. Hij had feller tegen haar in moeten gaan of haar uitbarsting moeten negeren.

Gehlen besefte dat hij het zichzelf nimmer zou vergeven dat hij Kate niet onder vier ogen had gesproken. Hij had haar moeten verplichten om te vertellen wat ze op haar lever had en waarom ze zich zo onverschillig en vreemd gedroeg.

Het ziekenhuis bestond slechts uit een verdieping, dus hoefden ze geen trappen of liften te nemen. Ze schoten door een gang, links van de ingang, en slipten nog net niet uit over de pas gedweilde, blauwe vloer.

Ze hadden Kate op de kamer gelaten omdat een mortuarium niet eens bestond in Emowereld. Gejaagd las Gehlen de kamernummers op de muren. De cijfers drongen niet tot hem door, waardoor hij de kamer van Kate bijna voorbijgelopen was, maar door de openstaande deur had hij haar zien liggen.

Het was alsof Kate vredig lag te slapen. De kamer, die de geest van de patiënt positief moest houden, bestond uit roze tinten: dieproze gordijnen en deksprei, suikerzoetroze muren en een witte vloer. Het ziekenhuis rook niet ranzig naar ontsmettingsmiddelen of braaksel. Er hing eerder een zoete geur van honing en bubblegum, waardoor Gehlen zich afvroeg hoe ze het ziekenhuis steriel hielden.

Hij vond het eigenaardig dat ziekenhuiskamers in Emowereld vol stonden met bloemen in vazen en potten, want dergelijke attenties kwamen in Ratiowereld niet voor. Maar wat hem nog meer verbaasde was, dat Kates bed door kabouters en andere wezens omringd werd. Ze hadden het zelfs eerder geweten dan de groep en haar vriend! Hij herkende Ripper, Loki, Geerd en Neder. Een klein zwart ding vloog door de kamer heen met schokkerige bewegingen. Gehlen vermoedde dat het een schaduweter was en meer waarschijnlijk Liev, hun leidster. De anderen waren onbekenden voor hem. Neder stond in een hoek van de kamer, zijn gezicht door verdriet getekend en nog roder dan het al was.

Kalon stortte zich meteen op het bed, sloeg zijn armen stevig om Kate en begroef zijn gezicht op haar buik. Pijnlijke steken caramboleerden tegen zijn borstkas, zijn schouders schokten onophoudelijk en het geluid dat uit zijn keel ontsnapte, sneed door de kamer heen en trof de anderen met een nog dieper hartzeer.

'Kate! Kate! Wakker worden!' Kalon besefte hoe dwaas het klonk, maar het kon hem niet schelen. Hij hief zijn gezicht en keek naar haar, streek haar haren opzij, wreef over haar ijskoude wangen, zoende haar hoofd. 'Lieveling, mijn lieveling, word wakker!'

Hete tranen vloeiden over zijn gezicht. Daarna viel de wereld om hem heen weg. Hij hoorde niets meer, snikte onophoudelijk, Kate in zijn armen wiegend. *Nee, het kon niet, het kon gewoon niet! Ze kon niet dood zijn! Niet mijn Kate, niet mijn leven en hele zijn.* Kalon begon zacht te neuriën, alsof hij haar daarmee weer tot leven kon brengen.

'Ik houd van je, lieveling, ik houd zo ontzettend veel van je.' Zijn stem klonk rauw. 'Laat me niet alleen. Je mag me niet alleen laten. Zonder jou wil ik niet leven.'

Hij voelde een hand op zijn schouder en zag dat het Dille was, die hem met rood betraande ogen aankeek.

'Kom,' zei ze en leidde hem voorzichtig van Kate weg. Ze sloeg haar armen om hem heen en zacht huilend hielden ze elkaar vast.

Codie voelde zich alsof niets ter wereld er meer toe deed. Zijn eerste liefde, de vrouw die hem zo goed begrepen had, die hem volledig aanvaard had en van hem gehouden had als van een kleine broer. Die hem als een man behandelde, nee, meer dan dat, als een volwaardig persoon. Ze zag er zo mooi uit tussen die roze lakens, zo sereen en transcendent, haar roodblonde haren als een Chinese waaier op het kussen.

'Wil je een knuffel?' hoorde Codie naast zich. Hij keek omlaag en zag een kabouter staan die hem meelevend aankeek. 'Daarvoor zijn we hier,' voegde de kabouter er nog zachtjes aan toe.

Codie knikte haast onmerkbaar en zakte door zijn knieën. De zachte, harige armpjes van de kabouter omhelsden hem en werkelijk, Codie voelde de troost door zijn kleren sijpelen als vloeibare warme olie.

'Ik moet aan het werk,' zei Ripper met een trieste stem.

'NEE!' Kalon liet Dille los en greep Ripper bij zijn cape vast. 'Nee, nog niet!'

Ripper keek hem alleen maar aan en knikte toen bijna onmerkbaar. 'Nog even,' zei hij.

Geerd, die nooit een geluid voortbracht, huilde plots zo luid dat het waarschijnlijk door het hele ziekenhuis te horen was. Loki sloeg zijn armen om hem, maar deze kwamen amper om het grote lijf van zijn broer heen. Als de situatie niet zo triest was geweest, dan had Gehlen dit plaatje komisch gevonden.

De dokter, een rupa-engel met vlasblond haar en een neus die dienst kon doen als deurstop, kwam de kamer in en tikte Kalon op de schouder. 'We hebben alles gedaan wat we konden. Het zwaard heeft te veel inwendige organen doorsneden. Ze is bijna meteen gestorven,' zei hij.

'Wie was het? Wie heeft het gedaan?' vroeg Kalon op scherpe toon.

De dokter blikte naar de hal. 'Haar eigen familie.'

Kalon keek de hal in en zag nu pas Drake en Melfo met gebogen hoofd zitten. Zijn ogen verhardden zich en hij wilde net langs de dokter lopen, toen deze hem tegenhield aan zijn arm. 'Het was een ongeluk. Kate kwam tijdens een gevecht tussen hen beiden in te staan en werd geraakt.'

Kalon rukte zich los en schoot de hal in.

'Gehlen! Houd hem tegen!' gilde Dille.

Gehlen vloog Kalon achterna en kon deze nog net beetgrijpen.

'Jij gore, vuile smeerlap! Moordenaar!' gilde Kalon Drake toe. 'Jullie allebei! Je eigen kleindochter vermoorden!'

Drake keek Kalon schuldig aan en zei met de nodige tragiek in zijn stem: 'Sla me maar! Ik verdien het!'

Nog steeds worstelend om onder Gehlens stevige greep onderuit te komen, siste Kalon Drake toe: 'Als ik zeker zou zijn dat het je laatste leven was, dan deed ik het!'

'We weten niet wat er over ons heen kwam.' Het jammerende geluid dat uit Melfo's mond kwam, stond in fel contrast met zijn anders zo waardige houding. Een gebroken man. 'We zagen elkaar en... plots... we weten het niet, Kalon.'

'Het was alsof ik op mezelf neerkeek,' voegde Drake eraan toe en Melfo knikte heftig. 'Opeens kwam er een haat over me heen en vloog ik Melfo aan. Ik had niet eens door dat Kate er was.'

'Tot ze tussen ons in stond.' Melfo verborg zijn hoofd tussen zijn schokkende schouders.

'Kalon!' riep Codie vanuit de kamer. 'Kom hier! Nu!'

Kalon draaide zich met tegenzin om, na nog een laatste vernietigende blik richting Drake en Melfo en beende de kamer in.

Ripper stond met zijn capuchon op over het bed gebogen en zijn handen rustten op Kates borst en hoofd. Toen hij Kalon hoorde binnenkomen, draaide hij zich een kwartslag om. Zijn gezicht was nog steeds niet te zien, maar zijn diepe resonerende stem zei: 'Ze leeft nog.'

'Wat!' Het was de dokter die naar het bed toesnelde. 'Maar dat kan niet!'

'Ik kan dieper in haar kijken dan jij, dokter, het is jouw schuld niet.' Ripper deed zijn capuchon af en keek de anderen stralend aan. 'Kate is toch een vierde vampier?'

De anderen knikten zo heftig dat hun hoofden er bijna af vielen. De schaduweter ging op het kussen naast Kates hoofd zitten.

'Wel, ze wist het waarschijnlijk zelf niet, maar Kate heeft meerdere levens. Ze kan ieder moment ontwaken,' vervolgde Ripper.

Melfo en Drake kwamen beiden de kamer in. Ze zagen er miserabel uit, zag Codie. Melfo's gewaad leek in geen jaren gewassen, zijn lange, witte haren vertoonden meer knobbels dan een scheepstouw en zijn ogen waren roodomrand van het huilen. Drake zag er nog slechter uit en zijn al bleke huid leek nu doods. De schaduweter vloog op en fladderde nerveus rond de aanwezigen die haar probeerden weg te slaan.

'Ze wist het inderdaad niet zeker,' zei Kalon met tranen van geluk. Hij liep op het bed af en omhelsde Kate opnieuw. Een ogenblik geleden waren zijn ogen nog beslijkt geweest met razernij en nu keken ze overgelukkig en hoopvol.

Toen veerden ze allen op door een gil die klonk als een slecht afgestemde viool. Kalon deinsde geschrokken achteruit.

'NEE!' Kate schoot rechtop in bed en keek de anderen aan met een mengeling van verschrikking en verbazing. En wat ze toen zei sloeg hen helemaal van hun à propos.

'Dood me. NU!'

38 Emowereld: dag 6

"Dromen is dromen van een spons die een mooiere spons omhelst in haar droom."

Paul Snoek

De auto kwam langzaam tot leven en gleed de straat op. Codie trok zijn bruinleren jas uit en gooide hem op de achterbank. Hij had evengoed kunnen teleporteren, maar vreesde dat zijn concentratie nu niet optimaal was. Hij dacht terug aan het vreemde voorval in het ziekenhuis.

Nadat Kate die verschrikkelijke woorden had uitgeroepen, was ze verslagen in de kussens neergezakt. Ze begreep eerst niet waar ze was en waarom iedereen rond haar stond. Gehlen had het met horten en stoten uitgelegd, zijn stem nog niet volledig onder controle. Kalon had zich ongemakkelijk gevoeld, niet wetend wat hij mocht of kon doen, net als Drake en Melfo. Ze hadden haar willen omhelzen, maar konden niet voorspellen hoe Kate daarop zou reageren. Het was Loki geweest die Kate ten slotte had gevraagd wat ze in 's hemelsnaam bedoeld had met die uitroep. Kate had aanvankelijk haar lippen op elkaar geperst, alsof ze daarmee duidelijk maakte dat ze zich er niet mee moesten bemoeien. Uiteindelijk had ze ingezien dat ze hen een uitleg schuldig was.

Ze legde geagiteerd en met een jachtige blik uit dat ze van Hecate een boodschap doorgekregen had, een belangrijke boodschap betreffende haar familiegeschiedenis, maar dat deze onderbroken werd zodra ze weer tot leven kwam. Pas toen Gehlen opperde dat Kate het toch gewoon aan Hecate kon vragen, was haar blik verzacht en ontspande ze zich enigszins.

Nadat ze een uurtje gepraat hadden, de gesprekken alleen maar vrolijker en onderbroken door gelach, had Gehlen Codie erop uitgestuurd naar Toth. Gehlens blik had boekdelen gesproken: *we moeten snel actie ondernemen, voordat zoiets weer gebeurt!*

Nu in de wagen kon Codie alleen maar opluchting voelen dat Kate leefde, maar hij was toch nog bezorgd om haar. Ze had afstandelijk en eigenaardig gereageerd op hen. Haar antwoorden waren kort geweest en haar lachen geforceerd. De oude Kate was nog steeds niet terug.

Er klonk een harde bonk op het dak van de wagen. Codie schrok op en de auto stopte abrupt waardoor hij naar voren viel. Het gebonk werd vergezeld door een schrapend geluid, alsof er iets of iemand van het dak afgleed. Toen begreep hij waar het geluid vandaan kwam. Een dromer met de bekende verdwaasde blik verscheen naast de auto. Hij tikte op het raam. Codie draaide het raam naar beneden en vroeg wat er aan de hand was.

'Ik ben net op je auto geland en ik moet dringend naar mijn werk toe,' zei hij. 'Kun je me een lift geven?'

Zelfs in hun dromen waren ratiomensen nog altijd met hun baan bezig, dacht Codie, ongelooflijk. Zonder op antwoord te wachten, opende de dromer het achterportier en ging zitten. Codie zag in de achteruitkijkspiegel dat hij de leren jas opzij schoof. Met oprechte verontwaardiging zei de dromer: 'Jeetje, die jas van jou! Hangt de koe er nog aan vast, misschien? Zo zwaar, dat ding!'

'Waar kom je vandaan?' vroeg Codie.

Hij draaide zich een kwartslag om zodat hij de dromer kon aankijken. De man had wat tijd nodig om te antwoorden; de hersenen van dromers werkten dan ook maar op halve kracht. 'Perno,' zei hij ten slotte. 'Continent Amerika.'

De auto startte en hernam pruttelend zijn route, alsof hij de onderbreking vervelend had gevonden.

'Wat doe je voor werk?' vroeg Codie.

'Hoezo?'

'Nou, je bent toch op weg naar je werk?'

'O ja.' Zijn gezicht kreeg iets droevigs. De mondhoeken zakten, alsof er plots gewichten aanhingen, en zijn ogen stonden troebel.

'Is er iets gebeurd op je werk?'

Ze verlieten het drukke gedeelte van het centrum en reden een buitenwijk in. De buurt waar Gehlen, Natasha en Codie woonden. De weg werd hobbeliger, maar de auto bleef zijn vaart houden, zodat ze lichtjes dooreen geschud werden.

De dromer zuchtte diep en vertelde: 'Ik werk bij een firma die implantaten maakt. Ik heb iets grandioos ontdekt, maar nu willen ze het niet in productie brengen.'

'O, wat dan?'

'Nou,' vervolgde de dromer, in zijn nopjes door de aandacht. 'Een implantaat dat je het gevoel geeft dat je een week op een schip zit, onderweg naar je vakantiebestemming. Maar in werkelijkheid ben je dus geen tijd kwijt en onmiddellijk aangekomen.'

'We gaan toch al lang niet meer op vakantie,' onderbrak Codie.

Ze lieten de buitenwijken achter zich en kwamen in een meer landelijke omgeving, vlakbij de bossen van Avalon. In de verte zag Codie enkele kabouterkinderen vrolijk en met zwaaiende armen achter elkaar aanhollen.

'Daarom nemen ze het ook niet in productie.' De man trok berustend zijn schouders op.

'Waarom zou je het gevoel moeten hebben dat je een week onderweg bent naar een vakantiebestemming? Ik zou denken dat je er zo snel mogelijk wilt zijn,' gaf Codie aan.

'Omdat,' zei de man met gefronste wenkbrauwen, 'de reis de bestemming is. Op weg gaan naar een leuk einddoel geeft al voldoening en ontspanning. Vroeger waren de reizigers veel langer onderweg, dagen en weken. Nu gaat alles zo snel dat…'

'Wat?' vroeg Codie, maar hij zag het al. De dromer vervaagde, hij zou weldra wakker worden, zijn remslaap ten einde. Zijn lippen bewogen nog in een onhoorbare monoloog en toen was hij verdwenen.

Even later kwam Codie aan bij het huis van Toth. Het eenvoudige, maar gigantische en witgeschilderde huis blonk in de koude winterzon. Codie voelde zijn opwinding als een gloeiende sliert door zijn borst krullen. De bibliotheek van Toth! Zijn favoriete plaats in heel Emowereld!

Hopelijk is hij thuis, dacht Codie, terwijl hij zijn jas van de achterbank griste. Hij stapte uit en de auto reed op zijn gemakje terug naar het centrum, klaar voor een volgende gebruiker.

Codie liep de voortuin in, hoewel je niet echt van een tuin kon spreken. Het was eerder een stuk braakliggende grond dat hoopvol wachtte op zaad en waarvan de fungus sterk geurde. Toths huis bevond zich vlak bij de bossen van Avalon. De zon scheen op de bruine, afgevallen bladeren en gaf het geheel het aanzien van een blinkend, koperkleurig tapijt. Toch voelde Codie hoe de kou van de aarde zijn schoenen insijpelde. De weerwolven hadden net iets te veel overdreven met de winterse temperatuur, vond hij. Hij zette er stevig de pas in, uitkijkend naar de warmte van het huis. En gelukkig, er brandde een uitnodigend licht achter twee van de acht ramen.

Hij had amper aangeklopt of de deur zwaaide open.

'Snel naar binnen, Codie, ik verfoei die kou.' De scherpe tanden in Toths bavianenkop kletterden op elkaar. Hij droeg enkel een sarong, waarop planeten en zonnestelsels als het ware pingpong met elkaar speelden. De gure wind deed zijn sarong opwaaien, waardoor de planeten even los van de stof kwamen en toen terugvielen.

Zodra Codie binnen was, viel de deur met een klik in het slot. De warmte omhelsde hem meteen en gaf hem gelijk het gevoel welkom te zijn.

‘Lieve Codie,’ zei Toth. ‘Waarmee kan ik je deze keer van dienst zijn? Maar laten we naar de bibliotheek gaan. Dat wil je toch?’ Knipoog.

Dat wilde Codie zeker. Net als de voorgaande keer keek hij zijn ogen uit en hij moest zich inhouden om zijn handen niet over elke kaft te laten gaan.

‘Heb je het Voynich manuscript nog?’ stak Codie van wal.

‘Zeker weten,’ beaamde Toth. ‘Ik zou het eigenlijk moeten vernietigen, maar krijg het niet over mijn hart een document zo uniek en oud te verbranden.’ Codie knikte als teken dat hij het volkomen begreep.

‘Waarom?’ vroeg Toth en toen met grote ogen: ‘Er is toch niet weer een massavernietiger aan het werk, hé?’

‘Nee, nee, dat niet. In ieder geval niet op dezelfde wijze als voorheen.’

‘Niet op dezelfde wijze? Jongen, wat bedoel je?’

‘Nou.’ Codies ogen bleven verlangend naar de boeken kijken. ‘Heb je niet gemerkt dat er rare dingen gebeuren?’

‘Lieverd, ik kom amper mijn huis uit. Dus nee.’ Toth ging zitten in een chesterfield en stak een cigarillo aan. Hij sloot even genietend de ogen, terwijl de eerste rook uit zijn mond ontsnapte. ‘Vertel.’

Codie noemde alle bizarre en onlogische gebeurtenissen op die hij zo uit zijn hoofd wist. Hij eindigde met Kates tijdelijke dood door toedoen van haar eigen familie. Bij dat laatste hield Toth gespannen de rook te lang in zijn keel waardoor hij een hoestbui kreeg. Kloppend op zijn borst met zijn ene vrije hand, tikte hij de as van zijn cigarillo in de asbak met zijn andere hand, meer ernaast dan erin.

‘Verdorie, alle halflingen aan toe! Ik moet wat vaker de deur uit!’ Hij kuchte nog wat na en veegde de tranen weg. ‘Kate dood geweest? Kalon en Kate uit elkaar?’

‘Er zijn toch wel vreemdere zaken gebeurd, niet?’ gaf Codie aan.

‘Vreemder dan dat? Nee, dat slaat werkelijk alles, volgens mij.’ Hij zoog overvloedig aan zijn cigarillo alsof hij daarmee zijn keel weer vrij kon maken. 'Weet je, er is nog iets eigenaardigs dat jullie niet weten.'

'Wat dan?' vroeg Codie gretig.

'Sekhmet wordt de laatste dagen overrompeld door aanbidders uit Ratiowereld.'

'Aanbidders uit Ratiowereld?'

'Ja, papegaaitje van me, uit Ratiowereld. Ze beweren furries te zijn. Wat dat in 's hemelsnaam betekent, weet ik niet, maar ze zijn nogal gek op die donzige kop van haar en noemen zichzelf furries.'

'Hé,' zei Codie peinzend. 'Dat kan verklaren waarom zoveel ratiomensen vermist zijn.'

'Misschien. Het is daar behoorlijk overbevolkt aan het raken bij Sekhmet. Zelfs de locker die bij haar inwoonde, is verhuisd naar een rustiger plek. Een heuse commune is het geworden en ze zijn allemaal zo gek als een centaur.'

Codie zag niet meteen een link tussen gekheid en de centaurs, maar liet het voor wat het was. Toth kwam wel vaker met vreemde vergelijkingen aanzetten.

'Kun je toch nog eens checken of het Voynich manuscript veilig en wel opgeborgen ligt?' vroeg Codie.

Toth keek hem even peilend aan, stond ten slotte op en schuifelde de hal in met de cigarillorook als een sluier achter zich aan.

Codie nam de gelegenheid te baat om snel een boek uit een schap te halen. Het maakte hem niet uit wat voor boek, zolang het maar letters bevatte die gedrukt stonden op knisperend papier. Het was een dun boekje met een eenvoudige zwarte kaft, aan de onderkant gerafeld en het witte papier al vergeeld.

Codie las de titel: 'Waren de Goden Dimensiereizigers?' De auteur bleek Toth zelf te zijn. Codie blikte naar de deur, maar Toth kwam nog niet terug en hij hoorde hem ook niet. Opgewonden sloeg Codie de eerste bladzijde om en begon te lezen.

39 Emowereld: dag 6

"Als u wil dat uw dromen werkelijkheid worden, wordt dan wakker."
Piet Theys

Kate voelde zich lichamelijk volledig in orde, alsof het doodgaan slechts een illusie was geweest. De dokter had haar weifelend ontslagen uit het ziekenhuis, nadat hij de zwaardwond geïnspecteerd had en geconstateerd had dat deze bijna genezen was. Maar voor ze vertrok had ze Melfo en Drake apart genomen en hen meermaals op het hart gedrukt dat ze hen niets kwalijk nam. Het was een ongeluk en iedereen gedroeg zich vreemd tegenwoordig. Drake had haar amper durven aankijken, de tranen rustend op zijn wangen. Melfo had haar, tegen zijn gebruikelijke etiquette in, omhelsd alsof hij haar nooit meer los wilde laten. Nadat Kate van de rest afscheid genomen had, liep ze samen met Kalon, Dille en Gehlen het ziekenhuis uit. Haar truitje had nog steeds een gapend gat op de plek waar het zwaard haar getroffen had. Dat kon ze nu wel weggooien, bedacht ze met spijt. Zelfs de feeën zouden een van haar lievelingstruitjes niet meer kunnen herstellen.

Het daglicht liep op zijn laatste straaltjes en de zon stond als een in vuur gevatte bal laag aan de hemel. Hoe tegenstrijdig ook, toch voelde de temperatuur kil en winters aan, alsof de weerwolven nog niet besloten hadden wat ze wilden.

Kalon wilde Kates hand beetnemen, erin knijpen om zichzelf te verzekeren dat ze echt weer leefde, maar al in het ziekenhuis had hij gemerkt dat ze hem nog altijd op afstand hield. Haar tweede leven had hem geen tweede kans geschonken en die pijn voelde hij tot in zijn botten snijden. En zeker nu hij haar zag, kwam het gemis, dat eerst aanvoelde alsof er een dun vliesje omheen zat, in alle hevigheid terug.

Ze wandelden in een ongenoeglijk stilte die Kalon nerveus maakte, dus vroeg hij: 'Is Codie nu naar Toth om na te gaan of het Voynich manuscript echt vernietigd is?'

'Ja,' klonk het kortaf van Gehlen. Het viel Kalon op dat Gehlen er uitgeteld bij liep. Diepe donkere wallen tekenden zich af onder zijn ogen en zijn anders zo veerkrachtige tred kwam nu moeizaam over. 'Kate?'

'Ehum?'

'Ik wil dat je de Raad contacteert zodra we bij mij thuis aangekomen zijn.'

'Waarom?'

Gehlen hield zo plots halt dat Dille tegen hem opbotste. 'Luister even, jongedame,' zei hij met strak gespannen kaken. 'Ik weet niet wat er met je aan de hand is en misschien wil je het helemaal niet vertellen. Dat respecteer ik. Maar we zijn je vrienden en als er iets is, kun je het ons altijd zeggen.'

Kate knikte en keek naar de grond.

'Als je niet meer met ons wilt werken, dan hoop ik dat je ons dat zegt, zodat we geen tijd meer verliezen. Het is vreselijk wat je vandaag overkomen is, maar we moeten verder. De puzzel valt in stukken uit elkaar en de tijd dringt. Begrijp je dat?'

Wederom knikte Kate, maar ze keek hem niet aan.

'Of je neemt ontslag,' ging Gehlen onverstoorbaar door, 'óf je verleent ons alle hulp die we goed kunnen gebruiken en doet wat ik zeg! Zonder vraagtekens of tegenwerpingen! Begrepen?'

Kates hoofd schoot met een ruk de hoogte in. 'Ja! Ik heb het begrepen!'

Gehlen keek haar vorsend aan. 'En je persoonlijke zoektocht volbreng je maar in je eigen vrije tijd!'

Kate mompelde iets in de trant van: *welke vrije tijd?*, maar Gehlen had zich alweer omgedraaid en stapte resoluut door.

Dille realiseerde zich dat ook Gehlen, sinds zijn verhuis naar Emowereld, zijn emoties de vrije teugels gaf. Vroeger kwam hij veel beheerster over.

Kalon blikte even opzij en zag de furieuze blik in Kates ogen. Maar naarmate ze Gehlens huis naderden, stelde hij opgelucht vast dat ze bijdraaide en haar schouders niet meer zo scherp stonden. Kate had nooit lang boos kunnen blijven. *Behalve dan wat mijzelf betreft*, dacht hij droevig.

Dille voelde zich zo gespannen als een veer door de laatste gebeurtenissen en dan ook nog eens Gehlens uitval. Ze verlangde naar huis en Henks omhelzingen. Onbewust legde ze een hand beschermend op haar zwangere buik.

In de woonkamer gingen ze allen meteen zitten. Gehlen vond een briefje van Natasha dat ze, nu het weer wat opgeklaard was, met Arle uit wandelen was.

'Kate, roep de Raad op en vraag wat er in 's hemelsnaam aan de hand is.' Toen hij zag dat Kate haar mond opende, onderbrak hij haar. 'Ik weet dat de Raad zich niet met ons bemoeit, maar verdorie! Probeer het dan in ieder geval!'

Kate sloot gehoorzaam, maar met duidelijke tegenzin, haar ogen. Gedurende enkele seconden was het, afgezien van de subtiele straatgeluiden, volkomen stil in de kamer. Kate opende haar ogen en schudde haar hoofd. 'Geen gehoor. Compleet niets. Het lijkt zelfs alsof de lijn dood is.' Ze klonk niet eens verbaasd, alsof ze zoiets verwacht had.

'Gebeurt dat nog wel eens?' vroeg Dille.

'Nee, normaal antwoorden ze wel, zelfs als ze niets willen zeggen.'

'Erg eigenaardig,' voegde Kalon eraan toe.

'Hoogst eigenaardig, ja,' beaamde Gehlen. Hij had zich nog nooit zo wanhopig gevoeld als bij de problemen van de afgelopen dagen.

‘Ik heb enkele dingen ontdekt,’ zei Kate toen. Ze realiseerde zich dat hoe sneller ze vonden wat de oorzaak was van alle vreemde zaken, hoe sneller ze haar eigen zoektocht verder kon zetten. Dus zou ze nu volledig meewerken, al ging het niet van harte.

‘En daar kom je nu mee.’ Gehlen klonk al lang niet meer boos, alleen uitgeblust.

‘Ik was dood, weet je wel!’ riep Kate onverwachts uit.

‘Sorry,’ zei Gehlen, maar meende het niet. Ze had voordien genoeg gelegenheden gehad om het te vertellen.

Kate zuchtte. ‘Ten eerste is het elfenbos magieloos geworden.’

‘Magieloos?’ herhaalde Dille.

Kate legde geduldig uit. ‘Normaal is het elfenbos een plaats die omgeven en doordrongen is van magie. Je kunt het zelfs ruiken in de lucht, een kruidige metaalachtige geur met een zoete bovenlaag. Je merkt het zodra je een voet in het bos zet. Het omringt je als plakkerige rook en je voelt je vol leven en schoonheid, alsof je het mooiste en meest verheven schepsel op de wereld bent. Daarom is de natuur er zo prachtig.’

‘En dat is nu weg?’ Dille weer met grote ogen.

‘Compleet weg, ja. Ik bezocht Melfo en hij zag er niet uit! En dat is heel wat voor een elf. Zijn kledij was vuil en gekreukt, zijn haren en huid onverzorgd, zoals in het ziekenhuis. Geloof me, dat is net als dat jullie president in een nachtjapon op televisie zou verschijnen.’

‘We begrijpen het,’ spoorde Gehlen Kate ongeduldig aan.

‘Melfo zei ook dat de problemen die zich nu voordoen te groots en te ernstig zijn om door ons opgelost te worden,’ voegde Kate er nog schouderophalend aan toe.

‘Dat klinkt alsof hij er meer vanaf weet,’ zei Kalon.

‘Hij wilde niets meer loslaten en werkte me als een vervelende schaduweter weg,’ zei Kate toonloos. ‘En er zijn apanzers in de buurt.’

‘Apanzers?’ Kalon bewoog onrustig heen en weer. ‘Die vermijden toch de bevolkte gebieden sinds…’

‘Ik heb er gezien,’ zei Kate nukkig.

Dille tikte verwoed op haar laptop, op zoek naar uitleg over de apanzers. Ze nam de tekst snel door en trok haar neus op. ‘Jakkige wezentjes. En o, hoe durfden ze!’

Gehlen kon het geen moer schelen wie of wat ze waren, het was een zoveelste anomalie bij de andere. ‘Kate, blijf de Raad met tussenpozen oproepen tot ze gehoor geven.’

‘Mijn lijstje van alle vreemde zaken heeft nog geen overeenkomsten gevonden,’ zei Dille. ‘Ook Arthur zag geen connecties.’

Bijna had Gehlen uitgeroepen: ik geef het op! Bijna. Maar zijn trots stond in de weg. Ze moesten het vinden, ze moesten weten wie of wat erachter zat!

Kalon keek uit het raam en grijnsde om wat hij daar zag gebeuren.

En de anderen schrokken op toen er een eigenaardig geluid op straat klonk, dat almaar dichterbij kwam.

Klikklak tik tikkerdetik klikklak…

40 Emowereld: dag 6

"Als iemand vol vertrouwen in de richting van zijn dromen gaat, en het leven durft te leven dat hij zich heeft voorgesteld, zal hij een succes hebben dat hij nooit had verwacht."

Henry David Thoreau

Codies extreme intelligentie ging gepaard met een hoge leessnelheid die met gemak vier keer de snelheid van de gemiddelde lezer was. Dat, met daarbovenop de spannende en interessante lectuur, bracht hem algauw op een derde van het boek. Toth was zeker een getalenteerd schrijver en zelfs droge kost kon hij zo omschrijven dat het las als een stationsromannetje: eenvoudig en bondig.

Het boek combineerde vergaarde speculaties en theorieën, vage en scherpe bewijzen tot een bepaalde conclusie: de Raad zou niet van deze wereld, noch van een andere gekende wereld, afkomstig zijn. Het waren uitzonderlijk krachtige entiteiten die de beide werelden, Emo- en Ratiowereld, geschapen hadden. Harde bewijzen konden niet ontdekt worden, maar één plus één was toch twee, althans volgens Toth, en tot nu toe had geen enkel wezen diezelfde hoeveelheid kracht om door tijd en dimensies te reizen, stond er als een van de vele argumenten.

Codie dacht aan zichzelf. Ook hij kon teleporteren en dat niet alleen van plaats naar plaats, maar ook al tussen de beide werelden, die toch in twee dimensies gelegen waren. Voor zover hij wist, was hij de enige ratiomens die het teleporteren tot een dergelijk hoog niveau had getild en het was hem al tweemaal gelukt om de sprong tussen Emo- en Ratiowereld te maken. Codie vroeg zich af of het hem ooit zou lukken door de tijd heen te reizen, net als de Raad.

Maar het was de eerste maal dat Codie zijn gave in twijfel trok. Als hij de enige was, buiten de Raad dan, wat betekende dat dan? Waarom kon hij het wel? En dan nog wel als ratiomens, niet eens als emowezen.

Die gedachten schoten door hem heen terwijl hij verder las. De Raad zou dus beide werelden gecreëerd hebben. Waarom, vroeg Codie zich af, met welk doel? Was er eigenlijk wel een verklaring voor te vinden? Misschien waren het verwende, verveelde wezens geweest die zomaar even zin hadden gehad in het doen ontstaan van werelden. Net als kinderen die met blokjes hele steden en gebouwen vormden. En hoe hadden ze dit dan gedaan?

Snel sloeg Codie de bladzijden om op zoek naar een antwoord.

Volgens Toth waren er meerdere mogelijkheden. Ook hij was van mening dat de wezens graag dingen creëerden en zo besloten hadden om nieuwe werelden te maken. Een tweede mogelijkheid was dat ze hun eigen wereld achter zich hadden moeten laten, door vernietiging of een andere oorzaak, zodat een nieuwe thuisbasis een noodzaak was geweest. Dat laatste leek Codie aannemelijker. Hoewel, als ze de kracht hadden om werelden te scheppen, waarom hadden ze dan hun eigen wereld niet kunnen redden?

Codie schrok op toen hij gekuch hoorde. Toth stond grijnzend naast hem.

'Goed boek?' vroeg hij met glinsterende oogjes.

'Nogal, ja,' beaamde Codie. 'Zou ik die mogen lenen?'

'Het is geschreven in het Babels, lieverd, de taal uit deze wereld. En je weet dat zodra je dit boek uit deze bibliotheek haalt, je er geen woord meer van begrijpt.'

Teleurgesteld besloot Codie: 'Ik moet me hoognodig die taal eigen maken. Mag ik dan eens terugkomen om het boek te lezen?'

'Dat spreekt vanzelf!'

‘Bedankt!’ Codie plaatste het boek zorgvuldig terug in de kast. ‘En ligt het Voynich manuscript er nog?’

‘Zowaar ik een halfling ben, ja!’

‘Toth? Mag ik je mening over iets vragen?’

‘Natuurlijk, jochie, zeg eens.’

‘Wel… ik las net dat teleporteren tussen dimensies een kracht is die alleen aan de Raad voorbehouden is.’

‘Ja, dat klopt.’

‘Ik kan het ook.’

Toth keek Codie aan alsof er plots bloemen uit zijn hoofd groeiden. ‘Dat is erg bijzonder.’

‘Onlogisch ook?’

‘Op zijn minst.’

‘Wat kan dat betekenen?’

‘Lieverd, ik zou het niet weten. Maar bedankt, je geeft me net een nieuw onderzoeksonderwerp. Ik ga er meteen achteraan.’

Codie knikte. ‘Goed, bedankt. Dan kom ik later wel eens terug. De anderen wachten op antwoord.’

‘Dan wens ik jullie nog een behouden zoektocht.’ Toth stak zijn hand in de lucht en vormde met zijn vingers een V, waarbij zijn wijs- en middelvinger van zijn ringvinger en pink gescheiden werden. ‘Leef lang en voorspoedig.’

‘Hè?’ vroeg Codie.

Toth wuifde het glimlachend weg. ‘Een oneliner uit een tv-serie uit de vroegere Ratiowereld. Ver voor jouw tijd, maar een fantastische serie!’

Buiten stroomde de gouden schemer over de bomen heen. Codie besloot te teleporteren, want de auto die hem gebracht had, was natuurlijk al lang weergekeerd naar het centrum van Hoofdstad en hij had geen zin in een wandeling. Er schraapte iets aan de binnenkant van zijn hersenpan, een tinteling zoals een *aha-erlebnis*, maar hij kreeg die niet te pakken. Een wandeling zou hem alleen maar meer doen piekeren, dus sloot hij zijn ogen en concentreerde zich op Gehlen. Met een *plop*geluid verdween hij.

Toen hij opnieuw vaste grond onder zijn voeten voelde, opende hij zijn ogen en botste tegen iemand op. Hoewel, eigenlijk was het omgekeerd.

'Hé, kijk uit!' Het meisje dat voor hem stond was ongeveer even lang als hij, had een huid zo donker en glanzend als zwart opaal en mokkakleurige ogen. Volle, zwarte krullen stonden alle kanten op, wat haar een vrolijk en speels uiterlijk gaf. Haar opgetrokken wipneusje stond echter afkeurend.

'Sorry,' stamelde Codie en keek om zich heen. Nou, hij was voor het huis van Gehlen aangekomen, dat wel. Hij zag de rest van de groep in de woonkamer zitten en Kalon die naar hem zwaaide.

'Je had me bijna geplet!' Het meisje stond parmantig met haar handen in de zij en haar benen wijd gespreid.

'Dat zou niet gebeurd zijn, hoor,' verdedigde Codie zich.

'Nou ja, wat deed je eigenlijk?' Ze hield haar hoofd schuin en keek hem nieuwsgierig en met schitterende ogen aan.

'Ik teleporteerde.'

Het meisje floot bewonderend. 'Woewee, dat kan ik alleen met kleding.'

'Wat kan je alleen met kleding?'

'Teleporteren, sufferd, dat zei je toch net!'

'Bedoel je dat je alleen kunt teleporteren als je gekleed bent, niet als je naakt bent?' Codie vond haar erg aantrekkelijk, maar ze praatte een beetje verwarrend.

Ze grinnikte schokkerig, alsof ze zich inhield. 'Nee hee, natuurlijk niet. Ik kan alleen kledingstukken teleporteren, niet mezelf! Dat kan bijna niemand.' Ze keek hem peilend aan. 'Maar jij wel, hé?'

Codie knikte en keek snel naar de grond. Hij schuifelde een beetje ongemakkelijk op zijn voeten heen en weer.

'Ben je een ratiomens?' vroeg ze toen.

Hij keek weer op. 'Ja, maar ik woon hier.'

‘Hier?’ Ze knikte naar Gehlens huis.

‘Nee, maar vlakbij.’

‘Ik ben een fee,’ zei ze met een brede glimlach om de lippen.

‘Een fee?’

‘Ja.’ Nu keek ze boos. ‘Nog nooit van feeën gehoord?’

‘Ja, jawel,’ antwoordde Codie snel. ‘Het is de eerste maal dat ik een fee ontmoet, vandaar.’

‘O. Maar weet je, wanneer je in Emowereld kleding koopt, is de kans groot dat je een creatie van een fee aan hebt. In ieder geval als je poen hebt.’

‘Hoezo?’

‘Ontwerpen van feeën zijn exclusief, hoor! Die van mij ook!’

Hij moest eigenlijk naar binnen, maar was zo geïntrigeerd door het meisje voor hem, dat hij het nog even wilde uitstellen.

‘O, wacht eens even,’ zei Codie met grote ogen. ‘Ik heb eens gehoord dat feeën achter het fenomeen zitten van dromers die plots naakt zijn of opeens iets compleet anders aanhebben.’

Het meisje knikte trots.

‘Dat bedoelde je dus met het teleporteren van kleding.’

‘Ja,’ zei ze. ‘We testen onze creaties uit op nietsvermoedende dromers. Ze vergeten het toch weer bij het ontwaken.’

Codie grinnikte. ‘Leuk, hoor.’

‘Ik heet Sofie en ik woon hier vlakbij.’ Ze keek Codie veelbetekenend aan.

‘O.’

‘Het huis met de mosgroene kleur en gouden strepen.’

Codie vond haar glimlach iets fantastisch om naar te kijken. ‘O, oké.’

‘Dat is een uitnodiging, hoor!’ stootte ze nu fel uit. Toen ze Codies geschrokken uitdrukking zag, liet ze haar schouders zakken. ‘Ah, ik vergeet dat je een ratiomens bent.’

‘Euh.’ Codie voelde het schaamrood op zijn wangen stijgen. ‘Ik kan nu niet. Later?’

‘Heb je al iemand?’

‘Nee.’

‘Goed zo, ik ook niet. Alleen sekspartners, maar ik zoek iets serieuzers.’

Haar directheid zou hem niet moeten verbazen, tenslotte waren alle emowezens zo. Toch slikte hij even voor hij zei (en tegelijkertijd dacht: *wat zou het ook, laat ik er maar voor gaan*): ‘Ik ook.’

‘Hoe heet je?’ vroeg ze met een scheef glimlachje.

‘Codie. Codie Van Holm.’

‘Sofie dus, Sofie Faalers.’

Codie stak zijn hand uit. Ze negeerde het gebaar en sloeg haar armen om hem heen. ‘Je bent een lieverd, maar zo groeten we in Emowereld,’ zei ze dicht tegen zijn oor, waarna ze hem op de lippen zoende. Ze liet hem los en keek hem diep in de ogen. ‘Wacht niet te lang!’

Toen draaide ze zich om en liep huppelend weg. Hij staarde haar nog lang na, haar wapperende groene jurk, die prachtige donkere benen die eronderuit staken, die springerige krullen.

Met tegenzin liep hij richting de voordeur van Gehlens huis. Door het raam zag hij Kalon grijnzend naar hem kijken en opnieuw voelde hij de blos op zijn wangen verschijnen. Voor hij echter zijn vuist op de deur liet neerkomen, hoorde hij een raar geluid achter zich.

Klikklak tik tikkerdetik klikklak.

Hij keek achterom, hopend dat Sofie weergekeerd was om hem nog eens te omhelzen, toen hij een vreemd uitziend figuur op zich af zag komen.

41 Emowereld: dag 6

"De geschiedenis levert een volk dromen, bedwelming, vervalste herinneringen en grootheidswaan."

Paul Valéry

Hecate zat op een rots, uitkijkend over de oceaan. Een zacht windje, zwaar van de geur van schelpen en zout, beroerde haar huid. Ze snoof het jodium uit de zilte lucht tot diep in haar longen op en dacht aan de boodschap die ze aan Kate had doorgegeven en onderbroken was geweest. Het kon niets anders betekenen dan dat Kate meerdere levens had, een erfenis van haar vampiervoorouders. Hecate glimlachte. Het was dus toch nog goed gekomen. Gelukkig! Even krachtig als de woeste golven tegen de rotsen stuksloegen, voelde ze een overweldigend tevreden gevoel door zich heen stromen. *Kate leefde nog! Ze leefde nog!* Het bleef als een mantra door haar hoofd razen.

Wat Hecate nu echter zorgen baarde, was de eigenaardige stroom van de oceaan. Golven rolden niet alleen op de kust, maar ook in tegenovergestelde richting. Het schuimende water vertrok van het rotsachtige strand en nam in omvang toe naarmate ze in de verte verdween. Metershoge muren van krachtige watermassa's joegen elkaar op en botsten tegen elkaar aan met een agressie waar Hecate rillingen van kreeg. Dit onnatuurlijke en onlogische fenomeen had zich nooit eerder voorgedaan. Hecate begreep niet wat de aanleiding hiervoor kon zijn. Zelfs Poseidon kon hier niet voor verantwoordelijk zijn. Temeer omdat hij, indien hij de aanstichter zou zijn, daarmee al het leven onder die rollende oppervlakte zou bedreigen en in gevaar brengen.

Haar weerwolven, die een tegendraads weerbeleid voerden, en deze absurde golfslag waren natuurfenomenen die duidelijk in de war geschopt waren. Maar waardoor? En was het tijdelijk of zou het doorgaan tot het alles vernietigde en de steden, zelfs degene op verre afstand, zou verwoesten?

En waarom ondernam de Raad niets? Ze moesten op de hoogte zijn, dat leed geen twijfel. Ze wisten en zagen alles! Tenzij ze... Nee, dat was onmogelijk. Ze zouden het niet in hun hoofd halen om de werelden te verlaten en alle wezens en mensen aan hun lot over te laten. Toch? Nee, Hecate schudde haar hoofd alsof ze het tegen iemand anders had, nee, zo vals was de Raad niet. Ondanks wat ze allemaal in het verleden gedaan hadden, wist Hecate dat de Raad beide werelden koesterde als haar eigen kinderen.

Hecate zuchtte diep en besloot terug te keren naar haar geliefde bossen. De zee met zijn vervelend glijdend geluid, dat nu zelfs luider dan gewoonlijk klonk, werkte haar op de zenuwen. Ze snakte naar de ontspanning van twinkelende bladeren en koele schaduwen.

In een fractie van een ogenblik stond Hecate onder haar favoriete prieeltje van bladeren en takken. Ze hurkte en ging zitten op een bedje van vrouwenmantel, een kruid dat zijn fluwelen zachtheid behield, doordat de dauwdruppeltjes tot aan de avond toe de blaadjes glinsterend bedekten. Afwezig streelde haar handpalm over de plant, waarna ze over haar gezicht streek, zodat het vocht haar huid verfriste.

Ze vroeg zich af of zij de Raad zou contacteren, maar verwierp het idee al even snel als het opgekomen was. In verbinding met hen zou ze heimwee kunnen krijgen of ze konden haar overhalen om... En dat sloot meteen de mogelijkheid uit om hen op te zoeken. De kans bestond dat ze haar niet meer naar Emowereld lieten terugkeren.

Hecates gedachtemolen werd door naderende voetstappen, die takjes en bladeren verpulverden tot een krakend lied, onderbroken.

'Hecate, post!' riep een diepe baritonstem.

De stem, die tussen de bomen vandaan kwam, behoorde toe aan Bud, een van de postbodes uit Hoofdstad. Zijn bolle wangen met die ongelooflijk stralende glimlach brachten Hecate meteen in een beter humeur. Hijgend naderde hij het prieeltje en veegde het zweet van zijn voorhoofd.

'Hallo, Bud,' groette Hecate hem. 'Ik verwacht geen post.'

Bud steunde even op zijn knieën, wat niet zo eenvoudig was omdat zijn immense buik behoorlijk in de weg zat, en rechtte zich toen. 'Het is reclame.'

'Reclame?' Hecate trok verwonderd haar wenkbrauwen op. 'In deze wereld? Waar heb je het over, Bud?'

'Nou ja, reclame en een politieke boodschap. Kan ik?' Hij wees naar een gevallen boom waar de houtsplinters aan de randen uitstaken.

'Natuurlijk, ga zitten.'

Bud ging zitten, stak zijn hand in de bruinlederen tas die om zijn bovenlijf hing en diepte er twee enveloppen uit op die hij Hecate overhandigde. Ze opende de eerste envelop, haalde er een zilverglanzend vel uit en las de sierlijke boodschap in gouden letters.

Huis Lampér stelt voor:
De nieuwe parfumsensatie!
Vleugje Kanaa (subtiel en verfrissend)
Beperkte voorraad! Wees snel!

Hecate herlas de boodschap enkele malen en schoot toen in de lach. Bud, die het reclamefoldertje al aan diverse wezens en mensen had overhandigd, grinnikte mee, waardoor zijn buik op en neer bolde.

'Sinds wanneer gebruikt Gaston reclame om zijn nieuwe parfums aan te prijzen?' zei Hecate.

'Een ratiomens vertelde hem dat reclame een goede manier is om klanten aan te zetten tot kopen,' verklaarde Bud en trok grijnzend zijn schouders op.

'Tja, zoveel kwaad kan het niet, toch?'

'Ik veronderstel van niet.'

'Dan zullen de andere parfumhuizen ook wel snel volgen.'

'Meer werk voor ons postbodes,' antwoordde Bud laconiek.

'Goed, de tweede envelop.' Hecate scheurde die open. 'Politieke boodschap, zei je?'

Bud knikte.

Een eenvoudig, wit vel met zwarte letters verscheen:

WIJ EISEN VERKLARINGEN VAN DE RAAD!

OF WE NEMEN HET RECHT EN BESTUUR IN EIGEN HANDEN!

BEN JE HET HIERMEE EENS, KOM DAN OM 12 UUR DEZE NACHT NAAR HET PARK VAN HOOFDSTAD!

'Meerdere wezens hebben geprobeerd om de Raad te spreken te krijgen,' zei Bud triest. 'Het begint op te vallen dat veel in duigen valt. Te veel vortexen...'

'Vortexen? Hoeveel?' Hecate kon de paniek in haar stem niet verbergen.

Bud schokschouderde. 'Meer dan anders, dat is zeker. Bovendien is er nogal wat aan de hand. Apanzers en zandduivels wagen zich in de steden en droomobjecten blijven vaker dan anders achter.'

Hecate zuchtte diep. 'Ik begrijp er niets van. Maar de fantasiejagers zijn er toch mee bezig?'

'Ja, dat wel, maar ik denk dat de problemen zelfs hen boven het hoofd groeien.'

'Zijn er alleen problemen in Emowereld?' Van deze vraag, besefte Hecate, hing heel veel af.

'Ik dacht het niet. De geruchten gaan dat ook in Ratiowereld vreemde zaken plaatsvinden.'

Bud viste een sandwich met dikke plakken kaas uit zijn tas. De overvloedig gebruikte mayonaise droop op zijn broek. Hij nam een zijdelingse hap en slikte die, na enkele snelle kauwbewegingen, door.

'Hecate?'

'Ja?'

'Waarom probeer jij niet eens de Raad te bereiken?'

Hecate keek hem met een ondefinieerbare blik aan. Bud kende haar nu al enkele duizenden jaren en nog steeds was ze ondoorgrondelijk en leek ze gebukt te gaan onder een mysterieus geheim dat als een kleverig fluïdum om haar heen hing.

'Als het niemand lukt, dan mij ook niet,' zei ze, maar het klonk als een excuus.

Bud ging er niet op in, daarvoor respecteerde hij haar te veel. 'Goed, dan ga ik mijn ronde afmaken. En er wachten nog een paar postduiven die gevoed moeten worden. Jezus en Ron durven het nog al eens te vergeten en Mo is op vakantie.'

Hij stond op en streek de plooien in zijn blauwe corduroy broek glad, waardoor de gedrupte mayonaise vette vegen vormde. 'Kom jij naar die bijeenkomst?' vroeg hij.

Hecate staarde afwezig voor zich uit. 'Ik weet het niet. Misschien.'

'Tot later dan!' Kwiek verdween hij tussen de bomen door.

'Tot later,' fluisterde Hecate. Maar als haar vermoedens, die meer en meer ondersteund werden door indirecte bewijzen, juist waren, dan zou dat later waarschijnlijk nooit komen.

42 Emowereld: dag 6

"Wij hebben altijd nog onze dromen om het onbereikbare aan te raken."

Jos Vandeloo

De avond was als een zwarte deken over de stad gevallen en de lucht rook naar munt en lavendel, fris en schoon. Sterren fonkelden om het hardst om de maan bij te staan in het weinige licht dat de halve sikkel kon produceren.

Het vreemde, tikkende geluid, dat iedereen gehoord had, bleek een sjamaan uit Ratiowereld te zijn. Dansende Voeten was zijn naam en hij bracht de groep slecht nieuws. Hij was door het Portaal naar Emowereld gekomen en niet door middel van paddenstoelen, zoals sjamanen meestal deden. Hij kende de groep door zijn goede vriend Klappende Handen en besloot dat zij de aangewezen personen waren om zijn eigenaardige ontdekking aan mee te delen.

Nu zat hij samen met de fantasiejagers in de woonkamer, even somber en ten einde raad als de rest van hen. Codie had hen al verteld dat het Voynich manuscript veilig en wel opgeborgen bij Toth lag. Natasha, die intussen thuisgekomen was, probeerde de sfeer met zoete hapjes en een Bacchuswijn op te vrolijken, maar slaagde daar niet in. Mechanisch en zonder smaak verdwenen de pralines en gevulde marsepein in de monden, weggespoeld met de volle wijn. Zelfs de gekke capriolen van de telekinetische Arle en haar uitbundige kreetjes brachten slechts flauwe glimlachjes teweeg.

'Dus alle krachtdieren zijn verdwenen.' Gehlen staarde in zijn glas en liet de wijn zachtjes klotsen.

De sjamaan die wijdbeens op een stoel zat, knikte droevig. 'Er waren er al minder dan vroeger, veel minder. Toch leek het de goede kant op te gaan en namen ze de laatste tijd in aantal toe. Maar nu zijn ze helemaal verdwenen.'

Krachtdieren waren dan wel wezens die verspreid over de bossen in Emowereld woonden, ze stonden in sterke verbinding met de laatst overgebleven sjamanen in Ratiowereld.

De sjamanen leefden in de meer primitieve delen en net als de krachtdieren waren er maar enkele overgebleven. Krachtdieren leken op de dieren waar ze de kracht aan ontleenden, maar waren geen dieren in de strikte zin van het woord. Ze verschenen enkel als dusdanig; zoals in de vorm van een arend als iemand de scherpe blik van een arend kon gebruiken.

Doordat er minder personen in krachtdieren geloofden, daalden ze in aantal, want ze konden niet bestaan zonder nuttig te zijn. En omdat ratiomensen hen de laatste eeuw niet meer om kracht of hulp vroegen, verdwenen ze stilaan. Enkel dankzij de sjamanen waren er nog een aantal in leven. Dat de laatste krachtdieren echter zo plots, in een oogwenk, opgelost waren, was vreemd.

'Jullie moeten ze terugbrengen! Wij sjamanen hebben ze nodig.' De sjamaan zuchtte diep toen hij de vragende blikken van de anderen zag. De lange kralenkettingen om zijn hals tinkelden toen hij zich vooroverboog om zijn glas wijn te pakken. 'Elke sjamaan heeft een krachtdier. Kate, jij weet vast nog wat het krachtdier van Klappende Handen was?'

'Ja, de luiaard.'

'Precies, dat van mij was het stokstaartje. Een sjamaan en zijn krachtdier vormen een soort symbiose. Het is alsof we nu zonder ziel zitten of zonder armen. Ik...' De sjamaan nam een slok, plaatste het glas terug op de salontafel en streek door zijn lange, grijsbruine haren. Zijn diepgroene ogen stonden triest toen hij met een krop in de keel vervolgde. ‘Ik voel me maar een half mens, snap je?’

De groep knikte. Ze leefden met hem mee, maar ze konden dit probleem niet de aandacht geven die het verdiende, omdat het een zoveelste was op de lange lijst.

‘We doen ons best,’ zei Gehlen.

‘Ik heb nog iets aan de problemen toe te voegen,’ begon Codie.

‘Nee, hé, het houdt maar niet op,’ kreunde Dille.

‘Wat dan?’ vroeg Gehlen.

‘Toth vertelde me dat Sekhmets huis door ratiomensen, die haar aanbidden, overspoeld wordt. Ik geloof dat hij ze furries noemde.’

‘Wat zijn dat nu weer!’ Gehlen sloeg op zijn bovenbenen. Toen wuifde hij met zijn handen. ‘Laat maar zitten ook. Het zal wel deel uitmaken van wat er allemaal gebeurt de laatste dagen.’

‘Hebben jullie echt nog geen idee?’ vroeg Dansende Voeten op wanhopige toon.

Gehlen schudde zijn hoofd. ‘En de Raad lijkt wel op vakantie. We kunnen ze niet bereiken.’

‘Onze presidente dan?’

‘Die bemoeit zich alleen maar met de problemen in Ratiowereld en daar heeft ze al de handen aan vol.’

Vlak voor Codie en Dansende Voeten binnenkwamen, had de groep op Dilles laptop het laatste nieuwsbericht uit Ratiowereld gevolgd. De presidente had te verstaan gegeven dat ze niet begreep waarom alle gevangenen vrij waren gelaten, maar dat ze er alles aan deed om dit uit te zoeken en op te lossen. Enkele groepen fantasiejagers, in samenwerking met de politie, waren eropuit gestuurd om de vrijgelaten gevangenen op te sporen en terug te brengen naar de gevangenis. Intussen ondervroegen ze de bewakers die ervoor verantwoordelijk geweest waren. Het enige dat de bewakers unaniem als verklaring opwierpen, was dat ze de reden waarom die mensen in de cel waren gestopt, onredelijk en inhumaan vonden.

Dit, plus de vele betogingen, de dalende werkijver en stagnerende economie, het terughalen van magische voorwerpen en de druk bezochte VR-clubs, hielden de regering en de IFG voldoende bezig.

'Doet me eraan denken... Dille?' Gehlen keek haar vermoeid aan.

'Ja?'

'Stuur een bericht naar de IFG dat de oorzaak voor het verdwijnen van ratiomensen waarschijnlijk aan dat gedoe bij Sekhmet gekoppeld is.'

'Oké.' Dille likte de chocolade van haar vingers en ging meteen aan het werk, blij iets om handen te hebben.

'Toch nog iets wat duidelijkheid krijgt,' zei Gehlen.

'Maar we weten niet waarom ze allemaal zo massaal naar Sekhmet toegaan,' wierp Codie tegen.

'Zou Sekhmet er zelf achter zitten?' opperde Dille, zonder van haar tikwerk op te kijken.

'Nee,' kwam Kate snel tussenbeide. 'Ik weet wel zeker van niet.'

'Waarom?' vroeg Gehlen.

'Omdat ze de moeite niet zou nemen. Ze is tevreden met haar leven zoals het nu is en is helemaal geen kenau zoals iedereen denkt. Bovendien zou ze het dan niet aan de grote klok hangen, omdat ze weet dat wij achter haar aan zouden komen.'

Gehlen was niet overtuigd, maar besloot Kate te vertrouwen. Temeer omdat hij bang was om haar weer weg te jagen.

Kate keek naar buiten en zag enkele omnibollen in de verte voorbijrollen, af en toe stoppend om vuilnis op te eten. Ze wilde dat ze een dergelijk eenvoudig bestaan als die wezens kon leiden, zich alleen druk makend over het feit of er wel voldoende afval te vinden zou zijn. Een rustig leven, zoals ze dat vroeger had gehad, voor de kennismaking van beide werelden. Toch zou ze de tijd niet willen terugdraaien. Het zou hoe dan ook allemaal wel in orde komen.

In een flits realiseerde Kate zich dat ze zich beter voelde, althans positiever dan ze zich in dagen had gevoeld. Het was alsof ze een rust over zich heen voelde glijden, een rust die alle negatieve en verontrustende gedachten met zich meenam. De harde, koude cocon die haar gevangen gehouden had, vertoonde eindelijk barsten. Ze vroeg zich af waar dit zo plots vandaan kwam en of Elise, haar betovergrootmoeder, er iets mee te maken had. De overgang van onverschilligheid en gevoelloosheid had te abrupt plaatsgevonden. Het was zoals een emmer water die over je heen gegoten werd, dat voelde anders aan dan zelf onder een douche te gaan staan.

Ze blikte even naar Kalon en besefte wat een trut ze geweest was. Als iemand het niet verdiende om als vuil behandeld te worden, dan was het Kalon wel. En net hem had ze het hardst getroffen. Kalon ving haar blik en glimlachte haperend. Beschaamd en schuldbewust wendde Kate haar hoofd af. Ze durfde zijn aura niet te lezen, bang voor wat ze erin zou aantreffen. Bang dat zijn liefde voor haar er niet meer in te vinden zou zijn. O, wat haatte ze zichzelf op dit moment. Kalon was te zachtaardig om boos op haar te blijven of om het haar betaald te zetten. Hij zou, galant als hij was, zijn vriendschap blijven aanbieden, zelfs al nam ze hem nooit meer terug. Ze verdiende het echter niet, vond ze zelf. Ze verdiende het om te lijden en de tijd te nemen te overdenken waarom ze hem zo had behandeld en hoe ze het goed kon maken.

Kalon vatte de onbeantwoorde glimlach van Kate op als een teken dat ze hem niet in haar buurt wilde en nog steeds nijdig op hem was. Het deed hem pijn, zoveel pijn. Hij wilde het liefst weggaan om ergens alleen in een grot te gaan zitten. Weg van iedereen en weg van Kates afwijzende houding. Hij hield nog zo ontzettend veel van haar!

'Laat me even aan Hecate raad gaan vragen,' stelde Kate voor.

'Kate…' Gehlen klonk alsof zijn geduld ten einde was. 'Wat heb ik-'

'Nee, je begrijpt het verkeerd.' Kate glimlachte.

Op dat moment dacht Codie een flits van de oude Kate te herkennen. Hij hoopte enorm dat het inderdaad zo was.

'Ik ga Hecate niet opzoeken voor mijn persoonlijk gewin, hoewel ik het natuurlijk altijd kan vragen als ik er dan toch ben. Ik wil haar raad vragen, omdat zij een van de oudste bewoners in Emowereld is.

Als iemand meer weet, is zij het wel. Ik ken maar enkele wezens die ongeveer even oud schijnen te zijn als zij: Pan, het Orakel en Venus. Er zijn er vast meer, maar die ken ik niet persoonlijk.'

'Hoe oud is ze dan?' vroeg Codie zich af.

'We denken dat ze een hogere elf is. Een soort die het langst in Emowereld bestaat, dus zeker een paar duizend jaar oud,' antwoordde Kalon.

'Wat betekent dat? Hogere elf?' Dille had haar laptop dichtgeklapt en op de grond gelegd.

Kate antwoordde: 'Het enige dat we weten is dat ze ongekende krachten hebben, meer dan welk wezen dan ook, behalve de Raad dan.' Meer kon ze niet zeggen. Haar zwijgbelofte mocht ze niet schenden.

Gehlen knikte. 'Goed dan. Ga erheen, Kate.'

'Ik kan wel beter wachten tot vannacht. Ze schijnt overdag vooral te slapen en ontvangt het liefst bezoek tijdens de nachtelijke uurtjes.'

Kalon stond op het punt om haar aan te bieden haar te vergezellen, maar hield zich in. Ten eerste was het beter als Kate Hecate alleen benaderde zodat ze meer informatie zou verkrijgen, en ten tweede zou Kate zijn gezelschap niet op prijs stellen.

'Laten we allemaal naar huis gaan en hier om... zeg maar, drie uur vannacht weer samenkomen?'

Ze stonden allen op en nadat ze Natasha en de baby welterusten gewenst hadden, gingen ze elk hun weg.

Dille voelde opluchting dat ze eindelijk naar huis en vooral naar Henk kon gaan. Ze wilde zich in zijn armen nestelen en zich overgeven aan de ontspanning die ze zo hard nodig had. Maar wat ze niet wist, was dat haar nog lang geen rust gegund werd. Er wachtte haar thuis nog een behoorlijk vervelende verrassing.

43 Emowereld: dag 6

"Introvert: dromen dat je een nachtmerrie hebt."

Toon Verhoeven

Het was een klein stukje lopen naar haar huis. Dille genoot van de nachtelijke geluidjes en de rust die de illusie gaf alsof er helemaal niets aan de hand was in Emowereld en alles normaal verliep.

Ze trok haar jas strakker om zich heen en nam zich voor tot drie uur vannacht niet meer te denken aan alle problemen die zich voordeden, maar enkel aan leuke dingen. Haar handen gingen naar haar buik en ze voelde zich warm worden. Haar lieve baby, die almaar groeide. Met een schok bedacht ze dat al die veranderingen misschien ook invloed hadden op haar kind in ontwikkeling, maar schudde toen snel die gedachte van zich af. *Leuke dingen, Dille, alleen positieve gedachten!*

Ze grinnikte. Henk was dolblij geweest met het schilderij van Frege. Hij had ontroerd gereageerd toen hij vernam dat ze er zoveel moeite voor gedaan had en hartelijk gelachen om haar beschrijvingen van Freges gedrag. De avond was geëindigd in een langdurige, intense vrijpartij en ze waren beiden midden in de nacht, in elkaars armen op de bank, wakker geworden.

Dille kon ervoor kiezen de weg te nemen door het centrum van Hoofdstad of via de buitenranden. In een opwelling had ze zin om nog iets voor Yelena, haar dochtertje, te kopen. Het centrum dus. Er zou vast nog een heksenwinkel open zijn op dit late uur.

Even later vervolgde ze haar wandeling, nadat ze een schattig broekje en shirtje gekocht had. Er stonden allerlei dieren op in de meest uitgesproken kleuren. Volgens de heks tsjilpten de vogeltjes op het shirtje een vrolijk deuntje zodra de baby zou huilen, en de ogen van de tijgers lichtten op in het donker. De kleertjes zouden met Yelena meegroeien tot de leeftijd van twee jaar, werd er door de heks gegarandeerd. En anders geld terug. Oké, vooral dat laatste had haar overtuigd, want heksen durfden je wel eens een loer te draaien.

Enkele verward uitziende dromers liepen haar voorbij. Op dit uur schoten ze als paddenstoelen uit de grond. Eentje vroeg haar zijn bed te delen, een ander, in een kanten niemendalletje, vroeg haar uiterst beleefd waar de modeshow werd gehouden en een derde, een oudere vrouw, vroeg volslagen in paniek waar het treinstation was omdat ze haar kat moest afhalen die net een wereldreis achter de rug had. Een kat die met de trein reisde? Dille keek haar verbaasd aan. Hoe kwam ze daar nu op? Treinen werden in Ratiowereld al lang niet meer gebruikt.

Uiteindelijk kwam Dille aan in de woonwijk waar zij en Henk woonden. Een rustige buurt waar voornamelijk jonge gezinnen zich gesetteld hadden. Dille bedacht dat de woonwijken hier echt niet te vergelijken vielen met die in Ratiowereld. Daar waren geen tuinen waar soms ineens, door toedoen van een dromer, een zee doorstroomde. Of waar ze het gras lieten groeien tot op hoofdhoogte, omdat muzenkinderen daar gek op waren, of waar de ramen afgeplakt werden met folie, zodat de tere ogen van de vampiers beschermd tegen het zonlicht bleven. Hun vrolijke huis met de eenvoudige, houten constructie kwam in zicht. Doordat Henk het in een paarse kleur had geschilderd met op het dak een regenboog, was het op zijn minst apart, zo niet snoezig. Dille gniffelde toen ze dacht aan de inrichting van hun huis, waar iedere muur een andere kleur had, de sofa uit een oude tekenfilm gestolen leek te zijn en zoveel bloemen stonden dat je je eerder in een botanische tuin dan in een huis waande. Het was haar manier om de kille jaren die ze in Ratiowereld had doorgebracht te compenseren.

Toen ze de voordeur openzwaaide, kwamen enkele stemmen haar al tegemoet. Ze hoorde Henk en een persoon wiens stem ze niet herkende. Ze dumpte haar laptop en het papieren zakje met de kleren op de grond, hing haar jas aan de kapstok en liep de woonkamer in. De persoon, of het wezen, waarmee Henk zat te praten, viel haar meteen op. Het was het meest bizar uitziende wezen dat ze tot dusver in Emowereld had ontmoet.

Henk zag haar binnenkomen, stond op en liep op haar af. Ook de andere persoon stond op en glimlachte haar hartelijk toe. Henk omhelsde haar en troonde haar mee naar de bank.

'Oded, dit is mijn prachtige vrouwtje, Dille!' zei Henk op uiterst joviale toon.

Dille schudde de paarse hand van Oded en glimlachte verlegen.

'Dille is, nee, was een ratiomens,' verduidelijkte Henk. 'Dus ik zal haar even uitleggen wie jij bent. Je hebt nooit eerder een kubuswezen ontmoet, niet?'

Dille schudde haar hoofd en ging zitten. Ze besefte dat ze de man onbeleefd aangaapte, maar ze kon het niet tegenhouden. Hij zag er zo fascinerend uit! Niet alleen had hij paarse handen, maar zijn gezicht was groen, zijn vierkante, kromme neus blauw en zijn schuinstaande ogen waarvan het ene lager hing dan het andere waren felgeel. Ze kon niet zien of zijn benen een andere kleur hadden, want ze werden bedekt door een oranje broek en hoge groene laarzen.

Een kubuswezen? Nee, ze meende niet er ooit over gehoord te hebben. Tenzij... Wacht eens! Had ze niet eens, samen met Kate en Codie, een standbeeld gezien dat sterk op dit wezen leek?

Henk schonk de glazen wijn bij en vroeg of hij iets voor Dille kon halen. Ze weigerde beleefd, popelend om te horen wat voor soort wezen Oded was.

'Schatje, hij hoort bij de kubuswezens. Er wonen er een paar in Grensstad, maar de meeste nog veel verder weg, in andere steden en gebieden. Dit deel van Emowereld wordt niet zo druk door kubuswezens bewoond.'

Dille knikte en bleef de man ongegeneerd aangapen. Oded vond het blijkbaar allemaal best en nam er geen aanstoot aan. In een teug goot hij de wijn in zijn keel en boerde.

‘Hij is hier voor onze veranda, weet je wel.’

‘O ja, natuurlijk. Je bouwt dus veranda’s?’ stamelde Dille.

‘Ja, onder andere, soms huizen,’ antwoordde Oded. Zijn stem deed haar denken aan geslepen porselein, al zou ze niet eens weten hoe dat zou klinken.

‘Je ziet wel,’ vervolgde Henk grijnzend en maakte een breed gebaar met zijn armen, ‘dat mijn vrouwtje van planten houdt en doordat ons huisje zo onderhand vol dreigt te komen en we een baby op komst hebben, willen we een grote veranda laten aanbouwen, zodat daar de meeste planten en bloemen kunnen komen.’

‘Gefeliciteerd met jullie zwangerschap,’ zei Oded en schonk zichzelf nog bij. Hij hief het glas in de lucht. ‘Op de baby! Hebben jullie al een naam?’

‘Yelena,’ antwoordden Dille en Henk in koor.

‘Mooi, mooi.’

‘Je doet me denken aan een standbeeld dat ik ooit eens in Hoofdstad zag. Volgens mij staat het er niet meer,’ floepte Dille eruit. Ze moest het nu weten ook.

Oded grinnikte en het klonk alsof het porselein in duizenden stukjes brak. ‘Dat was waarschijnlijk het beeld van Pablo Picasso. Hij is lang geleden overleden en woonde lange tijd in menselijke gedaante in Ratiowereld. Het standbeeld was een zelfportret. De kunstwerken in Hoofdstad worden regelmatig vervangen, daarom staat het er niet meer.’

Dille knikte. Ja, ze herinnerde zich dat Kate iets dergelijks had gezegd.

‘We bespraken net wat voor vreemde verschijnselen er de laatste tijd gaande zijn,’ bracht Henk het gesprek op een ander onderwerp.

Dille kreunde inwendig. O nee, moest het er hier, in haar beschermende huis, ook al over gaan?

'Tja,' zei ze alleen maar.

'Jij hoort toch bij een groep die het onderzoekt?' vroeg Oded en haalde de wenkbrauwen op. Dille zag dat deze een eigenaardige rechthoekige vorm hadden. Ze vond het moeilijk Oded aan te kijken, omdat zijn ogen niet op een lijn stonden. Ze concentreerde zich dan maar op het hoogstgelegen oog.

'Ja, daar zijn we mee bezig,' beaamde Dille. 'Maar we hebben nog geen flauw idee.'

'Een heleboel wezens en mensen komen om 12 uur vannacht in het park van Hoofdstad samen om het gebrek aan actie van de Raad aan de kaak te stellen,' zei Henk. 'Gaan wij ook?'

'Maar waarom?' vroeg Dille en verduidelijkte toen: 'Waarom willen ze dat doen?'

'Omdat ze, ondanks al die problemen nu, niet bereikbaar zijn en ons in de steek laten,' antwoordde Oded.

'Ze bemoeien zich toch nooit veel met ons? Ik begrijp het niet.'

'Er is een groot verschil tussen niet bemoeien en helemaal geen aandacht. Normaal gezien kun je ze contacteren en meestal geven ze gehoor. Natuurlijk helpen ze dan niet altijd, maar ze luisteren wel en je krijgt daardoor het gevoel dat ze je toch bijstaan en in de goede richting duwen. Nu zijn ze gewoon volledig afwezig. Net nu!'

'Misschien zijn ze onder invloed van wat ook de oorzaak is van alle ellende,' opperde Dille. 'Misschien kunnen ze niet antwoorden, worden ze belemmerd.'

'Ja, velen denken dit ook, maar anderen zijn simpelweg boos,' zei Henk.

'Ik kan niet gaan, schat.' Dille richtte zich tot Henk. 'Ik moet om drie uur alweer bij Gehlen zijn en wil dus nog enkele uurtjes slapen.'

Henk veerde meteen op. 'Natuurlijk, ga maar naar bed. Ik regel het hier wel verder. Je bent zwanger en moet veel rusten.'

Hoewel ze meestal niet hield van het betuttelende gedrag dat de meesten bij zwangere vrouwen aan de dag legden, had ze nu de fut niet om er tegenin te gaan. Ze nam afscheid van Oded, zoende Henk en liep de woonkamer uit.

Op de trap hoorde ze nog hoe Oded op vreemde toon zei: ‘De zwangerschap is niet veilig.’

Meteen hield ze halt en boorde haar nagels in de houten trapleuning. Gespannen luisterde ze naar het vervolg. ‘Je moet het haar maar niet zeggen, want stress is ongezond voor een ongeboren baby.’

De zachte, maar onmiskenbaar geschokte stem van Henk vroeg: ‘Wat bedoel je met niet veilig?’

Dille hoorde hoe een glas op de tafel werd neergezet en toen Oded die zei: ‘Deze week werd een baby geboren bij een koppel vuurduivels dat ik al jaren goed ken. De baby had geen hoorntjes en een staart en zijn huid had de doffe kleur van oud hout.’

‘Wat heeft dat te maken met de rest? Het kan er toch los van staan?’ Henk weer, nu met meer paniek in zijn stem.

‘De baby huilde niet eens toen hij geboren werd en weigerde moedermelk te drinken. De moeder had de dag ervoor nog op een markt rondgelopen waar er een vortex actief was.’

Dille liep volledig van slag naar haar slaapkamer.

44 Emowereld: dag 6

'Liefde is dromen van wat men nog niet heeft en wat men slechts dromerig vermoedt."

Roger van de Velde

Kate trok haar laarzen uit en hing haar jas op. Ze opende haar mond om Ewok te roepen, toen ze zich realiseerde dat ze Kalon Ewok mee had laten nemen. Gedurende lange tijd staarde ze de lege woonkamer in die slechts verlicht werd door het binnenschijnend maanlicht en de lantaarnpaal op de stoep. De spanning van de afgelopen dagen, de ruzie met Kalon, haar vreselijke gedrag, alles flitste door haar heen. Ze verbeet de opkomende tranen, zuchtte diep en knipte het licht aan. De post die onder haar deur doorgeschoven was, schopte ze opzij.

Met hangende schouders liep ze naar de keuken waar ze zichzelf een glas bloed inschonk. Ze was ervan overtuigd dat ze niet zou kunnen slapen, maar een boek zou haar evenmin afleiden en ontspannen.

Moedeloos zakte ze neer op de bank in de woonkamer en nipte afwezig van het glas bloed. Op dit moment wenste ze dat ze een televisie had, hoewel bijna niemand in Emowereld een dergelijk ding bezat. Niet omdat ze het fenomeen niet kenden; door dromers hadden ze die wel eens in hun woonkamers zien verschijnen. Alleen, er was geen wezen of mens in Emowereld die het aantrekkelijk vond om naar bewegende beelden in een kastje te kijken. Behalve nu. Kate veronderstelde dat het medium televisie een prima manier zou zijn om haar even hersendood te maken.

Maar goed, ze had er geen, niets aan te doen. Wat ze wel had, was een prachtig zicht op de maan en de sterren door het grote raam van haar woonkamer. De bewolkte hemel klaarde voor haar ogen op om de zilveren plens van het universum te onthullen, maar het kon haar vanavond niet echt bekoren. Ideeën over hoe ze het goed kon maken met Kalon maalden door haar hoofd en bezorgden haar langzamerhand koppijn. Ze besefte maar al te goed dat haar egoïstische gedrag haar had achtergelaten met niet meer dan een afdruk op zijn hoofdkussen, zijn muskusachtige lichaamsgeur op de lakens en een ellenlange lijst met spijtigheden.

Een kirbj, die met twee andere kaartend onder haar bed had gezeten, kwam dansend de woonkamer binnengehuppeld.

'Kate, Kate, we moeten ervandoor,' zong het wezentje. Zijn buldogachtige oogjes stonden triest.

'Hoezo?' vroeg Kate.

'Nou, er zijn heel wat meer kinderen die hier op eigen kracht blijven tijdens het dromen. Ze willen niet wakker worden en het lukt hen soms nog ook.'

'Dat is niet goed.' Kate zuchtte en bedacht dat dit een gevolg kon zijn van wat er ook gaande was in beide werelden.

'Nee, zeg dat wel. En je weet hoe fijn kinderen het hier vinden.'

'Tja, geef ze eens ongelijk. Hier kunnen ze veel speelser zijn dan in Ratiowereld.'

De kirbj knikte ernstig. 'En ze kunnen zoveel speelgoed laten manifesteren als ze zelf willen.'

'En dan heb je nog, in hun ogen, al die fantastische wezens,' vulde Kate aan.

'Vroeger keerden ze meestal vanzelf weer terug, een enkeling hier en daar dan niet, maar nu...'

'Dus alle kirbjs moeten paraat staan?'

'Ja, we vertrekken.'

Kate vond het prima, al had ze het wel gezellig gevonden. Dat was niet altijd het geval geweest, want ze werd wel eens wakker door hun eindeloze discussies over valsspelen bij het kaarten en wie er gewonnen of verloren had. Het was echter nooit de bedoeling geweest dat de kirbjs onder haar bed bleven wonen. Tenslotte was Kate geen kind meer en al zeker geen dromend kind. Indertijd hadden ze een schuilplaats gezocht uit angst voor de verschrikkelijke moorden die op niet-menselijke wezens in Emowereld plaatsvonden. Maar omdat de moordenaars gevat waren, was er geen reden meer voor hun verblijf. Ze waren al langer gebleven dan Kate verwacht had.

'Nou, succes dan maar!' zei Kate.

'Jij ook en bedankt voor het onderdak!'

Meteen kwamen de andere twee kirbjs tevoorschijn, schuchterder dan hun woordvoerder. Met snelle trippel- en huppelpasjes schoten ze naar de voordeur, mompelden een bedankje en verdwenen.

Kates hoofdpijn begon de vorm aan te nemen van een explosie. Na een kwartier hield ze het niet meer uit en besloot een kruidenmengsel tegen de pijn te bereiden. Ze stond op en liep naar de kleine bibliotheekkast om haar betovergrootmoeders dagboek eruit te halen. In dat Boek der Schaduwen zou ze de gepaste kruiden vast vinden. Omdat ze niet honderd procent heks was, had ze nooit de moeite genomen om alle kruiden en hun werkingen uit het hoofd te leren. Bovendien, waarom zou ze? Het was toch stukken eenvoudiger om het op te zoeken wanneer je het nodig had? Ook weer door haar onvolledige heksenkrachten zou ze nooit een winkel kunnen openen. Aan het niveau van hoge magie dat heksen daar gebruikten, zou ze nooit komen.

Het was duidelijk een poosje geleden dat ze schoongemaakt had. Op de plaats waar het boek gestaan had, lagen een paar dode insecten uitgestrooid als hoopjes zwarte chitine onder het glanzende kantwerk van een spinnenweb. Morgen zou ze de tijd proberen te vinden om haar huis eens grondig schoon te maken. Het zou haar hopelijk afleiden van al haar kopzorgen.

Algauw vond ze een recept en liep naar de keuken, waar ze in een kastje volgepropt met glazen bokalen met diverse kruiden begon te rommelen. Het duurde een poosje voor ze vond wat ze zocht, omdat de bokaaltjes door elkaar heen en op elkaar en al zeker niet op alfabetische volgorde of in een ander logisch systeem stonden. Blauwe monnikskap, engelwortel, gele jasmijn en hondsdraf. Dat zou voldoende moeten zijn.

Van ieder kruid nam ze een plukje en propte het in een thee-eitje. Ze zette een pan water op en terwijl ze wachtte tot het kookte, zou ze een boterham klaarmaken. Ze nam de kaasplakjes en het brood uit de koelkast en zag dat ze dringend boodschappen moest doen. Ook dat nog. Het brood dat ze nog had, was uitgedroogd en de plak kaas had vettige, witte randen.

Ze miste Kalons overheerlijke eten dat met veel zorg en liefde bereid werd. Nee, ze miste hem, en Ewok. Na een paar happen van de boterham, verdween haar honger, maar een weeïg gevoel in haar maag kwam ervoor in de plaats. Plots razend op zichzelf ramde ze de rest van de boterham de vuilnisbak in. Ze moest zich inhouden om de pan met water niet door de keuken te gooien en om zichzelf niet een stomp te verkopen.

Het water kookte. Snel, voor ze zou uitvoeren wat ze vond dat ze verdiende, goot ze het water in het kopje. Het kopje brandde in haar handen, maar ze ging niet sneller naar de woonkamer lopen. Het voelde aan als straf en dat deed haar deugd. Ze treuzelde tot de pijn van de hitte tot in haar aderen doordrongen leek en toen pas zette ze het neer. De lichamelijke pijn ebde weg, maar werd vervangen door de mentale versie ervan. De tranen stroomden heet over haar gloeiende wangen, tot de donkere nachtlucht niet meer te zien was.

Toen er op de deur geklopt werd, was ze al zo diep in haar verdriet aan het verdrinken, dat ze eerst niet eens reageerde. Bij een tweede klop, draaide ze loom haar hoofd naar de deur, alsof ze door het hout heen kon zien wie er stond. Er werd opnieuw geklopt, dwingender nu.

'Kate! Doe de deur open. Ik weet dat je thuis bent, want ik zag licht branden toen ik voorbijliep.'

Kate herkende de stem en zuchtte diep. 'Ga weg, Michaël. Ik ben bezig.'

De deva-engel wilde echter niet luisteren. 'Ik ga pas weg nadat ik je gesproken heb! Het is erg belangrijk!' Zijn hese, sexy stem klonk alsof hij vlak naast haar stond.

Ze drukte zich op uit de bank en slenterde met tegenzin naar de deur toe. Met haar hand op de deurklink rustend, leunde ze met haar hoofd op het hout.

'Michaël... het is er echt het moment niet voor,' bracht ze er moeizaam uit.

Ze hoorde een zachte bonk. Hij had zijn hoofd eveneens tegen de deur gelegd en vroeg bezorgd: 'Voel je je niet goed?'

'Niet echt, nee.'

'Laat me dan binnen,' kreunde hij. 'Ik kan je je zorgen laten vergeten.'

Kate glimlachte flauw. 'Je bent geen rupa-engel met genezende krachten.'

'Nee, behalve in bed.' Zijn stem klonk zacht en meelevend. 'Doe open, schoonheid.'

Kate opende de deur. Michaël keek haar peilend aan. Ze wist wat hij zag. Haar anders zo verzorgde haren hingen futloos, haar ogen waren bloeddoorlopen van het huilen en haar gezicht stond betrokken. Met een grote stap stond hij in haar woonkamer en tilde haar op. Ze sloeg haar benen om zijn middel en sloot haar ogen.

De zoete geur van zijn huid, die naar nectarines overgoten met honing rook, bedwelmde haar op een aangename, veilige manier. Ze voelde hoe hij zijn grote, witte vleugels openklapte en haar zwevend naar de bank toebracht, waar hij haar voorzichtig neervlijde.

Ze opende haar ogen en zag hoe hij lief op haar neerkeek, zijn goudblonde haren gracieus op zijn gespierde schouders rustend. Teder ontkleedde hij haar tot ze volledig naakt op de bank lag, waarna hij snel zijn eigen witte bloes en broek uittrok.

Zwevend hing hij nu boven haar. Zijn handen streelden zacht haar gezicht, volgden de lijn van haar hals, haar borsten en haar zij. Kate huiverde genietend en bleef diep in zijn azuurblauwe ogen kijken. Ze had zodanig behoefte aan lichamelijk contact dat ze nu pas besefte hoe bot haar zenuwuiteinden aanvoelden, hoezeer haar huid de aanraking van een andere huid gemist had. Kate hief haar hand op om Michaël aan te raken, maar hij legde deze terug en schudde zijn hoofd.

'Jij hebt het nodig, liefste,' zei hij hees. 'Je huid voelt koel en doods aan, een teken dat er geen gezonde energie meer aanwezig is.'

Kate knikte hem dankbaar toe en sloot haar ogen. Michaël beroerde haar zo subtiel en kundig dat ze met moeite normaal kon ademen. Binnen de kortste tijd gloeide haar huid en tintelde die van verlangen. Zijn vingers beschreven cirkels rond haar borsten waarvan de tepels stijf stonden en gleden gevoelig naar haar buik waardoor een diepe kreun uit haar mond ontsnapte. Ze duwde haar heupen omhoog, nodigde hem uit, maar hij negeerde het. Hij liet haar langzaam wennen aan het genot, voerde het tergend traag op, enkel door gebruik van zijn vingertoppen. Ze hoorde het zachte geruis en voelde het briesje van zijn vleugels, als een koele wind op een warme, zomerse dag. Zijn handen gleden nu tussen haar benen, beroerden zacht drukkend en strelend de binnenkant van haar dijen en haar venusheuvel. Ze hield het bijna niet meer uit en wilde Michaël met een rauwe kreet naar zich toetrekken. Net op het moment dat ze dacht voor eeuwig op dat fantastische, tergende, niveau te blijven hangen, golfde een allesoverheersend genot door haar heen en schreeuwde ze het uit.

Michaël ging op haar liggen, zodat bijna elk deel van haar lichaam bedekt werd met dat van hem. Kate opende haar ogen en keek hem aan.

'Dank je,' fluisterde ze.

Ze voelde zich heel wat beter dan een poosje geleden, maar kon

Kalon nog steeds niet uit haar hoofd zetten. Ze wilde op dit moment zo hevig dat Kalon met haar de liefde had bedreven en dat Kalon haar naar het intense hoogtepunt had geleid. De rafelige, zwarte rand van spijt stak weer gemeen zijn kop op.

'Je had het nodig.' Michaëls adem rook even zoet als zijn huid.

'Nou heb jij niets gehad.'

'Dacht je dat werkelijk?' Michaël lachte. 'Ik heb ontzettend veel ontvangen, geloof me maar.'

Kate glimlachte nu ook en dat voelde goed. Ze was hem dankbaar dat hij haar ingeslapen emoties een nieuwe boost had gegeven.

In stilte bleven ze nog een tijdje liggen, Michaëls hoofd rustend op haar borst.

'Wat was er dan aan de hand?' vroeg Kate ten slotte.

'O, ja.' Michaël ging rechtop zitten en Kate volgde zijn voorbeeld. 'Mijn schimmen zijn verdwenen.'

'Ook dat nog.'

'Dat klinkt niet als een totale verrassing.' Michaël keek haar vorsend aan.

'Heb je niet gehoord dat er de laatste tijd heel veel dingen mislopen? In beide werelden?'

Michaël schudde zijn hoofd. 'Ik zat een tijdje in het zuiden. Door een langdurige droogte was de flora er behoorlijk uitgeput. En omdat de weerwolven daar het vertikken – vraag me niet waarom – om het te laten regenen, ben ik erheen gegaan om de natuur weer wat op te krikken. Ik ben daar een serieus tijdje zoet mee geweest en ik ben trouwens nog lang niet klaar, maar de flora kan er weer tegen. Ik moest op een gegeven moment weg, want ik kreeg een mentale oproep om ergens anders heen te gaan, dus wilde ik mijn schimmen het laten afronden. Ik kreeg echter geen respons. Ik ben zelfs naar de bossen van Avalon geweest, maar ook daar waren er bijna geen schimmen meer aanwezig en al zeker niet die van mij.'

'Ik heb een vermoeden.'

'Wat dan?'

Kate liet haar hand op zijn borst neerkomen en pikte een paar druppeltjes glinsterend zweet op haar vinger. Ze bracht haar vinger naar haar lippen en likte het af. 'Je smaakt naar marsepein.'

Michaël grijnsde. 'Dat komt door de heerlijke seks.'

Opnieuw borrelde het verlangen bij Kate op, maar ze was hem eerst wat antwoorden schuldig. 'Ik weet het niet zeker, maar er schijnen in Ratiowereld magische voorwerpen verkocht te worden en daar zouden jouw schimmen dus wel eens bij kunnen zitten.'

'Verkocht in Ratiowereld?' Michaëls spieren spanden onder de huid waar zijn vleugels ontstonden.

'Kunnen schimmen gevangengenomen worden?' vroeg Kate.

'Ik veronderstel van wel!' Kwaad stond hij op. Kate zag een volgende sekspartij al in rook opgaan. Had ze het nou maar niet gezegd!

'Dat is vreselijk,' brieste hij en zijn anders zo witte vleugels, dooraderd door de prachtigste kleuren, kregen een donkere gloed en trilden. 'Ik moet mijn broeders waarschuwen. Sorry, Kate!'

Ze wuifde zijn excuus weg. Haastig trok hij zijn kleren aan en stormde, na een laatste afscheidskus, haar flat uit. *Nou ja*, dacht ze, *beter eenmaal dan helemaal niet.*

Deel

3

REM Sleep Behavior Disorder (RBD):
in tegenstelling tot de spiertonus bij een normale remslaap is deze bij RBD niet volledig of helemaal niet verlamd. RBD wordt gekenmerkt door het effectief uitvoeren van dromen die erg levendig, intens of gewelddadig zijn. De dromende persoon zal bijgevolg praten, slaan, schoppen, grijpen, opspringen en roepen in bed.

45 Emowereld: nacht 6

"Dromen worden werkelijkheden voor hen die sterk genoeg zijn om erin te geloven."

Colin Wilson

Dille kon de slaap niet vatten. De laatste woorden van Oded bleven zich in haar hoofd herhalen: *de zwangerschap is niet veilig, de zwangerschap is niet veilig.*

Het had geen zin om te blijven liggen. Ze hoorde Henk beneden in de keuken opruimen en besloot op te staan. Ze gooide haar nachtjapon op de oranje sofa die in hun slaapkamer stond en trok haar kleren aan. In de badkamer plensde ze wat water in het gezicht, poetste haar tanden en streek met haar vingers over haar bruine haren, zodat het wat platter lag.

Henk schrok zich een ongeluk toen ze plots achter hem stond.

Hij zoende haar. 'Schatje, wat doe jij op?'

'Ik kan niet slapen.'

'Vrouwtje toch.' Hij zette een glas in de kast. 'Waardoor dan?'

Dille besloot open kaart te spelen. 'Ik hoorde wat Oded zei.'

Ze kon zijn gezicht niet zien, omdat hij naar de kast gericht stond. Langzaam sloot hij de kastdeur en draaide zich om. 'Wat bedoel je?'

'Je weet wel. Over de zwangerschap.'

Hij stond meteen bij haar en sloeg zijn armen om haar heen, zodat haar gezicht in de kromming van zijn hals drukte. 'Maak je niet druk.' Hij weerhield zich ervan haar gedachten te lezen, maar het kostte hem moeite. Al kon hij haar dan beter helpen, het hoorde niet, geen enkel wezen deed dit zonder toestemming van de ander.

'Ik maak me wel druk,' murmelde ze en snoof zijn geruststellende lichaamsgeur op.

'Jij bent toch niet in een vortex gaan staan?' Hij hield haar op een afstandje en keek haar liefdevol aan.

'Nee, dat niet, ik denk het niet, maar...'

'Nou dan,' onderbrak hij haar. 'Die andere zwangere vrouw wel. Het lag vast aan die vortex.'

'Maar dat is niet zeker.' Ze keek hem angstig aan.

Hij streelde haar armen. 'Niets is ooit zeker.'

'Behalve de dood en belastingen,' voegde Dille er met een scheef glimlachje aan toe, maar haar ogen stonden droevig.

'Euh... in Emowereld betalen we geen belasting.'

Dille liep naar de kast, nam er een glas uit en vulde het met kraantjeswater. 'Hoe kan dat nu? Met welke eenheden worden de straten hier dan bijvoorbeeld vernieuwd?'

'Dan wordt er een collecte gehouden tot er genoeg eenheden verzameld zijn.'

'O.' *Tja, simpel,* dacht Dille.

'En wat betreft de dood. Dat is een wereld waar je moeilijk mee in contact komt, maar verder alleen een fase.' Henk grijnsde.

'Nou ja,' zei Dille alleen maar. 'Zal wel.'

'Ik zal het je met Halloween bewijzen. Dan staat de deur tussen deze wereld en die van de gestorvenen wijd open.'

'Ik weet niet zo zeker of ik dat wel wil.' Ze klokte de rest van het water naar binnen en spoelde het glas meteen schoon. 'Dus Halloween wordt nog altijd in Emowereld gevierd?'

'Zeker weten.' Henk glunderde nu zowaar en was opgelucht dat Dille even van haar zorgen afgeleid werd. 'Halloween is groots hier. De belangrijkste feestdag!'

Dille ging aan de boonvormige keukentafel zitten. 'Wat gebeurt er dan zoal?'

Henk nam naast haar plaats. 'Ripper en zijn collega's organiseren elk jaar het feest op het kerkhof van Hoofdstad. Het is een erg populair feest en wezens komen van heinde en verre om dit mee te maken. Het kerkhof wordt versierd met honderden lampionnen en kaarsen. Erg mooi allemaal.'

Dille leunde achterover in haar stoel, sloot haar ogen en probeerde het zich voor te stellen.

Henk vervolgde: 'Weerwolven laten een sfeervolle mist over het kerkhof hangen en killmoulissen laten, met behulp van heksenmagie, de mist heerlijk geparfumeerd ruiken. Werkelijk fantastisch om door de mist te dwalen en de ronddolende figuren te zien, maar niet zo goed dat je ze herkent. Het maakt het spannend en je voelt je opgewonden. Je hoort stemmen en nerveus gegiechel en als je even niet oplet, struikel je over een vrijend paartje.'

Dilles mondhoeken krulden tot een glimlach. Het was alsof ze de mist kon ruiken op dit moment; een zoete opwekkende geur die haar huid deed tintelen.

'Ieder wezen brengt zijn specialiteit mee: onderwaterduivels whisky, zombies water, kabouters hun wodka en Bacchus zijn wijn. Alles wordt gedeeld en er hoeft nergens voor betaald te worden. Plaatselijke kunstenaars, bijvoorbeeld Frege Donner, beschilderen met waterverf de grafzerken in vrolijke kleuren om het prachtige leven van de overledene te vieren en niet zijn dood. Want wij zien de dood niet als het einde, maar als een nieuw begin.'

'Muziek?' vroeg Dille met slaperige stem en met gesloten ogen.

'Er is inderdaad veel muziek. Meestal gnoombeat, zowel de klassieke als de meer hedendaagse. En sirenes zingen erbij. Hun stemmen zijn hypnotiserend en geven je een gelukkig, sereen gevoel.' Henk grinnikte. 'Er is geen wezen dat niet met een glimlach rondloopt. Nico en Tine – je weet wel, je hebt Nico ooit ontmoet – brengen hun speciale tabaksoorten mee. Die worden dan in pijpen doorgegeven. En gegarandeerd ontstaat er dan een wedstrijd waarin ze om de mooiste rookfiguren strijden. Het is me ooit eens gelukt om een dartbord te blazen.'

Dille grinnikte zacht.

‘Heksen en mensen brengen gerechten mee. Kruidige schotels met knoflook en ui, gebakken aardappeltjes bestrooid met cayennepeper en knapperig geroosterde groenten. Taarten gevuld met speculaas en verse vruchten, chocoladekoekjes en bonbons waar de zoete vulling uitdrupt.’

Dille likte onbewust haar lippen. Henks zachte stem bracht haar in een heerlijke roes en de vrolijke omschrijvingen wiegden haar naar een soort feestdroom toe.

‘Speciaal tijdens deze nacht zijn de bijzondere kledingontwerpen van de feeën voor een erg zacht prijsje te koop. Je kunt je dus voorstellen dat de vrouwen daar opduiken. Letterlijk dus. Hecate zorgt er bovendien voor dat die nacht een volle maan aan de hemel prijkt, zodat magie en contact met de overledenen nog meer versterkt worden. Slangenmensen tonen hun soepele en bijzondere danskunsten, fascinerend en prachtig om te zien. Je gelooft je ogen gewoon niet! En maanlingen showen met veel trots hun illusiekunsten, door onder andere raar gevormde nepluchtvoertuigen heen en weer te laten vliegen. De kinderen gillen het uit van plezier als twee van die luchtdingen bijna botsen! Zo tussen de sterren in is dat een adembenemend schouwspel. Vuurduivels onderhouden de gezellige kampvuurtjes die her en der over het kerkhof verspreid zijn. En jonge wezens van allerlei soorten springen over de vuren om hun moed of hun volwassenheid te bewijzen. Niet alleen de mannelijke wezens en mensen, hoor, ook de meisjes. Zelfs de demi-reuzen die tijdens die nacht minder nors en mopperig lijken, laten de kinderen gillen van vrolijkheid door hen naar elkaar te gooien. Natuurlijk vangen ze ze weer op,’ haastte hij zich te zeggen toen Dille haar wenkbrauwen fronste en een beetje met haar mond trok, ‘maar wees gerust, zelfs al zouden ze vallen, dan heeft een heks voor een onzichtbaar vangnet gezorgd.’

Dat laatste herinnerde Dille aan haar eigen zwangerschap. Haar ogen schoten open en Henk had het meteen door. Hij stokte zijn uiteenzetting.

‘Schat, zoals ik al zei, het komt vast allemaal goed. Ons dochtertje wordt de mooiste, gezondste, slimste en liefste baby van heel Emowereld.’

Dille knikte, maar het ging niet van harte.

‘Ik weet wat!’ Henk sprong op. ‘Ga naar Kate en vraag om een beschermingsamulet. Die kan zij vast maken. Ze is tenslotte een vierde heks.’

‘Ik wist niet eens dat zoiets bestond.’

‘Ja, het bestaat. Natuurlijk.’

‘Natuurlijk.’ Dille zuchtte en stond op, haar bewegingen stram en traag door vermoeidheid, zorgen en slaapgebrek.

‘Ga nu meteen. Wil je dat ik meega?’

Dille schudde haar hoofd en blikte op haar polshorloge. Ze had nog wel een uurtje voor Kate naar Hecate zou vertrekken.

‘Dank je, lieverd.’ Ze ging op de toppen van haar tenen staan en zoende Henk vol op de mond.

‘Ga nu maar,’ spoorde hij haar met een stralende glimlach aan.

46 Emowereld: nacht 6

"Alleen voor zijn dromen kun je een mens aanspreken, zijn handelen wordt hem van buitenaf opgelegd."

John B. Yeats

Codie besloot de uurtjes voor hij weer naar Gehlen toe moest te vullen met een bezoek aan Sofie. Hij moest ergens wel toegeven dat hij het deels deed om Molpe te vergeten, anderzijds intrigeerde het meisje hem enorm. Meer dan hij van een eerste, oppervlakkige ontmoeting had verwacht.

Voor hij vertrok, had Codie Kalon voorgesteld om samen iets te gaan drinken, zodat hij geen tijd zou hebben om zich eenzaam te voelen. Kalon had het echter afgewezen en gezegd dat hij liever naar Codies huis toeging om een grote beker bloed op te drinken en een dutje te doen.

Misschien had hij aan Kalon moeten vragen of feeën wel trouwe wezens waren, want hoe vrijdenkend Codie ook was, hij dacht niet dat hij de liberale opvatting die in Emowereld heerste kon delen op het gebied van seks en relaties.

Hij stak zijn handen diep in zijn broekzakken en stapte flink door. De lucht voelde fris aan en dat was maar goed ook, want het zou een lange nacht worden, eentje met een totaal gebrek aan slaap. En de daaropvolgende dag zou hem vast eveneens geen rust gegund worden.

Hopelijk was Sofie nog wakker en bereid om hem op dit late uur te ontvangen. Maar had ze niet zelf gezegd dat hij zo snel mogelijk moest komen? Nou, sneller kon niet, volgens hem. Codie hoorde geschraap, alsof iemand met zijn schoenen over steen wreef. Hij keek om zich heen en zag een dromer die hem voorbijliep zonder acht op hem te slaan. *Die heeft een duidelijk doel voor ogen*, dacht Codie grijnzend. Het geschraap nam iets in volume toe, maar niet veel. Overdag zou het geluid amper hoorbaar geweest zijn, maar nu in de nachtelijke stilte klonk het luid en duidelijk.

Toen zag Codie wat de dromer en het geluid gemeen hadden. Een eenvoudig, rechthoekig huis met een plat dak trilde even en werd daarna omgeven door een fijne, bijna onzichtbare gloed. De muren rekten zich uit en stegen de lucht in. Het gebeurde allemaal soepel en nog geen twee seconden later stond er een betonnen gebouw, zo hoog als een wolkenkrabber, op de plaats waar eerst het huis had gestaan.

De dromer liep achteloos op het gebouw af en verdween door de voordeur. Codie wist uit ervaring dat de bewoners van het huis hier geen hinder van ondervonden en rustig doorsliepen. Tenzij de dromer ze wakker zou maken, wat uiteraard een mogelijkheid was. En het gebouw zou weer veranderen, zodra de dromer ontwaakte.

Saai is het hier nooit, dacht Codie grimlachend, *het is gewoon heerlijk*.

Gelukkig was het huis van Sofie niet onderhevig aan de grillen van een dromer op dat moment. Door de gouden strepen op de muren en het dak, die blonken in het maanlicht, kon je er niet naast kijken. Opgelucht stelde Codie vast dat er nog licht in het huis brandde.

Nu voelde hij zich toch behoorlijk zenuwachtig worden. Zijn handen voelden klam aan en zijn hart vloog in zijn borst als een op hol geslagen schaduweter rond. Hij haalde diep adem, praatte zichzelf moed in en belde aan. De deurbel speelde een vrolijk melodietje dat Codie vaag bekend in de oren klonk, maar niet meteen kon plaatsen.

Enkele seconden later ging de deur open.

Sofie keek hem stralend aan en was getooid in een prachtige

japon die zo uit de kast van een prinses leek te komen. De japon had een beige kleur en was van onder tot boven versierd met roosjes, genaaid met fijn zachtroze garen en een zijden, grasgroen voile krulde om haar slanke hals. Codie vond dat de kleuren haar donkere huid prachtig lieten uitkomen. Haar zwarte haren waren hoog opgestoken en schitterden door de vele roze steentjes die erin verwerkt waren. Codie had niet in de gaten dat hij haar met open mond aanstaarde en nog geen woord had uitgebracht.

Sofie glimlachte. 'Hoi, Codie, ik had je niet zo snel verwacht.'

'Ik... euh,' stamelde Codie en kon zichzelf wel een stomp verkopen. *Adem en praat, sukkel*, beet hij zichzelf in gedachten toe, *je lijkt wel een dromer.*

'Kom binnen.' Sofie maakte een uitnodigend gebaar met haar handen.

Codie struikelde bij het binnenstappen bijna over zijn eigen voeten en excuseerde zich. Sofie grinnikte. *Wat een lieve kluns*, dacht ze. Ze was helemaal van hem gecharmeerd.

De muren van het huis leken de geur van seringen uit te ademen en het interieur gaf het gevoel dat je in een oud sprookjesboek binnenstapte. Ze gingen de woonkamer binnen die uit een bonte collectie kleuren bestond: zachtroze, lichtgroen, babyblauw en kuikentjesgeel. Een ruime, diepe sofa met een overvloed aan volle kussens, lampenkappen met sjaaltjes eroverheen, tientallen gekleurde vazen met allerlei soorten bloemen, tijdschriften her en der, kanten tafelkleedjes en een etalagepop die voor een groot, rond raam stond. De pop was gekleed in een mannenkostuum waarvan de stof leek op glanzend, zwart marmer.

'Het is mooi hier,' meende Codie.

'Dank je.' Sofie stond naast hem en liet haar hand op zijn arm neerkomen. Codie voelde een aangename schok door zich heen gaan.

'Ik moet eigenlijk weg,' zei Sofie.

Codie liet zijn blik over haar japon dwalen. 'Ik vermoedde al dat je niet zo in bed zou kruipen.' Ze had vast een date met iemand.

Sofie grinnikte. 'Nee, ik ben wel modebewust, maar niet zo extreem.'

'Dan ga ik maar.' Hij kon er niets aan doen dat hij de teleurstelling niet uit zijn stem kon weren. Hij maakte aanstalten om zich om te draaien, maar Sofie kneep zachtjes in zijn arm.

'Heb je zin om met me mee te komen?' Haar mokkakleurige ogen keken hem vragend aan.

Codie glimlachte breeduit. 'Ja, zeker weten!' Hij schrok van zijn happige en snelle reactie. 'Euh... waar ga je naartoe?'

'Een concert van Patsy, de sirene. Ze zingt echt geweldig ontroerend, zo gevoelig dat je een zakdoek bij de hand moet houden.' Ze liet zijn arm los en glimlachte schaapachtig.

'Maar ik heb geen ticket.'

'Ik krijg je wel binnen. Patsy is een goede vriendin van me.'

Codie keek beteuterd naar zijn afgesleten jeans en eenvoudig, wit T-shirt. 'Ik pas niet echt bij je, hé. Ik bedoel... voor het concert dan.'

Hij had niet eens de tijd om met zijn ogen te knipperen. Plots had hij het fluweelzachte kostuum aan dat eerst nog op de pop had gehangen. Zijn jeans en T-shirt hingen over de rand van de sofa.

'Nu wel.' Sofie zette een stap naar achteren en keek hem ongegeneerd bewonderend aan. 'Waw.'

Codie bloosde en streek over de zachte stof. 'Het is een mooi kostuum. Jouw ontwerp?'

'Ja, maar het is niet het kostuum dat ik bewonder.' Haar blik boorde zich vol wellust in die van hem, waardoor Codie nog meer bloosde, als dat al mogelijk was.

Ze merkte zijn verlegenheid op – wat ze weer zo schattig vond – en zei: 'Je rode wangen staan mooi bij je zwarte pak. Kom, we gaan, anders komen we te laat.'

Het concertgebouw, dat in Randstad gelegen was, was een schouwspel op zich. De constructie leek op een gigantische, uitgeholde regendruppel, toelopend in een gekrulde punt die de hemel inschoot. Diffuus, groen licht scheen uit de randen, maar Codie kon geen ingewerkte lichten ontdekken, dus veronderstelde hij dat het materiaal zelf het licht produceerde. In de uitgeholde bol van de druppel was een podium aangebracht dat op golvende olie leek, alsof je op een zwarte zee zou staan. Uit de wanden van de inkeping schenen duizenden lichtjes in allerlei kleuren en Codie vond dat het op het universum leek. Het was een open concertgebouw, zodat de zitplaatsen, comfortabele stoffen stoeltjes, allemaal buiten stonden.

Het vormde inderdaad geen probleem om Codie het concert te laten bijwonen. Ze hielden altijd enkele stoelen voor onverwachte gasten vrij en kenden Sofie blijkbaar goed.

'Wat als het regent?' vroeg Codie, terwijl ze naar hun plaats liepen.

'De weerwolven houden er normaal gezien rekening mee. Ze worden gewaarschuwd wanneer een concert plaatsvindt. En als het dan toch regent, is er altijd wel een heks in de buurt die een beschermend schild boven de stoelen plaatst of een engel die de takken van die bomen daar laat groeien tot ze een dak vormen. En zo niet, dan word je nat. Dat vinden we niet erg.'

Ze gingen zitten. Het indrukwekkende concertgebouw, de wezens die allen op hun allerbest gekleed waren, de rijke en sprookjesachtige omgeving, de schoonheid naast hem, alles droeg ertoe bij dat Codie zich bijzonder feestelijk en fantastisch voelde. Hij blikte op zijn horloge en zag dat hij nog bijna twee uur had voor hij weer naar Gehlen moest.

'Moet je zo weer weg?' klonk het teleurgesteld.

'Nee, nee, nog niet meteen,' verklaarde Codie snel. 'Om drie uur moet ik weer aan het werk.'

'Goed zo.' Sofie haakte haar arm door de zijne en legde haar hoofd op zijn schouder. Hij rook haar zachte, prikkelende parfum en sloot even genietend zijn ogen.

'Wel raar, een optreden zo laat,' mompelde Codie.

'Sommige sirenes zijn nachtwezens,' antwoordde Sofie, zonder haar hoofd op te tillen. 'En trouwens, het is makkelijker voor een dagwezen om een laat concert bij te wonen dan omgekeerd, en de nacht heeft bovendien een bijzondere sfeer.'

De menigte stroomde nu in groot aantal toe en nam plaats. Naast hem kwam een vampier zitten. Hij liet zijn lange hoektanden zien toen hij Codie vriendelijk een goedenavond wenste en was gekleed in een glanzende, lange, witte mantel met rechtopstaande kraag. Hij werd vergezeld door een slangenvrouw die Codie, zoals gebruikelijk, tonguitstekend begroette.

'Een ontwerp van mij,' zei Sofie, niet zonder enige trots, doelend op de witte mantel.

'Erg mooi,' beaamde Codie.

Het werd zo plotsklaps stil dat Codie verbaasd om zich heen keek. Niemand bewoog en iedereen staarde verwachtingsvol naar het podium.

De sirene kwam haast glijdend op, alsof ze net boven de grond zweefde, met haar hoofd nederig gebogen en ging in het midden van het podium staan. Ze droeg een dieppaarse jurk die uit duizenden kanten lapjes bestond. Haar voeten staken in zilverkleurige slippertjes en haar lange, rode haren vielen golvend om haar schouders heen, alsof ze een deel van de jurk waren. Ze zag er adembenemend uit, vond Codie. Hij zag echter geen microfoon en evenmin een begeleidend orkest en vroeg zich af of de gasten helemaal aan het eind haar wel zouden kunnen horen.

Na een langdurige stilte hief de sirene langzaam haar hoofd op en keek over het publiek heen. Toen hief ze haar handen hoog boven zich en begon te zingen.

Codie vergat Sofie, hij vergat de omgeving en de andere gasten. In tunnelvisie zag hij enkel nog de sirene, hoorde alleen nog maar de prachtige, diepe klanken en de vloeiende, waterige woorden.

Het drong niet echt tot hem door toen Sofie fluisterend zei: 'De taal is Babels. De taal van onze wereld.'

De sirene vergezelde haar magische zang met subtiele bewegingen van haar lichaam die Codie in vuur en vlam zette en hem lieten vergeten dat hij af en toe moest ademhalen. Hij meende zelfs te begrijpen waarover het lied ging, al kende hij de woorden niet. Het ging over liefdesverdriet, hartgrondige pijnen, tergend verlies en allesomvattende eenzaamheid. Het voelde aan alsof de sirene zijn hart in haar handen hield, er troostend overheen streek en er nieuw leven in blies. Codie besefte pas dat hij huilde toen de tranen over zijn kin liepen en op zijn handen plensden. Met een snel gebaar veegde hij die weg, beschaamd om wat Sofie zou denken. Maar een blik opzij vertelde hem dat Sofie haar emoties ook niet meer in de hand had; ze keek hem vochtig en begrijpend aan.

Een waas verscheen in zijn blikveld en de zwarte, golvende grond waar de sirene op stond leek te pulseren. Codie had niet meteen door dat er iets niet klopte, tot hij Sofie voelde verstijven.

'Een vortex!' bracht ze verschrikt uit.

Codie knipperde zijn tranen weg en meende bij de sirene enige verwondering te zien. Ze bleef doorzingen, maar keek verward en angstig. Haar woorden, die al als glossolalie op hem overgekomen waren, leken nu helemaal aan betekenis in te boeten en de melodieuze klanken die als koel water uit een beekje hadden geklonken, sneden nu vals door de lucht heen. De sirene begon te hakkelen en hield toen helemaal op. Na een laatste verschrikte blik stoof ze het podium af.

Geroezemoes steeg op uit het publiek. Mensen en wezens keken onbegrijpend naar het lege podium. Sommigen riepen 'vortex!' en anderen snelden, stoelen omgooiend, naar de uitgang.

'Kom,' zei Sofie en trok Codie overeind. 'Het is afgelopen. Een vortex heeft roet in het eten gegooid.'

Codie volgde haar half hollend uit de grote massa. Eenmaal vrij vertraagde Sofie haar pas.

'Kon ze daardoor niet meer zingen?' vroeg Codie.

'Ja. Een vortex werkt bij iedereen anders. Maar het heeft altijd een omgekeerd effect. Bij Patsy zorgde het ervoor dat haar zangtalent verdween en ze een taal zong die niet eens bestaat. Er is niets erger voor een sirene dan een verloren of veranderde stem.'

Dat kon Codie zich goed voorstellen.

'De vortexen lijken meer en meer voor te komen,' zuchtte Sofie ten slotte.

En we hebben geen flauw idee waardoor, dacht Codie.

47 Emowereld: nacht 6

"Dromen zijn gedachten, gek geworden in de netten van de verbeelding."

Edward Young

Gehlen voelde zich, net als de rest van de groep, allesbehalve slaperig. Hoewel Natasha hem met zoete beloftes het bed in had proberen te verleiden, was hij er niet op ingegaan. Hij was in de tuin gaan zitten, met enkel het gezelschap van een sneeuwwitte maan, de fonkelende sterren en de geur van rust en wilde gember.

Laatst had hij in een opwelling enkele sigaren van de tabakskweker Nico gekocht, benieuwd naar het rokersfenomeen dat al tijden niet meer in Ratiowereld beoefend werd. Nu stak hij een sigaar op, zoals Nico het hem voorgedaan had, met een stukje cederhout waarvan hij de vlam netjes enkele millimeters onder de sigaar heen en weer bewoog tot de sigaar vlam vatte.

Gehlen sloot zijn ogen en proefde de volle smaak van de tabaksbladeren. Hij liet de rook even het binnenste van zijn mond beroeren, voor hij ze de koude nacht inblies. De sigaar beviel hem uitstekend.

Gehlen dacht na. De laatste dagen had hij zijn hersenen meer op volle toeren laten draaien dan het aantal pirouettes dat een zandduivel gedurende zijn hele leven maakte. Hij kon alleen maar hopen dat Hecate een oplossing zou aanreiken, of ideeën die hen de juiste denkrichting zouden bezorgen, maar rekende er niet al te veel op.

Het was alsof alles de fantasiejagers tegenzat en er krachten aan het werk waren die hun bevattingsvermogen te boven gingen, precies zoals Melfo had beweerd. Het probleem dat beide werelden teisterde, was te groot en ging te diep om door hen opgelost te worden. Maar wie moest het dan doen?

De Raad, de zogenaamde regering en bescherming van Emowereld, hield zich, opzettelijk of niet, verborgen en was onbereikbaar. Als hogere elfen of welk ander wezen dan ook met ongelooflijke krachten iets aan het probleem konden doen, dan hadden ze dat vast al geprobeerd. Het kwam dus allemaal op hem en zijn groep neer en hoezeer Gehlen zocht naar haken om zijn hoop aan op te hangen, ze waren niet stevig genoeg om die te dragen. Hij had ooit eens gehoord dat mensen die toekomstgericht waren, en zelfs hun allerkleinste handelingen visualiseerden voor ze die uitvoerden, meer kans hadden om hun visie werkelijkheid te zien worden en zo meer slaagkans hadden dat hun dromen uitkwamen. Ze voerden de kracht van hun geest gradueel op. Gehlen wist echter niet hoe hij daaraan moest beginnen, omdat ze compleet geen idee hadden wat er momenteel speelde. Ze hadden zelfs geen hint of vage indicaties, behalve de vortexen dan.

Waren Codies krachten maar al volledig ontwikkeld en dan vooral zijn helderziende gaven, dat zou hun werk stukken vereenvoudigen, veronderstelde Gehlen. Maar krachten groeiden zoals ze moesten groeien, in hun eigen tempo en met mate, zodat de gebruiker er langzaam aan kon wennen, zonder zichzelf of de controle over die krachten te verliezen.

De asbak stond net buiten het bereik van Gehlen. Hij keek er even geconcentreerd naar en ogenblikkelijk verschoof het in zijn richting. Hij gleed met zijn sigaar over de rand, totdat de as erin viel en zuchtte toen zo diep dat de as opstoof en weer neerdwarrelde.

Een kat miauwde klaaglijk in de verder stille nacht. Gehlen begreep het beest volkomen, zo voelde hij zich immers ook. Plots kroop er een rilling van zijn voeten naar zijn benen en borst tot over zijn hoofd waar die weer verdween. *Zo koud is het buiten niet*, dacht Gehlen verbaasd, *en er staat zo goed als geen wind.* Maar het gevoel was niet zoals wanneer je het koud had, eerder alsof er duizenden veertjes je huid beroerden.

Een wolk schoof even voor de maan en vertrok toen langzaam in noordelijke richting. In het maanlicht dat plots feller scheen, zag Gehlen zijn voeten vervagen, alsof ze in een bassin met water ondergedompeld werden. Hij liet zijn sigaar op de tafel vallen en betastte zijn voeten. Niets vreemds aan de hand, maar het gras trilde in een viertal vierkante meter om hem heen. *Eigenaardig.*

Toen drong het tot hem door.

Ik zit verdorie in een verdomde vortex!

Hij sprong ogenblikkelijk op, waardoor de stoel omviel, opende het schuifraam en tuimelde onhandig naar binnen. Een nieuw gevoel, een gevoel dat hij absoluut niet gewend was en waarvan hij niet wist wat hij ermee aan moest vangen, bekroop hem even sluw als de vortex had gedaan.

Angst!

48 Ratiowereld: nacht 6

"Wie denkt dat hij denkt, zit soms maar wat te dromen."

Eugene Bosschaerts

Aqua was op de vlucht en rende de benen van onder zijn lijf. Hij was dan wel in de gevangenis zijn spieren blijven trainen door dagelijks een tweehonderdtal sit-ups en push-ups te doen, maar zijn uithoudingsvermogen was ver beneden peil.

Verdomme, dacht hij, maar op zijn gezicht stond een glimlach. Hij blikte omhoog, zag een politieluchtwagen voorbijschieten en dook snel in een verduisterd steegje waar de straatverlichting hem niet kon verraden.

Hijgend steunde hij met zijn handen op zijn knieën. Al had Eric hem verraden aan de politie, toch kon hij geen woede voelen, enkel een brandende liefde die zijn lendenen een onnoembare pijn bezorgde en zijn hersenen verdoofde. Aqua dacht aan hun weerzien, slechts een vijftiental minuten geleden.

Eric had hem schoorvoetend binnengelaten, nadat hij hem door de doorzichtig geworden voordeur smekend had zien staan. Met een achterdochtige blik had hij Aqua op de harde plastic sofa laten plaatsnemen. Aqua had hem stralend en met puppyverliefde ogen aangekeken.

'Zat jij niet vast?' had Eric gevraagd. Niet 'hoe gaat het met je?' of 'leuk om je terug te zien'. Maar op dat moment kon het Aqua niet deren. Hij was al lang blij om zijn oude vriend weer te zien, in zijn mooie ogen te kunnen kijken en zijn gespierde lijf te bewonderen.

'Ja, maar ze hebben me vrijgelaten. Ze hebben alle gevangenen vrijgelaten.'

'Ik hoorde al zoiets op het nieuws,' klonk het kil.

Aqua weet Erics koele houding en afgebeten woorden aan het feit dat ze elkaar zolang niet gezien hadden.

'Leuk, hé! Man, ik heb je gemist!'

Eric stak zijn afgrijzen niet onder stoelen of banken; het gleed over zijn gezicht als een aangetrokken masker. Toen Eric niets zei en hem alleen maar met afschuw aankeek, vroeg Aqua, nog steeds hoopvol: 'Heb je mij gemist?'

Eric schokschouderde, maar zijn blik sprak boekdelen.

'Ik heb het je nooit verteld, Eric, maar ik ben verliefd op je!' Aqua sprak het uit alsof het de meest fantastische ontdekking van de eeuw betrof.

Eric deinsde achteruit en verdween in de keuken. Aqua hoorde water stromen en veronderstelde dat hij twee glazen vulde. Maar wat Aqua nooit had vermoed, was dat Eric op datzelfde moment, onder dekking van het watergeluid, de politie opbelde.

Hij kwam inderdaad terug met twee glazen water. Zijn trillende handen echter alarmeerden Aqua. Eric liet de glazen vallen en nog voor een van hen de grond raakte, had Aqua ze beide te pakken. *Goed*, schoot er door zijn hoofd, *mijn gedragshelderziende gave werkt nog uitstekend.*

Hij overhandigde een glas aan Eric en ging weer zitten. 'Heb je de politie gebeld?'

'Hoe... nee, natuurlijk niet,' stotterde Eric.

Vaag in de verte hoorde Aqua een luchtschip. Erics twijfelachtige antwoord en dat geluid waren voor hem voldoende geweest om met een gekwetst gevoel het hazenpad te kiezen.

'Jammer,' zei Aqua enkel en voor Eric het ook maar besefte,

drukte hij een zoen op diens lippen en stevende op de deur af. Eric staarde hem verbluft na en voelde met zijn vingertoppen aan zijn lippen, waar een voor hem onbekend gevoel achterbleef.

Tot zover was hij de luchtwagens van de politie ontvlucht en hen succesvol voorgebleven. Zoeklichten beschenen af en toe het steegje, maar hij stond beschut tegen een muur aan, waar ze hem niet konden zien. Zijn borst zwoegde opgewonden op en neer en hij kon niet bepalen of dat door de achtervolging kwam of door de gedachte aan Eric.

Plots hoorde hij naderende voetstappen en zware mannenstemmen. Haastig verliet Aqua zijn schuilplaats en liep in de tegenovergestelde richting weg. Het was haast onmogelijk om de vele camera's, die op elke straathoek hingen, te vermijden. De beelden konden dan ook nog eens rechtstreeks op de ooglenzen van de agenten en op displays in de luchtwagens weergegeven worden, zodat ze hem gemakkelijker konden opsporen.

Waar kan ik in 's hemelsnaam heen? Waar?

Zijn hart sloeg een slag over toen hij een hand op zijn bovenarm voelde en achteruitgetrokken werd.

'Ssst,' fluisterde iemand. 'Hier ben je veilig.'

De deur sloeg achter hem dicht en Aqua draaide zich behoedzaam om.

Op een meter afstand stond een vrouw die hem vriendelijk toelachte, haar gezicht beschilderd met rode bloemen en symbolen. Haar lange, blonde haren hingen los en ze liep blootsvoets.

'Kom,' gebood ze hem zacht.

Aqua volgde haar. Ze liepen door een kale, witgeschilderde kamer naar een volgende deur die ze opende. Bedwelmende walmen sloegen meteen in zijn gezicht. De tweede kamer was overwegend donker, zodat zijn ogen even moesten wennen. En wat hij toen zag, gaf hem het gevoel thuis te zijn gekomen en lotgenoten gevonden te hebben.

Meerdere mannen en vrouwen zaten in een cirkel op de grond. Ze werden beschenen door kaarsen die zachte schaduwen over de aanwezigen wierpen en hen daardoor iets sereens gaven. Het eerste dat Aqua zich afvroeg, was waar ze in 's hemelsnaam die kaarsen vandaan hadden. Kaarsen werden niet meer geproduceerd, maar deze zagen er vergeeld uit en vertoonden ouderdomsbarsten, dus duidelijk antieke stukken. De kussens die her en der verspreid lagen, zagen eruit alsof ze stof zouden ophoesten zodra je ze aanraakte. Flessen drank en etensverpakkingen lagen tussen de mensen in. Hoelang zouden ze hier al bivakkeren, vroeg Aqua zich af, of beter gezegd, schuilen?

'Welkom in ons groepje. Ik zag dat je op de vlucht was voor de politie. We zijn hier samengekomen omdat we dezelfde overtuigingen delen.' De vrouw sprak in golven, met vreemde hoogtes en laagtes.

Ze keken Aqua allen aan alsof ze op hem gewacht hadden. De meeste gezichten waren vrolijk beschilderd en iedereen had die gelukzalige blik in zijn ogen. Er zaten zelfs mensen tussen die volledig naakt en ongegeneerd aan elkaar friemelden. *Dit lijkt hier verdorie op Emowereld*, dacht Aqua, *hoe kan dat nu*?

Enkelen gebaarden dat hij bij hen moest komen zitten, wat Aqua dan ook deed.

'Wat voor overtuigingen?' vroeg hij zodra hij zat en de stofwolkjes uit het kussen opstoven.

De man naast hem antwoordde: 'Vrede en liefde, man, en vrijheid!'

'En begrip voor onze aardbol en de natuur,' zei een vrouwelijke stem.

Aqua's nieuw gevonden geluk was echter geen lang leven beschoren.

De vrouw die hem binnengehaald had, had nog maar net plaatsgenomen toen de deur met kabaal openvloog en de politie het vertrek binnenstormde. Aqua was te beduusd om te reageren en besefte dat het spelletje voorbij was. De politie ging doeltreffend te werk. Ze wisten precies wie ze moesten arresteren en wie niet, verspilden geen onnodig geweld en zeker al geen woorden. De elektronische handboeien schoven vloeiend om polsen. Degenen die niet uit de gevangenis vrijgelaten werden, kropen angstig tegen de muren aan, schuilend in de flikkerende schaduwen en verstijfd van angst. De anderen, onder wie Aqua, werden zonder protest meegevoerd.

49 Emowereld: nacht 6

"Wie geen dromen heeft, heeft evenmin een werkelijkheid."

Karel Boullart

Kate had nog even tijd voor ze naar Hecate zou vertrekken. Als iets haar gedachten kon afleiden was het schoonmaken, dus liep ze naar de keuken voor een stofdoek. Met krachtige bewegingen, waarin al haar woede werd gegooid, ging ze het stof te lijf. Ze opende haar slaapkamerraam om de stofdoek uit te kloppen en rook de zachte en vochtige lucht. Een lucht die magnoliaknoppen ertoe aanzette zich te openen. Haar hoofd klaarde op en ze realiseerde nu pas dat haar hoofdpijn volledig verdwenen was. *Kruiden en seks, de perfecte remedie,* dacht ze grijnzend.

Ze wilde net de stofzuiger, die onderin haar klerenkast stond, pakken, toen er aangeklopt werd.

Kalon! Hoopte ze.

Het was echter Dille die, met een beteuterd gezicht en hangende schouders, voor haar stond.

'Dille! Lieverd, kom binnen!'

Dille schrok enigszins en keek Kate schuin aan. De afgelopen dagen hadden een andere Kate laten zien, niet zo hartelijk en uitnodigend als nu. Ze had verwacht afgescheept te worden.

'Wat is er?' vroeg Kate.

'Nou, je was niet echt jezelf, vond ik, de laatste tijd. Ik had een andere reactie verwacht.' Dille schuifelde binnen en ging meteen zitten.

'Tja.' Ze ging naast Dille zitten. 'Wil je iets drinken?'

'Nee, dank je.'

'Je hebt gelijk. Ik weet niet wat er met me aan de hand was. Het voelde aan alsof ik in een teerput leefde.'

Dille trok haar neus op en grinnikte. 'Nou, zo erg zou ik het nu ook niet stellen.'

'Maar zo voelde het wel.'

'En nu?'

Kate schokschouderde. 'Beter. Na mijn dood kreeg ik op een gegeven moment een golf energie over me heen. Geen idee waar het vandaan kwam, maar ik vermoed dat mijn betovergrootmoeder Elise er voor iets tussen zit. Toen was het alsof ik langzaam uit de teerput omhoog kroop.'

'Gelukkig maar. Ik heb je gemist.'

'Sorry voor mijn egoïstische gedrag, Dille, ik heb onze gesprekken ook gemist.'

'Vergeven en vergeten. Poef!' Dille zwaaide met haar hand alsof ze het verleden met lucht uitwiste.

Kate glimlachte. 'Maar je kon me altijd opzoeken, hoor.'

'Niet zoals je was, nee.'

'Ik begrijp het.' Kate glimlachte. 'Maar ik ben terug.'

'Je bent terug,' zei Dille op een toon die zowel verrukking als verdriet behelsde.

'Oké, vertel. Wat is er aan de hand?'

'Eerst nog dit. Wat is er gebeurd tussen jou en Kalon? Ik wilde je er niet mee lastigvallen, omdat je... nou, zoals ik al zei, jezelf niet was. En uit respect voor jullie privacy.'

Dat was weer een tikkeltje ratiowereld die bovenkwam, dacht Kate. 'Ik was een kreng en heb hem, zonder reden of aanleiding, weggejaagd. De schuld ligt volledig bij mij.'

'Dan ga je toch je excuses aanbieden! Of wil je hem niet meer terug dan?'

Kates blik werd troebel. 'Natuurlijk wil ik hem terug. Het doet pijn zonder hem te leven.'

'Waar wacht je dan nog op?'

'Ik denk dat hij me niet meer terugneemt. Ik bedoel, ik heb hem behoorlijk gekwetst.'

'Je bent gek!' riep Dille uit. 'Kalon vertelde me ooit eens hoeveel moeite hij moest doen om jou te veroveren, hoeveel jaren hij op jou gewacht heeft. Denk je nu echt dat hij opeens geen interesse meer heeft, dat hij plots niet meer van je houdt?'

'Ik weet het niet.'

'Voor een slimme meid gedraag je je nu behoorlijk dom, Kate.'

'Dank je.' Kate grijnsde schaapachtig.

'Je weet best wat ik bedoel.'

'Ik zie nog wel.'

'Je ziet niets! Jullie zijn samen een prachtig koppel, vullen elkaar perfect aan. Dat gooi je zomaar niet weg.'

'Hm.' Kate was nog steeds niet overtuigd, of gunde ze zichzelf die gedachte niet? Vond ze dat ze nog wat langer gestraft moest worden voor haar vreselijke gedrag? Ineens had ze zin in een hete douche en appeltaart. Waar dat vandaan kwam, begreep ze niet, maar het kwam haar goed over. Ze miste Kalon, ze miste haar ouders. Kate knipperde een opkomende traan weg.

'Kom hier.' Dille spreidde haar armen.

Kate liet zich dat geen tweemaal zeggen en begroef haar gezicht in de trui van Dille. De trui rook naar meidoorns die bloosden van hun eerste bloesems en voelde vochtig aan. Kate realiseerde zich dat het door haar tranen kwam, die als een stromend beekje uit haar ogen vloeiden. Dille streelde haar rug met langzame, zachte bewegingen en liet haar uithuilen.

'Iedereen heeft het recht om zich minstens eenmaal als een kreng te gedragen,' zei Dille. 'Je hebt het nu achter de rug.'

In weerwil van zichzelf kon Kate de lachbui die opkwam niet onderdrukken. Ze lachte gesmoord en huilde tegelijkertijd tegen Dilles borst aan. Het klonk als een hyena met kiespijn en die gedachte deed

Kate opnieuw lachen. Dille werd erdoor aangestoken en begon zachtjes te grinniken.

Kate liet haar los en keek Dille dankbaar aan, de tranen als vochtige parels op haar wangen. 'Kijk mij nu. Lachen en huilen tegelijkertijd, twee dingen die ik lang niet meer gedaan heb.'

'Je had het nodig,' stelde Dille vast.

'Ik had blijkbaar veel nodig.'

'Hé?'

'Laat maar.' Kate veegde de tranen van haar gezicht en rechtte haar rug. 'En nu jij!' zei ze streng, duidelijk geen tegenspraak meer duldend.

Onmiddellijk betrok Dilles gezicht. 'Ik ben bezorgd om de baby,' zei ze en keek naar haar buik.

'Waarom? Heb je pijn of ergens anders last van?'

'Nee, nee. Ik hoorde dat een vuurduivel een baby met problemen baarde en dat kwam blijkbaar doordat ze in een vortex had gelopen.'

Kate slikte verschrikt een mondvol lucht door. 'Heb jij in een vortex gelopen?'

'Niet dat ik weet.'

Kate zuchtte opgelucht.

'Maar hoe kun je het weten?' vroeg Dille in paniek. 'Je ziet die dingen toch niet?'

'Toch wel, maar amper. Ik denk wel dat jij het gezien zou hebben, hoor. Het is alsof je in vloeibare rook waadt. Maar je ziet het meestal pas als het al te laat is.'

Dille dacht na. 'Ik kan me inderdaad zoiets niet herinneren.'

'Je hoeft niet ongerust te zijn, Dille. Je krijgt een fantastische baby. Zeker weten!'

Dille knikte mat. 'Kun je een beschermingsamulet voor me maken?'

'Dat kan ik, maar het zou niet veel uithalen.'

'Hoezo?'

'Nou, die amulet zou je alleen maar behoeden voor gevaar en een vortex is niet iets dat als gevaarlijk beschouwd wordt. Het doodt niet, het gooit alleen dingen door de war.'

'Dus de kans bestaat dat ik alsnog in een dergelijk ding zou stappen, zelfs met de amulet?'

'Ja.'

'Dan houdt het op,' klonk het teleurgesteld.

'Nee, ik weet iets beters.' Kate glunderde en Dille vond dat haar anders zo groene ogen nu leken op een nijlblauw landschap op een lentemorgen.

'Wat dan?'

'Er springt me net een idee te binnen. Enkele dagen geleden hadden Kalon en ik het over dimensiescheuren en hoe je deze zou kunnen opsporen.'

'Ja?'

'Wel, hij stelde voor om aan een heks te vragen of er een apparaat bestaat om die dingen te detecteren, net als het apparaat voor verloren voorwerpen.'

'En? Bestaat het?'

'Geen idee, ik ben er nooit aan toegekomen om het na te gaan.' *Te veel met mezelf bezig geweest*, dacht Kate.

'Maar wat zou ik daaraan hebben dan?'

'Stommerik die ik ben. Ik heb er nooit bij stilgestaan dat Elise misschien in haar Boek der Schaduwen een dergelijke spreuk kon hebben neergeschreven.'

'Een spreuk om een dimensiescheur op te sporen?'

'Ja! Precies!' Kate klapte in haar handen. 'Stel nu dat zo'n spreuk bestaat en ik die kan aanpassen…'

'Zodat hij vortexen opspoort in plaats van dimensiescheuren?' Dille voelde zich zienderogen beter.

'Ja!'

Kate stond op en liep naar de kast waar ze het boek van Elise uit nam. Ze liep weer naar de bank en plofte neer met het boek op schoot. Snel, maar voorzichtig bladerde ze het door, want de pagina's waren oud en broos. Kate bedacht dat ze toch ooit eens het boek moest overschrijven, voor het volledig ten onder zou gaan aan de tand des tijds.

'Wie weet bestaat er zelfs een spreuk om vortexen op te sporen,' zei Kate.

Dille leunde over het boek en keek hoopvol mee.

'Aha, hier heb ik het!'

'Een spreuk om een dimensiescheur op te roepen,' stelde Dille vast.

'Nog even verder kijken, je weet maar nooit.'

Ze vonden echter geen spreuk om vortexen te detecteren, zelfs na een tweede maal het boek te hebben doorspit.

Dit was wat er stond:

Opsporingsspreuk voor dimensiescheur

Houd u beide handen met de palmen omhoog.
Zeg de volgende spreuk op:

'De andere wereld ver en toch nabij
Geleidt mijn lichaam en geest
Laat mijn ogen deze aanschouwen,
onbevreesd
Onthul de doorgang aan mij'

Plaats nu de palm van u beide handen op
uw ogen gedurende enkele seconden en
concentreer.
Laat los en u zult naar de dichtstbijzijnde
dimensiescheur geleid worden.

'Ik zie niet in hoe dit mij kan waarschuwen voor een vortex,' zei Dille beteuterd.

‘Gebruik je creativiteit, Dille. De meeste spreuken werken gedurende een dag en een nacht. Je zou deze spreuk dus elke morgen kunnen herhalen en vervang dan ‘de andere wereld’ in ‘de vortexen’ en voor de zekerheid ook nog eens ‘de doorgang’ in ‘de vortex’. Snap je het?’

Dille knikte. ‘Dus dan wordt het: de andere vortexen ver en toch nabij, geleidt mijn lichaam en geest, laat mijn ogen deze aanschouwen, onbevreesd, onthul de vortex aan mij.’

‘Precies! Maar samen met dat gedoe houd je je handen op de ogen.’

‘Oké!’ Dille las de spreuk nog eens, sloot haar ogen en murmelde het enkele malen. ‘Het zit in mijn hoofd.’

‘Goed zo. Voel je je nu beter?’

‘Ben je zeker dat het werkt?’

‘Ja.’

‘Maar ik ben geen heks.’

Kate stond op en liep naar de ladekast in de woonkamer. Uit de lade waar ze al haar magische attributen in bewaarde – kaarsen, wierook, halfedelstenen en meer – haalde ze een halsketting tevoorschijn.

‘Hier, doe deze om.’

‘Wat is het?’ Dille nam de halsketting over en bekeek het witte, halfdoorzichtige steentje dat eraan bungelde.

‘Bergkristal. Dat versterkt magische handelingen. Je moet het op de blote huid dragen.’

Dille liet de ketting over haar hoofd zakken en stopte hem onder haar trui. Het steentje viel koel neer op de plek net onder haar borsten en boven haar maag.

‘Precies op de goede plaats, de solar plexus,’ knikte Kate goedkeurend.

‘De zonnevlecht?’

‘Ja.’

‘Bedankt, Kate. Je bent een goede vriendin.’

'Nee, dat ben jij.' Kate plaatste een kus op Dilles kruin.

Dille glimlachte. 'Moet jij niet naar Hecate toe?'

'Ja, ik moet ervandoor.'

Ze trok snel haar laarzen en jas aan, wierp Dille nog een kushandje toe en verliet haar flat.

50 Emowereld: nacht 6

"Dromen ontspruiten aan waakzame gedachten."

Woe Cheng-en

Het gesprek over Kalon en de hulp die ze Dille had geboden, hadden Kate opgebeurd. Ondanks de loodgrijze lucht en alle problemen, voelde ze zich goed en optimistisch wat betrof de toekomst. Ze was vastbesloten om Kalon weer voor zich te winnen, desnoods zou ze op haar knieën kruipen en hem alles beloven wat hij maar wilde. Kate grijnsde. Kalon kennende wist ze al waarmee hij genoegen zou nemen, althans, als hij het over zijn hart kon krijgen om haar te vergeven. Maar door Dille was haar hoop zienderogen toegenomen en zag ze kans haar relatie opnieuw te smeden.

Ze mocht absoluut niet vergeten om de anderen van de groep haar excuses aan te bieden. Ze had hen unfair en afstandelijk behandeld en dat moest ze goedmaken. Hoe ze dat zou doen, kon ze later wel bedenken.

Kate liep over het malse gras door het park. Ze merkte de groepjes wezens met spandoeken op die zich in het park verzamelden, maar besloot ze te negeren. Er liepen ook heel wat dromers rond en in tegenstelling tot enkele dagen terug kon ze nu lachen om hun bizarre gedrag en het verschijnen van voorwerpen die aan hun fantasie ontsproten.

In het voorbijgaan ving ze een gesprek op tussen een dromende man en vrouw.

De vrouw zei: 'Wacht eens even, werk jij niet voor IQ-intelligence?'

'Ja, hoe weet je dat?'

'Ik werk er ook, op de administratieve afdeling!'

'Wat een toeval, zeg.' De man klonk op een slaperige manier verbaasd.

'En weet jij dat je aan het dromen bent?'

'Ja! Ben jij ook aan het dromen dan?'

De vrouw knikte.

Kate hield halt op enkele meters afstand. Dit gesprek was te fascinerend om aan voorbij te lopen.

'Hela, betekent dit dat we in elkaars droom zitten?' vroeg de man.

'Dat veronderstel ik wel.'

'Of droom ik over jou?'

'Nee, want je kende me niet. Tenzij…' Je zag haar verwoed denken alsof het op het puntje van haar tong lag. 'Ik kan ook dromen over jou!'

'Nee, nee, ik ben zeker dat ik droom.'

'Raar, zeg!' De vrouw zette een stap achteruit, alsof ze bang werd.

'Dus als we elkaar morgen op het werk zien, dan…'

'Wat gênant!'

'We hebben nog niets gedaan, dus waarom zou het gênant zijn?' De man kreeg een broeierige blik in de ogen.

O, o, dacht Kate grinnikend, *hij probeert zijn slag te slaan.*

'En dat houden we zo!' zei de vrouw resoluut.

'We zijn toch maar aan het dromen?'

'In Emowereld, ja! En we weten ervan!'

'Maar misschien herinneren we ons niets meer als we wakker worden,' probeerde de man alsnog. 'Dan hebben we toch maar mooi plezier gehad.'

'Wat hebben we er dan aan, als we het ons niet herinneren? En misschien herinneren we het ons wel en dan durven we elkaar niet meer onder ogen te komen.'

‘Zeg,’ zei de man. ‘Hoe komt het trouwens dat we dromen…’

Kate liep verder. Het gesprek dat nu zou volgen, kende ze al. Ze liet het park achter zich, althans dat had ze gehoopt, want net op dat moment hoorde ze het welbekende vaag knarsende geluid. *O nee*, dacht ze, *niet nu!*

Het gras onder haar voeten verdween en maakte voor een geasfalteerde weg plaats. *In ’s hemelsnaam!* Ze keek om zich heen en zag enkele kalkstenen gebouwen opdoemen waar eerst bomen hadden gestaan.

Oké, prima, jij je zin! Ze keerde op haar stappen terug en vervolgde haar weg langs een gebouw. Het makkelijkste zou zijn om weer te keren tot aan haar flat, even te wachten en het dan alsnog te proberen, alleen verloor ze daar ontzettend veel tijd mee.

Ik laat me leiden door mijn intuïtie en het lot brengt me wel naar Hecate.

Met haar blik op oneindig en de gebouwen in haar rug liep ze verder in noordelijke richting.

Opgelucht herkende ze enkele oud gestuukte huizen met golfjes dakpannen en klimop tegen de muren. Bij een van de huizen, waarvan de muren okergeel en terracottaoranje geschilderd waren, prijkte in de voortuin een bord met ‘Te koop’ erop. Kate bleef staan en bewonderde het huis. Vooral de boogramen spraken haar aan.

Hier zou ze wel willen wonen, vlakbij het centrum, maar toch in een rustige buurt. Ter plekke besloot ze dat, als het goed kwam tussen haar en Kalon, ze dit huis samen konden kopen. Kalon had al een paar maal geopperd om een huis te kopen, dat ze volledig samen konden inrichten. Opgetogen met die gedachte, stapte ze door.

Via deze weg, tussen twee huizen door, zou het haar ook moeten lukken het elfenbos te bereiken. Weliswaar met een forse omweg, maar dat was nu eenmaal zo.

Ze hoopte dat Hecate op haar favoriete plekje verbleef – de plaats in het elfenbos met dat prachtige prieel – en anders kon ze haar altijd nog telepathisch proberen te bereiken. Liever echter had ze een persoonlijk gesprek, omdat ze dan Hecates reactie kon peilen en meer kon aandringen wanneer ze het gevoel kreeg dat Hecate iets achterhield.

Ze hoopte ook dat ze nog de tijd zou vinden om Melfo te spreken. Hun afscheid in het ziekenhuis was te kort geweest en bovendien had ze het met al de anderen erbij vervelend gevonden om Melfo voldoende gerust te stellen dat ze hem niets kwalijk nam. Hoewel ze hem duidelijk op het hart had gedrukt dat ze het hem vergaf, had ze aan zijn aura gezien dat hij haar vergiffenis niet tot zich door had laten dringen en zich nog steeds schuldig had gevoeld.

Kate had een zwak voor architectuur, ze nam dan ook de tijd om de huizen die ze nu voorbijkwam te bewonderen. Woningen waarvan de buitenmuren prachtige marmeren sierlagen bevatten en rookglas in de ramen. Het steegje dat achter deze huizen lag, zou haar dichter bij het elfenbos moeten brengen.

Maar…

Alsof het lot een gemene grap met haar uithaalde en haar strafte voor haar optimisme, schoven de huizen opzij en naar elkaar toe.

'Nee, hé!' riep Kate verbolgen uit. Hoe was het mogelijk!

Nu moest ze met een wijde boog om de rij huizen heen, voor ze het paadje vond. Als het paadje er nog zou liggen! Het was wel erg dol allemaal vannacht. Wat had ze er nu een hekel aan om in een wereld te leven die door dromers beïnvloed kon worden en waar niets een vaste plaats had.

Na een tiental minuten kwam ze aan het eind van de straat en sloeg een hoek om. Een rij ficushagen vormde hier de grens met het elfenbos. Kate rende erheen, bang voor een nieuwe verandering van omgeving.

Maar het volgende moment bevond ze zich weer in het park.

Verdwaasd keek ze om zich heen. Waarom ook niet? Dat kon er nog wel bij! Een dromer had haar natuurlijk hierheen gekatapulteerd! Razend stampte ze op de grond. Ze kon weer van voren af aan beginnen. Niet te geloven! Waar kwamen al die dromers opeens vandaan?

Vastbesloten de dromers niet te laten winnen, stevende ze het park opnieuw uit. De kalkstenen gebouwen waren intussen gelukkig verdwenen en de oorspronkelijke omgeving was hersteld. De protesterende groep wezens en mensen was nog steeds aanwezig en het leek alsof de gemoederen behoorlijk verhit raakten. Een ongebruikelijk gedrag voor een volk dat alles zo gemakkelijk aanvaardde en het begrip stress amper kende.

Ze nam het zanderige paadje dat naar een meertje voerde. Al van ver kon ze de koele, diepe geur van het meer ruiken. Een geur die in je haar en kleren ging zitten en daar bleef hangen, met waterige draden aan je vast gestikt. *Zo ver zo goed,* dacht ze, half hollend, half wandelend. Ze liet het meertje, waar witte waterlelies op dreven, links van haar en ging verder in oostelijke richting. Het elfenbos kwam al in zicht. Ha, eindelijk!

Toen zakte ze bijna jankend op de knieën.

Voor haar ogen verdween het bos, alsof een onzichtbare hand het had opgepakt en ergens anders had neergezet.

Genoeg! Dat was genoeg! Ze gaf het op!

Ze blikte op haar horloge en zag dat het bijna drie uur was. Dat kon helemaal niet! Ze was vertrokken met nog ruimschoots een uur voor de boeg en dan nu… Natuurlijk! Waarom niet? Ook de tijd had een sprong gemaakt, wat nog wel eens gebeurde in Emowereld, hoewel uiterst zelden.

Kate zuchtte gelaten, ze kon de tekenen niet langer negeren. Het lot wilde blijkbaar niet, om wat voor duistere of geschifte reden dan ook, dat ze Hecate ontmoette. Ontmoedigd besloot ze naar Gehlens huis te vertrekken om dan toch maar Hecate telepathisch op te roepen. Er zat nu eenmaal niets anders op.

51 Emowereld: nacht 6

"Het is een zeer benauwde droom, te weten te dromen en toch niet te kunnen ontwaken. Zulk een droom is ook het leven."

Dirk Coster

Gehlen trok het schuifraam van de woonkamer met een ruk naar beneden en sloot het met trillende vingers af. Hij had zich nog nooit eerder zó in paniek gevoeld. Schichtig keek hij om zich heen, niet in staat zijn razendsnel kloppende hart en zijn jachtige ademhaling te kalmeren. Hij controleerde het schuifraam – potdicht. Echt? Hij controleerde het nog eens. Voor de zekerheid. Hij trok aan het raam met alle kracht die hij bezat om zichzelf ervan te overtuigen dat het echt wel goed dichtzat. Zweet parelde op zijn voorhoofd; hij beefde over zijn hele lichaam. Hij schoot door de benedenverdieping, overal ramen en deuren controlerend. Niet eenmaal, nee, meerdere malen.

Telekinetisch hief hij de sofa op om eronder te kijken, al was de ruimte daar zo klein dat zelfs een locker die als benauwend zou ervaren. Als een bezetene liet hij met de kracht van zijn geest laden en kastdeuren opengaan, tuurde in hoeken en spleten en schoof gordijnen opzij. Zijn ademhaling kwam er met horten en stoten uit. Hij kreeg niet genoeg lucht binnen! Met een piepend geluid zoog hij grote happen lucht op, maar nog leek het alsof hij zou stikken.

Zijn angst rook zuur, leerachtig en hij wist totaal niet hoe hij die onder controle kon krijgen. Zijn ogen flitsten naar de boekenkast. *Daar! Daar kon er nog iets schuilen.* Zonder de boeken aan te raken, liet hij ze met een dof geluid een voor een op de grond vallen. Zijn hart klopte in zijn keel en bemoeilijkte het ademen nog meer. Het zweet druppelde nu in zijn ogen en met een woest gebaar veegde hij het weg.

Hij was bang. Nee, panisch! Het overheerste zijn denken zodanig dat hij niet kon bepalen waarvoor hij nu precies bang was. *Alles!* schoot het door hem heen. Alles vormde een bedreiging, alles kon een schuilplaats zijn voor het slechte, iedereen kon hem en zijn gezin iets aandoen!

Hij werd zo in beslag genomen door zijn angst dat hij Arle niet eens hoorde die het, door alle kabaal, op een huilen had gezet.

'Gehlen?'

Natasha stond met slaperige ogen en in haar kamerjas in de deuropening tussen de hal en de woonkamer. Ze overzag de ravage die Gehlen had aangericht en was meteen klaarwakker.

'Wat is hier gebeurd?' vroeg ze met grote ogen.

'Natasha, ga terug naar bed! Het is hier gevaarlijk!'

Hij liep op haar af en voor het eerst sinds ze hem kende, deinsde ze geschrokken achteruit. Zijn vertrokken gezicht, maar vooral de weggetrokken lippen en zijn tanden die eruitzagen alsof hij iemand zo de strot kon doorbijten, joegen haar schrik aan. En dan die manische blik en zijn haar doorweekt van zweet. Ze herkende hem niet!

Het huilen van Arle was intussen opgehouden.

Gehlen greep Natasha ruw aan de bovenarm beet en duwde haar vervolgens de trap op.

'Blijf daar! In je kamer!'

'Maar Gehlen, wat is er dan?' jammerde Natasha.

Ze was geen huiltype, maar dit gedrag overviel haar als een koude douche. Ze had Gehlen nooit eerder zo angstig gezien, niet eens bij teleportatie! Haar man kende geen angsten, was nergens bang voor. Terwijl ze zijn geduw in haar rug voelde, bedacht ze dat het misschien helemaal haar man niet was. Ze keek achterom en vroeg met beverige stem: 'Gehlen, ben jij dat wel?'

‘Hé?’ Hij knipperde met zijn ogen en keek toen schichtig om zich heen.

‘Jij bent het toch wel, hé?’

‘Zou ik iemand anders kunnen zijn dan?’ De angst werd nog duidelijker zichtbaar en liet zijn gezicht wit wegtrekken. ‘Zou dat kunnen? Zou dat kunnen?’

‘Gehlen!’ Natasha draaide zich om. Doordat ze een paar treden hoog stond, kwam haar gezicht op gelijke hoogte met dat van hem. ‘Kalmeer! Wat heb je toch? Waar ben je zo bang voor?’ Ze nam zijn hoofd tussen haar handen, maar ze kon zijn blik niet vasthouden. Zijn ogen bleven onophoudelijk van links naar rechts schieten en zijn zweet drupte tussen haar vingers door.

‘Alles is gevaarlijk tegenwoordig,’ zei hij hijgend. ‘Je moet opletten, Natasha. Is Arle veilig in bed?’ Hij had het laatste woord niet eens uitgesproken of hij vloog langs haar heen de trap op.

‘Gehlen! Laat haar slapen. Ze is nu weer rustig!’

Natasha stormde hem achterna. Wat was er in ’s hemelsnaam met haar rotsvaste en stabiele man aan de hand?

Bovengekomen zag ze dat Gehlen niet, zoals ze verwacht had, over de wieg gebogen stond. Zo geruisloos mogelijk controleerde hij elk stukje van de slaapkamer.

‘Gehlen,’ fluisterde Natasha.

Hij keek op, noch om. Rammelde tussen dekentjes en kleertjes in de kast, schoof pluche beren opzij, keek eronder en erachter.

‘Gehlen!’ fluisterde ze nu wat harder. ‘Er is hier niets of niemand.’

Zijn hoofd draaide met een ruk naar haar om en wederom schrok Natasha door zijn blik. Het was alsof hij door haar heen keek. Hij begon te trillen en zacht te jammeren.

‘Ik kan er niet meer tegen,’ fluisterde hij verstikt.

Hij schoot Natasha weer voorbij. Voor ze hem volgde, keek ze nog even in de wieg, maar Arle lag zoet te slapen, zich van geen tumult bewust.

Natasha hoorde Gehlen huilen. Haar man huilen? Dat had ze

nooit eerder meegemaakt. Ze streelde Arle nog even over haar wangetje – lief kind, slaap zacht – voordat ze achter Gehlen aan ging. Het gehuil kwam vanuit de badkamer. Gehlen zat in de badkuip, ineengedoken en met zijn armen stevig om zijn bovenlijf geslagen. Hij keek star voor zich uit alsof hij de dood in de ogen zag.

Natasha knielde naast het bad neer en legde voorzichtig haar handen op zijn arm. Ze bevochtigde haar lippen voor ze zacht, bijna smekend zei: 'Lieverd, wat is er toch? Hoe kan ik je helpen? Ik weet niet wat te doen.'

Het luide gehuil ging nu over in gesmoord snikken en schokkende schouders. 'Ik ben zo bang,' bracht hij er moeizaam uit.

'Maar waarvoor dan? Is het omdat jullie de problemen niet opgelost krijgen?'

Hij schudde, zonder naar haar op te kijken, zijn hoofd. Hij schaamde zich vreselijk om zijn gedrag, maar had er geen controle over. Zijn angsten leidden een eigen leven, alsof hij een marionet was in de greep van een vleesgeworden verschrikking. Was het een soort straf? Een straf voor al die jaren zonder angsten? Of hadden ze altijd in hem gezeten, latent, sluw wachtend op het moment dat ze als een vloedgolf over hem heen konden spoelen?

'Kom,' zei Natasha zacht. 'Kom mee naar beneden. Ze zullen hier zo zijn. Je had toch om drie uur afgesproken?'

Langzaam hief hij zijn hoofd op en Natasha slaakte een zucht van medeleven. Hij zag er vreselijk uit! Afgetobd, met een vale huidskleur, donkere wallen en bloeddoorlopen ogen. Toch liet hij zich als een klein kind aan de hand meetronen.

'Ik maak een pot sterke koffie voor je,' zei Natasha op sussende toon.

Gehlen voelde zich iets rustiger, maar keek toch nog steeds manisch om zich heen. Halverwege de trap schrok hij van een donkere beweging in zijn ooghoek, tot hij constateerde dat het slechts zijn eigen schaduw was.

Natasha had moeite om zijn klamme hand vast te blijven houden, hij kneep zo hard dat zijn nagels pijnlijk in haar huid boorden. Maar al zou ze bloeden, ze zou niet loslaten.

In de woonkamer deponeerde ze hem op de bank. 'Blijf hier, ik ben zo terug met koffie.'

Hij knikte en ze haastte zich naar de keuken toe.

Zag hij daar nu iets bewegen achter het gordijn? Onder de kast! Hij was er zeker van dat daar iets bewogen had! Ondanks alle verlichting vond Gehlen het te donker in de kamer. Er waren nog te veel onbelichte plaatsen, plaatsen waar moordende wezens konden schuilen.

Hij griste een kussen van de bank en hield het voor zijn gezicht. *Als ik niets zie, kan er me niets gebeuren,* dacht hij, en onmiddellijk daarna: *stommerik! Je bent geen kind van vijf meer.* Hij gooide het kussen van zich af. Het viel met een doffe plof op de grond. Gehlen sprong op.

Dat geluid! Wat was dat?

Gelukkig kwam op dat moment Natasha met een dampende kop koffie binnen. 'Lieverd, kom, ga weer zitten.'

Gehoorzaam ging Gehlen zitten, gerustgesteld dat hij niet meer alleen in de kamer was.

52 Emowereld: nacht 6

"We moeten onze kinderen leren dromen met hun ogen open."

H. Edwards

Dille had nog een dik uur voor ze naar Gehlen moest. Vlak voor ze Kates flat verliet, had ze de spreuk met de vortexdetectie zoals het hoorde opgezegd, met de palmen van haar handen naar de lucht gericht. Daarna had ze haar handpalmen op haar ogen gelegd en zich op vortexen geconcentreerd.

Ze kon nu de proef op de som nemen door een fikse wandeling te maken. Als het meezat zou ze vast wel een vortex tegenkomen en kon ze de spreuk uittesten. Ze nam uiteraard geen enkel risico en hield haar blik strak op de grond voor haar gericht. Indien de spreuk niet werkte, kon ze misschien tijdig de vortex zien en vermijden. Ze kwam voorbij enkele eenvoudig uitziende gebouwen die onderdak boden aan diverse bedrijven, waaronder een papierbedrijf, een fotozaak en een transportbedrijf. De straten lagen doodstil te glinsteren onder het licht van de maan en de stilte voelde geruststellend aan. Straatlantarens wierpen schaduwen neer als archipels op het droge. Een waggelende vuurduivel, overduidelijk beschonken, groette haar grijnzend en struikelde bijna over de boomwortels die uit de straatstenen gegroeid waren. Dille onderdrukte een lachbui.

Om de hoek waren stemmen te horen die haar richting uit kwamen. Ze klonken gejaagd. Eén stem meende ze te herkennen en Dille hoopte van harte dat het niet was wie ze dacht dat het was.

Het groepje kwam nu de hoek om en zag Dille onmiddellijk staan.

Carmel en haar groep fantasiejagers! Als ze het niet gedacht had!

'Hoi, Dille,' klonk het koel uit Carmels mond.

'Carmel.'

Carmel werd door de twee overige leden uit haar groep vergezeld: een slungelige, lange man met sluik, geel haar en een fors gespierde kerel wiens haren zo kort geknipt waren dat ze amper zijn hoofdhuid bedekten. Tussen de twee mannen in stond een mensachtig wezen dat door hen vastgehouden werd. Aanvankelijk dacht Dille, door zijn ellipsvormige pupillen, dat het een slangenmens was. Maar zijn te logge lichaam had niet die magere lenigheid die zo kenmerkend voor slangenmensen was.

'Welk wezen brengen jullie terug?' vroeg Dille nieuwsgierig.

Carmel keek alsof ze het liefst zou doorlopen. Toch antwoordde ze: 'Een naga.'

'Een naga? Was die in Ratiowereld?'

'Wat dacht je dan?'

'Nou, bij mijn weten verlaten die zelden hun woonplaats in het Kanaaravijn.' Dille ging zich niet laten overtroeven door dat roodharige kreng!

'Nu dus wel, slimmerd,' ging Carmel op dezelfde misprijzende toon verder. 'Anders zouden we hem niet terug moeten brengen, wel?'

'Wat heeft hij gedaan?' Dille had er evenzeer een hekel aan om met Carmel te praten, maar ze was ontzettend nieuwsgierig. Ze had al eerder over deze wezens gehoord, een hele poos geleden tijdens een opdracht met haar groep. Het was echter de eerste maal dat ze er een zag.

De langste van de twee mannen antwoordde met een verbeten trek om de mond: 'Hij viel mensen lastig en dat is genoeg.'

'Naga's vallen niet zomaar mensen lastig,' repliceerde Dille. 'Meestal schenken ze hen edelstenen die ze in de mijnen hebben gevonden.'

'Tot ze boos worden op die mensen en hen doden met hun blik of hun adem, ja ja, wat ben jij nog naïef, zeg,' zei Carmel.

'Je kent ze dus?' vroeg Dille. Nadat ze de zelfzekere blik van de naga had gekruist, broeide er namelijk een gemeen plannetje in haar hoofd.

'Ja, natuurlijk! Wij doen grondig onderzoek, hoor!' antwoordde de lange man.

'Oké, dan. Nou, succes ermee.' Dille keek de naga nog eenmaal aan en het was duidelijk dat ze allebei hetzelfde dachten. Dille verlustigde zich al met de gedachte aan wat komen ging.

Ogenblikkelijk begon het lichaam van de naga te schudden en te beven. De twee mannen, die ieder een arm van het wezen vasthielden, keken verbaasd naar hun handen die de grip op het wezen verloren. De armen van het wezen krompen tot ze zich volledig in het lichaam bevonden. Op diezelfde plaats groeiden er uit de zijkanten twee korte, klauwachtige, groene poten. De transformatie was begonnen en Dille kon, toen ze het bijzondere gebeuren gadesloeg, een grijns niet onderdrukken.

De broek van de naga scheurde en zijn benen veranderden in twee groene, met schubben bedekte poten met vlijmscherpe, kromme nagels. Carmel deinsde geschrokken achteruit en de twee mannen stonden verbouwereerd toe te kijken, niet wetend wat ze nu moesten doen.

'Wat gebeurt hier?' vroeg Carmel, die haar hand op haar energiepistool hield.

Dille genoot van de paniek in haar stem. 'Ik dacht dat je goed je onderzoek had gedaan,' zei ze op spottende toon.

Carmel wierp Dille een venijnige blik toe.

Intussen was het lijf van de naga gegroeid tot zeker het driedubbele in omvang en rekte zijn gezicht uit tot een langwerpige muil. Overal namen schubben de plaats in van huid. Als laatste verrassing, maar niet voor Dille, kropen twee gigantische, leerachtige vleugels uit de schouderbladen. De naga, nu volledig tot draak getransformeerd, wierp de twee mannen en Carmel nog een laatste genoegzame blik toe en koos toen met krachtige vleugelslagen het luchtruim. Zijn triomfantelijke gebrul echode oorverdovend in de rustige nacht.

'Verdorie!' stootte Carmel briesend uit, met haar blik de draak volgend tot hij uit het zicht verdwenen was. Ze wendde zich woedend tot Dille. 'Wist jij dat hij dat kon?'

'Ja, natuurlijk. Ik doe goed mijn onderzoek.' Dille had zich in tijden niet zo geamuseerd.

'Kon je ons niet waarschuwen dan?'

'Ik vroeg nog of je het wezen goed kende. En je zei van wel...'

'Kreng!' Als blikken konden doden. 'Weet je, die vampiers waar jullie achteraan gingen?'

'Ja?' vroeg Dille, meteen op haar hoede.

Carmels trekken verzachtten opmerkelijk snel. *Wat er ook volgt*, dacht Dille, *ze heeft er schik in.* 'Wel, die zijn door een andere groep fantasiejagers opgepakt. Lukte het jullie niet om drie miezerige vampiertjes op te sporen?'

Dille voelde haar bloed koken, maar ze gunde het Carmel niet, dus sprak ze zo rustig mogelijk. 'Wij hebben een andere opdracht.'

Carmel stak haar neus in de lucht, draaide zich demonstratief om en beende weg. De twee mannen volgden haar snel. Als schoothondjes.

Dille bleef nog een poosje staan, genietend van haar overwinning. Ze schoot luid in de lach. *Goed van je, naga, ik ben blij voor je*, dacht ze gemeend, terwijl ze naar de lege lucht keek.

Even later, bijna aangekomen in de woonwijk van Gehlen, had ze beet. Ze merkte het meteen toen haar ogen begonnen te prikken en een rood waas voor haar blikveld schoof. Het was alsof alles er roder en helderder uitzag. Het was niet precies zoals nachtzicht, veronderstelde ze, maar het kwam er dicht bij in de buurt. Ze hield meteen halt en keek om zich heen. De bomen werden omgeven door een groene, felle schijn en de huizen leken onder diverse kleuren te pulseren. Op een bepaalde plaats, een tweetal meter voor haar, schoot er plots een koker van licht uit de grond. De zuil had een diameter van zeker vijf vierkante meter en een hoogte van minimaal tien meter. Het kleurenspectrum was fascinerend, zodat Dille er gebiologeerd naar keek, danig onder de indruk. In het psychedelische lichtspel ontwaarde ze fijne stofdeeltjes die om hun as dwarrelden, alsof ze dansten.

'Een vortex,' bracht ze ademloos uit.

Ze had zich nooit kunnen voorstellen hoe prachtig dit natuurfenomeen wel was. Met een schok realiseerde ze zich dat, indien ze de spreuk niet had opgezegd, ze er recht ingelopen zou zijn. Zonder de magische blik zou ze het ding niet opgemerkt hebben, of althans te laat. Hoe kon een dergelijk mooi ding zoveel onheil aanrichten?

Nog heel even genoot ze van het prachtige schouwspel en liep er toen behoedzaam en met een wijde boog omheen. Dat moest ze vertellen aan Kate! En aan de rest van de groep!

53 Emowereld: nacht 6

"Er is maar één ding dat erger is dan dromen dat je op een vergadering bent en wakker worden op die vergadering, en dat is: aanwezig zijn op een vergadering en niet kunnen slapen."

T. Czecinski

Ondanks het verschijnen van de vortex, die een mooie, beloftevolle avond had verpest, liep Codie met zijn hoofd in de wolken. Het was niet zo dat hij meteen verliefd was op Sofie, daarvoor was hun kennismaking nog te pril, maar hij voelde zich goed bij haar en hoopte dat hun vriendschap kon uitgroeien tot iets diepers.

Ze hadden afscheid genomen bij haar thuis. Sofie, behoorlijk uitgeput door een lange, zware werkdag en daarna nog eens de spanning tijdens de zangvoorstelling, was graag meteen in bed gekropen. Codie begreep het volkomen, al had hij eerlijk gezegd liever nog wat tijd met haar doorgebracht. Ze drukte hem op het hart dat ze hem nog vaak wilde zien en liet hem achter met het brandende gevoel van een lange, innige kus op zijn lippen.

Hij besloot om niet te teleporteren en in plaats daarvan nog even naar het park te wandelen, omdat hij nog even de tijd had voor hij bij Gehlen verwacht werd. Fluitend ging hij op weg.

De maan voelde aan als een vrolijk schijnende zon en de sterren lachten hem toe. Zelfs al kregen ze de problemen niet opgelost en zou hij, in het slechtste geval, sterven, bedacht Codie monter, dan zou hij als een gelukkig man heengaan.

Hij wilde net de hoek omslaan, een straat in die parallel met het park liep, toen een slanke, oudere vrouw vastberaden op hem af liep. Haar stappen waren onvast, alsof ze net had leren lopen en haar grijze haren hingen in een lange vlecht, die bij iedere stap op en neer wipte, op haar buik. Ze haalde zo diep adem dat Codie zelfs op afstand het rijzen en dalen van haar borst kon zien.

'Codie Van Holm?' hijgde ze toen ze voor hem stond.

'Ja,' zei Codie weifelend. Hij had haar nooit eerder gezien, daar was hij van overtuigd. Hij zou zich haar lange statigheid en wijze ogen zeker herinnerd hebben.

'Ik ben Elise, de betovergrootmoeder van Kate.' Haar stem klonk laag en zacht, als een zoete drank voor de tong.

Codie fronste zijn voorhoofd en keek haar onbegrijpend aan. 'Maar ik dacht dat u...' Verder kwam hij niet.

'Dood was?'

'Euh... ja.'

'Ik ben ook dood. Ik heb net bezit van een geestdemon genomen.'

'O.' Codies ogen lichtten op. Hij herinnerde zich dat geestdemonen de vorm van een overleden persoon konden aannemen en... Maar, wacht eens even. 'Ik dacht dat geestdemonen een lichaam overnamen, niet omgekeerd.'

Elise glimlachte. 'Je bent inderdaad zo slim als ik dacht.'

Codie grijnsde verlegen. 'Hoe kent u mij?'

'Ik waak een beetje over mijn achterkleindochter.' Ze knipoogde. 'Maar om op je eerdere vraag terug te komen: ik heb een geestdemon gevraagd om mijn lichaam over te nemen en ik heb zelf mijn geest eraan toegevoegd. Daarom praat ik nu via hem. Ik kon ook op een andere manier contact met Kate of jou opnemen, maar het leek me zo sneller.'

Codie knikte. Het zou allemaal wel.

'Ik wilde eerst Kate rechtstreeks benaderen,' zei Elise. 'Maar nu ik jou tegenkom, kun jij de boodschap doorgeven, want ik houd dit niet lang vol.'

‘Oké.’

‘Zeg dàt ze moet stoppen met het graven in het verleden van haar familie. Zeg dat de stamboom niet van belang is.’

‘Ik denk niet dat ze naar me zal luisteren, mevrouw.’

‘Ze moet, Codie.’ Haar grijsgroene ogen boorden zich in die van hem.

‘Waarom? Ik bedoel, dat zal ze me vast vragen.’

‘Luister, het enige dat ik weet is dat mijn geheugen indertijd werd gewist, zodat ik nooit zou ontdekken wie mijn voorouders waren.’

‘Hé?’

‘Daar zal een grondige reden voor zijn.’

‘Vindt u dat zomaar goed dan?’

Ze schokschouderde. ‘Ik weet niet wie of wat of waarom, maar dat doet er niet toe.’

‘Ik denk niet dat Kate daar genoegen mee neemt, mevrouw’ zei Codie. ‘Ze kan zich nogal in iets vastbijten.’

Elise grinnikte. ‘Nee, haar kennende zal ze er inderdaad geen genoegen mee nemen.’ Dan op ernstige toon: ‘Maar ze moet, Codie.’

‘Ik zal mijn best doen. Ik denk wel dat ze het u kwalijk neemt als u haar niet opzoekt.’

‘Ik wil de gastvrijheid van deze geestdemon niet al te lang misbruiken en het is bovendien erg vermoeiend. Zeg haar maar dat ze me tijdens de volgende Halloween opzoekt. Ik zal op haar wachten.’

Codie knikte.

‘En Codie, zeg dat ik ontzettend trots op haar ben en van haar hou.’

‘Dat zal ik zeker doen, mevrouw.’

‘Zeg maar Elise, hoor. Ik nam die beleefdheidsvormen, waar heksen zo prat op gaan, nooit zo serieus.’ Ze glimlachte en de rimpeltjes om haar ogen maakten vrolijke patronen.

‘Oké, Elise.’

‘Nog een ding, Codie. De vorige boodschap die ik haar doorgaf, ze weet wel welke ik bedoel, die via de heks Klara, moet ze negeren.

Ik wist toen nog niet dat mijn geheugen om een goede reden gewist werd.'

'Zal ik zeggen, Elise.'

'Je bent een goede jongen, Codie. Ik hoop dat Sofie je met respect zal behandelen.' Opnieuw een knipoog.

Codie mocht deze vrouw wel, besefte hij, ze kwam veel hartelijker en warmer over dan de meeste heksen die hij kende. Hij vroeg zich al niet meer af hoe ze het wist van Sofie. Waar ze ook vertoefde tijdens haar dood, ze had duidelijk zicht op de levenden en dat nam hij maar aan zoals zoveel andere bizarre zaken in Emowereld.

'Dank u wel, Elise.'

Ze boog zich naar hem toe, want ze was zeker een kop langer dan hij, en plantte een zachte zoen op zijn voorhoofd. 'Kate heeft geluk dat ze jou als vriend heeft. Je bezit krachten waar je zelf nog geen weet van hebt en een ontzettend groot hart. Pas goed op haar. Ze zal je nog vaak nodig hebben.'

Codie knikte sprakeloos.

Elise liep weg, zonder nog om te kijken, enkel het droge aroma van eucalyptus achter zich latend. Codie sloeg de hoek om en legde de nog korte afstand naar het park af. Algauw hoorde hij opgewonden stemmen en tumult dat aanzwol naarmate hij naderde. Het park stond vol met wezens en mensen die spandoeken in de hoogte hielden, riepen en dreigend hun vuisten in de lucht zwaaiden.

Wat was hier aan de hand? De woedende groep wezens riepen allerlei verwensingen naar de hemel toe. Codie kon amper begrijpen wat ze schreeuwden, doordat het allemaal door elkaar ging en omdat het vaak Babels was. Hij liep behoedzaam dichterbij en ging naast iemand staan die aan de buitenrand van de groep stond.

'Is er een betoging gaande?' vroeg Codie, die de spandoeken niet kon lezen omdat ze van hem afgedraaid stonden.

'Ja, joh,' antwoordde de man. 'We hopen zo de aandacht van de Raad op ons te vestigen.'

'Waarom?'

‘Kerel, waar ben jij de laatste tijd geweest?’ De man keek hem met een opgetrokken wenkbrauw aan. Hij hield een groot karton in zijn plompe vingers vast, rustend op zijn schoenen.

‘O, in verband met de vortexen?’

‘Onder andere, ja. We vertikken het dat de Raad alleen maar op hun voorwaarden in contact met ons komt!’ Zijn stem schoot de hoogte in. ‘Het is toch niet te geloven? Er verschijnen honderden vortexen en die klojo’s laten zich niet horen. Terwijl juist zij ons moeten bijstaan! En het lijkt wel of ook de zee krankzinnig is geworden. Vissers kunnen niet eens meer uitvaren!’

‘We zijn het aan het uitzoeken,’ zei Codie.

De man draaide zijn hoofd langzaam naar Codie toe, alsof elke spier in zijn nek gespannen stond van woede. ‘Wie zijn we?’

‘Een groep fantasiejagers.’

‘Laat me niet lachen, kerel,’ zei de man met een ondertoon van spot in zijn stem. ‘Als de Raad zich niet eens laat horen, wat zouden jullie dan aan al die problemen kunnen doen?’

Dat vroeg Codie zich ook meer en meer af. *Panta Rhei*, schoot er door hem heen, *alles is in beweging. Niets is ooit, maar alles wordt.* Het was een beroemde uitspraak van Heraclitus, een filosoof uit de oudheid van Ratiowereld, en die ingeving voelde eigenaardig genoeg als een helderziende boodschap aan.

Codie besloot dat hij hier verder niets te zoeken had en het trouwens tijd werd om naar de vergadering van Gehlen te gaan.

54 Emowereld: nacht 6

"Als je niet in slaap valt, houden dromen vanzelf op."

Seng-ts'an

Dille was er als eerste en Natasha sprak haar aan in de hal. 'Gehlen is zichzelf niet,' fluisterde ze.

'Hoezo?' vroeg Dille en keek door de deuropening van de woonkamer langs Natasha heen. Daar zag ze Gehlen op de bank zitten, angstig om zich heen kijkend en rillend over zijn hele lijf. 'Wat is er met hem?'

'Hij is bang.'

'Bang? Gehlen?' Dat was even onmogelijk als een sinaasappel die plots kon praten.

'Ja.' Natasha knikte. Ze zag er behoorlijk uitgeput uit.

'Voor wat dan?'

'Alles. Werkelijk alles! Het gaat nu al heel wat beter. Ik denk dat het aan het verminderen is.'

Dille liep voorzichtig naar de bank. Gehlen keek haar aan, zijn ogen opengesperd.

'Hoi, Gehlen,' zei ze zacht.

Hij knikte kort en wendde beschaamd zijn hoofd af. Dille ging naast hem zitten. Niet goed wetend hoe ze met deze Gehlen om moest gaan, nam ze haar laptop, die op de salontafel was blijven liggen, op schoot. Ze klapte hem open en deed alsof ze informatie over het een en ander opzocht.

Er werd op de deur geklopt. Gehlen wipte op van de bank, waardoor Dille het geschrokken uitgilde. Ze hoorde hoe Natasha de volgende bezoekers over Gehlens toestand inlichtte.

Een tel later kwamen Kate en Kalon de woonkamer in. Even hoopte Dille dat ze hun geschillen bijgelegd hadden, maar aan Kalons trieste blik te zien was dat nog steeds niet het geval.

'Hoi,' groette Kate. Ze keek Gehlen even vluchtig aan en ging in de fauteuil zitten. Kalon nam op de stoel plaats.

Er hing even een onaangename stilte, waarin iedereen zich onbehaaglijk voelde.

'Het werkt,' zei Dille ten slotte, gericht aan Kate.

'De spreuk?'

'Ja.' Dille knikte driftig. 'Ik heb er een gezien.'

'Goed zo.' Kate glunderde. Toen knikte ze in Gehlens richting. 'Ik vermoed dat hij in een vortex heeft gestaan.'

'Daarom is hij nu zo angstig,' voegde Kalon eraan toe. 'Hij is iemand die geen angsten kent en dat heeft de vortex omgegooid.'

'Blijft het lang duren?' Dille besefte dat ze praatten over Gehlen alsof hij er niet bij was en dat vond ze vervelend.

'Normaal gezien niet,' antwoordde Kate. 'Volgens Natasha is het al een tijdje aan de gang en aan het verminderen. Het is waarschijnlijk zo uitgewerkt. Gehlen is sterk en dan duurt het minder lang.'

Dat hoopte Dille dan maar. Het was niet alleen schrijnend voor Gehlen, maar op die manier hadden ze natuurlijk niet veel aan hun leider.

Codie kwam op dat moment binnen, groette iedereen en aan zijn nieuwsgierige blik richting Gehlen te zien, had Natasha hem al voorbereid. Hij nam plaats naast Dille en Natasha ging op de rand van de bank zitten, haar hand geruststellend op Gehlens schouder leggend.

'Ik kwam net voorbij het park en daar is nogal een betoging gaande, zeg,' stak Codie van wal. 'Ze betogen tegen de Raad omdat deze zich verschuilt.'

'Ja, daar hoorde ik ook al over,' zei Dille.

'O, dat was er gaande,' zei Kate.

'En ik kwam Carmels groep tegen.' Dille grijnsde.

'Het leek me geen onaangename ontmoeting,' zei Codie op verwonderde toon. Hij wist hoezeer Dille in de clinch met Carmel lag.

Dille vertelde over de naga. Allen schoten in de lach en de lucht in de kamer leek meteen opgeklaard. Zelfs Gehlen lukte het om een flauw glimlachje te produceren.

'Wat een bijzonder wezen,' zei Natasha. 'Ik wou dat ik het gezien had.'

'Het was indrukwekkend, zeker weten,' beaamde Dille. 'O, en trouwens, nog goed nieuws.'

'Zou het tij keren?' zei Kalon.

'De drie vampiers zijn opgepakt door een andere groep fantasiejagers.'

'Oef, een probleem minder,' zei Kate.

Dat deed Codie aan zijn ontmoeting denken. 'Kate, ik heb je betovergrootmoeder gezien. Elise.'

'Wat?' Kate ging staan.

'Ze wilde het jou persoonlijk vertellen, maar kwam mij toen tegen.'

'Maar hoe?' stamelde Kate.

Kalon, die wist en zag hoezeer het zijn geliefde aangreep, wilde niets liever dan haar hand vasthouden, maar durfde het niet, bang voor haar reactie.

'Ze had een geestdemon haar lichaam en geest laten overnemen.'

'Ik blijf me verbazen over haar sterke gaven als heks,' zei Kalon. 'Ik wist niet eens dat heksen dat konden.'

'Wat was de boodschap?' vroeg Kate ongeduldig.

'Je mocht niet meer zoeken naar je stamboom.'

'Waaro-' begon Kate, maar Codie was haar voor.

'Omdat ze ontdekt heeft dat haar geheugen indertijd gewist is.'

Kate plofte neer in de fauteuil. Haar blik kreeg een starende uitdrukking, alsof ze in gedachten verzonken was.

‘Kate,’ probeerde Kalon voorzichtig. ‘Als Elise het zegt, dan kun je haar raad beter opvolgen.’

Hij verwachtte protest, een woedende uitval, wat dan ook, maar in plaats daarvan knikte ze. Maar hij kende die blik; ze zou waarschijnlijk toch haar zin doordrijven.

‘Ik weet ook dat er schimmen verdwenen zijn,’ zei Kate.

‘Hoe weet je dat?’ Het was Gehlen die het vroeg en ze keken hem allemaal verbaasd aan. Er stond duidelijk op hun gezichten te lezen dat ze zich afvroegen of zijn angstaanval op zijn einde aan het lopen was. Hij leek inderdaad minder te beven en zijn ogen stonden iets helderder.

‘Ik kreeg bezoek van Michaël, een deva-engel.’

Kalon voelde meteen een steek in zijn hart, alsof Michaël er op datzelfde ogenblik een dolk doorstak. Hij kon al raden wat er gebeurd was en hoewel het hem op ieder ander moment niets zou doen, raakte het hem nu wel. Als ze nou nog steeds zijn vriendin was geweest, dan had hij haar laten vrijen met wie dan ook. Het was nu echter zo dat, omdat hij niet van haar kon proeven en haar in zijn armen kon houden, hij het niemand gunde. Codie zag zijn gekwetste blik en glimlachte hem meelevend toe.

Kate, zich van geen kwaad bewust, ging verder. ‘Hij beweert dat al zijn schimmen verdwenen zijn.’

‘Zouden ze in Ratiowereld illegaal verkocht worden?’ opperde Dille.

‘Dat dacht ik dus ook,’ antwoordde Kate.

‘Ik voel me beter,’ bracht Gehlen er zuchtend uit. ‘De angst lijkt uit me weggevloeid.’ Natasha drukte opgelucht een zoen op zijn kruin. ‘Dat wil ik nooit meer voelen, echt nooit meer,’ zei hij hoofdschuddend. ‘Ik snap er niets van.’

‘Typisch voor een vortex, Gehlen,’ zei Kate. ‘Dan kan ik nu wel zeggen dat ik niet tot bij Hecate ben geraakt.’

‘Hoezo niet?’ vroeg Gehlen. Hij leek zichzelf weer volledig in de hand te hebben en was vastbesloten om geen tijd meer te verliezen.

'Het lot gunde het me niet. Plaatsen bleven maar verschuiven en als kers op de taart versprong de tijd.'

Natasha stond op. 'Ik haal even koffie voor iedereen, het wordt een lange nacht, en ik heb heerlijke koffiebroodjes.'

'Daar heb ik niets van gemerkt,' zei Codie. 'Van die versprongen tijd.'

'Dat kan. Ik had een gemiste tijdzone, maar dan bleef het waarschijnlijk erg plaatselijk,' beaamde Kate.

'Het schijnt dat de zee ook erg woest is. Dat hoorde ik toch.'

'Dat zal Poseidon niet leuk vinden. Als er iets gebeurt met zijn kinderen, dan-'

Plots hoorden ze een gesmoorde stem, alsof die van diep onder de grond kwam.

'Arthur,' zuchtte Dille en drukte een toets van haar laptop in. Meteen verscheen het holografisch hoofd van Arthur. Er lag een zelfvoldane blik in zijn ogen.

'Newsflash!' zei hij vrolijk.

'Zeg het maar, Arthur. We merken dat je staat te popelen,' zei Dille.

Hij keek haar verontwaardigd aan. 'Ik kan het ook voor mezelf houden, hoor,' zei hij met een pruillipje.

'We willen het graag horen,' zei Kate snel. Dille rolde met haar ogen.

'Oké dan.' Hij hield een dramatische pauze. 'Een bewijs dat we een verdomd slimme en tolerante presidente hebben. Na overleg met de ministers uit de vijf Continenten heeft ze met een heks contact opgenomen.' Zijn ogen schoten heen en weer alsof hij een tekst las. 'Ze heet Katrien en woont in Randstad. Deze heks heeft een magisch apparaat ontworpen dat door het bedrijf, New Horizon, meteen veelvuldig werd gekopieerd. Dat apparaat maakt het opsporen van magische artikelen in Ratiowereld eenvoudiger en in samenwerking met fantasiejagers, zijn er intussen al heel wat dingen gevonden en teruggebracht. Onder andere,' Arthurs ogen schoten van links naar rechts, 'een groep schimmen. Ze vertoeven weer veilig in de bossen van Avalon.'

'Dat is goed nieuws,' zei Natasha, die alles vanuit de keuken gehoord had en met een zwaar beladen dienblad terugkwam. Ze plaatste het op tafel en iedereen hielp zichzelf met het inschenken van de koffie.

'Tja, behalve voor de kerel die de schimmen had gekocht. Hij ligt met verwondingen in een lab. Maar er volgt meer,' ging Arthur door. 'De vrijgelaten gevangenen zijn allemaal opgepakt en teruggeplaatst.'

'Eindelijk raken de zaken weer op orde,' zei Kalon. *Was het maar zo simpel met Kate*, dacht hij erachteraan. Hij voelde dat ze hem aankeek en ontmoette haar blik. Zag hij daar een schuldig waas in of verbeeldde hij het zich?

'Maar dat neemt de oorzaak niet weg,' zei Gehlen. 'En de vortexen verdwijnen daarmee niet.' Hij trok zijn neus op bij de gedachte nog een dergelijk fenomeen te moeten zien. 'Wie is er sterk genoeg om al die problemen te veroorzaken? Dille, jij had toch een lijst gemaakt?'

Dille die net een hap van haar koffiekoek nam, slikte die snel door en knikte.

'Ik som het wel even op,' bood Arthur aan.

'Beperk je tot datgene dat nu nog gaande is en de meer ernstige,' gaf Gehlen aan.

'In Emowereld: meer vortexen, magieloos elfenbos, agressie onder emowezens, ongehoorzame wagens, ratiomensen die Sekhmet aanbidden, verdwenen krachtdieren en schimmen, heksen die magische voorwerpen verkopen in Ratiowereld, apanzers en zandduivels in de steden.' Arthur hield even op. 'Nu Ratiowereld?'

'Nee, nee, wacht even.' Gehlen nam een slok koffie. 'Valt er jullie niets op?'

'Het kunnen allemaal gevolgen zijn van vortexen?' opperde Codie voorzichtig.

'Ja, dat kan inderdaad!' riep Kate uit. 'En als vortexen hier actief zijn, dan ook in Ratiowereld!'

‘Dan nu de lijst van Ratiowereld,’ gebood Gehlen Arthur.

‘Oké, chef. Ratiowereld: betogingen tegen huidig maatschappelijk klimaat, vrijgelaten gevangenen door de gevangenisbewaarders, VR-clubs die meer bezocht worden, werkethiek dalende. Meer overgelopen emowezens, al kan dat eigenlijk bij de lijst van Emowereld. Foei, Dille! En ten slotte ratiomensen die bijna allemaal heldere dromen hebben.’

‘Ook tegenstrijdig gedrag dat door vortexen kan komen,’ zei Kalon.

‘Samengevat kunnen we voorzichtig stellen dat de vortexen toch misschien de hoofdoorzaak zijn,’ concludeerde Gehlen. De anderen knikten.

‘Ik ga naar bed toe,’ zei Natasha. ‘Ik moet over enkele uurtjes werken.’ Ze kuste Gehlen welterusten, wenste iedereen succes toe en verliet de woonkamer.

‘Maar wat veroorzaakt dan die hoeveelheid vortexen?’ zei Dille en verwoordde daarmee de cruciale vraag.

‘Een halfling?’ vroeg Gehlen zich hardop af.

‘Een muze?’ opperde Dille. ‘Of engelen die de natuur kunnen beïnvloeden. Vortexen zijn toch natuurfenomenen?’

‘Eerlijk gezegd,’ zei Kate, ‘ken ik geen enkel wezen dat krachtig genoeg is om invloed op vortexen uit te oefenen. Het is een fenomeen dat op zich staat. Plus dat het ook in Ratiowereld voorkomt.’

‘Kun je Hecate telepathisch oproepen?’ vroeg Gehlen.

‘Het is me al eerder gelukt, dus ik kan het proberen.’ Kate sloot haar ogen en opende ze toen weer. ‘Codie? Volg je mee? Dan kan jij het gesprek hardop aan de rest verwoorden.’

Codie knikte. Kate sloot haar ogen opnieuw en richtte al haar mentale energie op het beeld van Hecate.

-Hecate?

Geen antwoord.

-Hecate, ik ben het, Kate. Ik heb je raad nodig.

-Ik hoor je.

Kate vond het verstandiger om te zwijgen over de moeilijkheden die ze ondervonden had om tot bij Hecate te geraken, want mogelijk zou ze dan het lot niet willen tarten en helemaal niets loslaten.

-Mag ik je enkele vragen stellen?

Een kleine pauze en dan: -Ja.

-Ken jij wezens die macht hebben over vortexen?

Het bleef een hele poos stil. Kate begon net te denken dat het contact om een of andere reden onderbroken was, toen ze Hecates stem hoorde.

-Ja.

Kates hart maakte een sprongetje en Codie briefde snel alles door. De opluchting op ieders gezicht was overduidelijk; zouden ze eindelijk een doorbraak in het onderzoek hebben?

-Wie dan? vroeg Kate.

-Er is maar een soort wezen dat invloed op vortexen heeft en dat op beide werelden.

Kate hapte hoorbaar naar lucht. Ze besefte plots maar al te goed over wie Hecate het had en dat bemoeilijkte hun taak aanzienlijk. Ze verwoordde haar vermoeden.

-De Raad.

-Ja.

-Maar... waarom in 's hemelsnaam?

-Dat moeten ze je zelf vertellen, Kate, als ze dat al doen.

-Het probleem is dat niemand contact met de Raad kan opnemen. Ze antwoorden niet!

-...

-Kun jij het proberen? vroeg Kate, toen er geen reactie volgde.

-Dat kan ik, maar ik doe het niet.

-Waarom niet?

-Ik ben een beetje persona non grata bij hen, Kate.

-Hoe komt dat zo?

Kate verwonderde zich echt over dit feit. Ze kon zich niet voorstellen dat iemand in onmin bij de Raad kon komen.

-Dat kan ik je niet vertellen, temeer omdat Codie meeluistert. Maar als je goed nadenkt, dan weet je het antwoord daarop.

-Omdat je- begon Kate.

-Stil, Kate.

Ze knikte bij zichzelf. Ze begreep het. Ze had een belofte gedaan. Met een zucht zei ze: -Dan houdt het op. We kunnen dus niet meer doen dan hopen dat het ooit stopt.

-Vortexen vormen geen bedreiging voor de werelden of de wezens, Kate.

-Nee, maar ze zorgen wel voor heel wat onrust en ruzie en nemen in aantal toe.

Het bleef een poosje stil voor Hecate opnieuw sprak, alsof ze eerst goed moest overwegen of ze het volgende wel zou voorstellen.

-Ik kan jou de Raad laten opzoeken.

-Hé?

-De Raad verblijft volgens mij momenteel in een andere dimensie. Ik kan jou erheen brengen, zonder zelf mee te gaan.

Natuurlijk kon ze dat, want Hecate had ooit zelf deel uitgemaakt van de Raad. Kate vermoedde dat, toen ze besloten had om als vleselijk geworden wezen tussen de andere wezens in Emowereld te vertoeven, ze nooit meer terug kon keren of contact met hen mocht opnemen.

-Zou het iets uithalen dan? Ik bedoel, staan ze me dan wel te woord?

-Ik hoop het.

-Hecate?

-Ja, Kate?

Het was nu of nooit. -Jij als... Jij moet toch weten wie mijn voorouders zijn? Dat gaf je me trouwens door toen ik dood was.

-Waarom ben je toch zo gebeten om dat te weten te komen?

-Omdat...

Daar moest Kate even over nadenken. Ja, waarom? Er waren zoveel wezens en mensen die niet wisten wie hun verre voorouders waren. Waarom intrigeerde het haar dan zo? Was het begonnen met het feit dat haar bloed het Niets had gestopt? Nee, volgens haar was het al eerder. Ze moest het weten, waarom precies wist ze zelf ook niet.

-Je bent een erg nieuwsgierige meid, Kate.

Het klonk niet als een belediging, maar eerder als een simpele constatering.

-Het voelt als een los eindje in mijn leven aan, dat is alles, verdedigde Kate zich.

Hoorde ze Hecate nou grinniken? -Codie, ik weet dat je meeluistert. Ga even van de lijn af, wil je?

Codie verbrak meteen de telepathische verbinding.

-Ik zal het je vertellen omdat ik weet dat je het toch nooit opgeeft, ondanks de boodschap van Elise. Het feit dat jouw bloed het Niets kon stoppen had niet alleen te maken met jouw genenpoel die uit vier verschillende wezens bestaat, al denken de raadsleden dit wel. Een van jouw voorouders was een raadslid dat besloot om voor altijd in Emowereld te verblijven.

Kate durfde het amper te vragen. -Ben jij die voorouder?

-Ja. Ik was een van de velen die een vast lichaam aannamen, een vorm die we zelf kozen, om hier te blijven. Je moet het zo zien: we hadden een huis gebouwd voor anderen, maar besloten er zelf ook in te gaan wonen. Vanaf dan gingen we als zogenaamde hogere elfen door het leven, een soort die dus eigenlijk niet bestaat.

Kate legde geschrokken een hand op haar hart. Ze zag het niet omdat ze haar ogen nog steeds gesloten hield, maar de anderen van de groep keken haar gespannen afwachtend aan en durfden amper te bewegen of te praten. De koffie bleef verder onaangeroerd staan.

-Hoe ver terug ben je een voorouder?

-Kate, ik heb het lange tijd verborgen moeten houden en-

-Maar waarom dan?

Kate voelde zich enerzijds hysterisch worden van blijdschap, maar ook gefrustreerd doordat er nog zoveel onbeantwoorde vragen overbleven.

-Dat is een deel dat ik jou niet kan vertellen, want dan breng ik mezelf in gevaar en jou mogelijk ook.

-Dus jij hebt het geheugen van Elise gewist?

-Niet alleen van Elise, maar ook dat van mijn dochter en haar moeder dus. En mijn schoonzoon. Dat moest ik wel omdat-

-Wie zijn ze? Leven ze nog?

Het verdriet klonk duidelijk door in de telepathische boodschap.

-Nee, Kate. Beiden zijn gestorven. Mijn schoonzoon, een heks, hij heette Tahon, op natuurlijke wijze. Mijn dochter echter, Aphrodite, genoemd naar mijn beste vriendin vroeger, is verongelukt. Je lijkt op mijn dochter, je hebt haar vastbeslotenheid en schoonheid.

Kate voelde zich overweldigd door geluk. Ze had dus toch nog familie! Een van hen leefde nog en was zelfs een voormalig raadslid: Hecate.

-Dan heb ik raadbloed door me heen stromen! besefte Kate plots.

-Ja, dat heb je. Vandaar dat je het Niets kon stoppen.

-Wie was jouw echtgenoot?

-Dat weet ik niet meer. Ik had meerdere relaties toen.

Kate kreeg de indruk dat Hecate niet volledig de waarheid sprak.

-Een ander raadslid?

-O nee! Dat was verboden. Raadsleden die besloten om op Emowereld te blijven, mochten alleen van andere wezens zwanger worden, omdat een kind van twee raadsleden, opgroeiend in Emowereld, te sterke krachten zou bezitten. De meeste raadsleden hadden relaties met de elfensoort en daaruit zijn de engelensoorten ontstaan.

-Ik dacht dat deze ook door de Raad gecreëerd waren? Net als alle wezens.

-Ze zijn een van de uitzonderingen op de regel.

Het deed Kate duizelen. Zoveel informatie ineens!

-Je weet, Kate, dat je dit alles voor jezelf moet houden. De wezens mogen niet weten dat wij de werelden in de drie verschillende dimensies hebben geschapen. Dat, om het vormen van godsdiensten tegen te gaan. Het zou zijn alsof de gebakken pot zijn pottenbakker zou gaan vereren.

-Ja, dat weet ik. Ik zwijg als het graf. Hecate?

-Ja?

-Ik ben erg blij dat jij een voorouder van me bent! Mag ik je vaker opzoeken?

-Dat zou me erg veel plezier doen! Zolang je me maar niet vraagt om meer informatie over onze familielijn.

-Ik weet genoeg.

Al kon Kate dat niet oprecht beweren. Ergens was ze nog steeds benieuwd naar wie de man was geweest die Hecate zwanger had gemaakt, haar verre grootvader. Maar voorlopig was ze tevreden, meer dan tevreden!

-Hoe gaat het nu te werk? Hoe breng je me tot bij de Raad? En zal ik ze daadwerkelijk zien?

-Nee, ze hebben geen vast lichaam, Kate. Maar je zult ze voelen en horen.

-We kunnen ook Codie laten gaan. Hij kan al teleporteren tussen dimensies.

-Zijn krachten zijn nog niet volledig ontwikkeld en bovendien weet hij niet waar ze zijn. Ik kan ze voelen, Kate. Ik stel wel voor dat Codie meegaat. En Kate?

-Ja?

-Je zal bij de Raad een pressiemiddel nodig hebben, ze zullen niet zomaar toegeven of helpen. Je weet dat ze zich graag afzijdig houden en fouten geven ze al helemaal niet graag toe, het zijn nou eenmaal een stelletje egotrippers.

-Vertel mij wat.

-Zeg hen twee woorden: planeet Mars.

-Planeet Mars?

-Ja, een gigantische blunder van hun kant.

-Maar dan weten ze meteen dat ik op de hoogte ben van hun scheppende krachten.

-Laten we dat maar voor lief nemen. Als je hen om de oren slaat met planeet Mars, dan schamen ze zich zo dat ze daar misschien niet meteen aan denken.

-Wat gebeurde daar dan?

-Lang verhaal voor een andere keer. Laat ik het zo zeggen: wat ze daar probeerden, heeft een ferme deuk in hun ego geslagen.

De lacherige ondertoon ontging Kate niet.

-Ben je er klaar voor om hen het schaamrood op de wangen te brengen?

-Nu? Vandaag?

-Als je dat wilt.

Kate opende haar ogen. De aanblik van de anderen die haar met open mond en grote vragende ogen aanstaarden, plus het feit dat ze opheldering over haar stamboom had, werkten Kate zodanig op de lachspieren dat ze daadwerkelijk hardop begon te lachen.

'Sorry,' grinnikte ze nog na. 'Catharsis, weet je wel.'

Ze voelde zich gewoon fantastisch! Dat bracht haar op haar volgende vraag.

'Nog even wachten,' sprak ze tot de groep. 'Er is nog een ding waar ik duidelijkheid over wil.' Ze sloot opnieuw haar ogen.

-Hecate? Was ik ook onder invloed van een vortex?

-Nee, dat was je niet.

-Maar ik voelde me mezelf niet!

-Dat komt door het raadbloed in je. Daarom vermoed ik des te meer dat de Raad achter alle problemen zit.

-Ben jij degene geweest die me positieve krachten stuurde?

-Ik waak al erg lang over je, Kate.

Het was geen rechtstreeks antwoord, maar Kate wist wel beter. Het gaf haar een goed gevoel, alsof ze door niets of niemand ooit gekwetst kon worden, een ondoordringbaar, mentaal schild dat haar behoedde voor onheil. Ze keek de anderen aan en glimlachte van oor tot oor.

'Hecate brengt me naar de Raad toe,' zei ze alsof ze even naar de bakker ging.

'De Raad? Kan dat dan?' vroeg Dille.

'Volgens Hecate wel,' antwoordde Kate. 'Ze verblijven ergens in een andere dimensie en Hecate zal me erheen teleporteren.'

'Ik was de mening toegedaan dat alleen de Raad tussen verschillende dimensies kon teleporteren,' zei Gehlen. 'Hecate dus ook?'

Kate dacht snel na. 'Nou, Codie kan het toch ook? En hij hoort niet bij de Raad. Blijkbaar zijn er toch andere wezens die het kunnen.'

Gehlen en Dille staarden Codie aan alsof er vinnen uit zijn rug groeiden. 'Ja, daar zeg je wat,' zei Gehlen. 'En Codie is dan nog wel een ratiomens.'

Codie stak zijn handen verontschuldigend in de lucht. 'Hé, ik ben geen freak, hoor, ik kan het niet helpen.'

Arthur maakte een snuivend geluid. 'Welkom bij de club, freak.'

'Hecate stelde voor dat je meeging,' vervolgde Kate, Arthur negerend.

'Ik?' Codie zette grote ogen op.

'Ja, als veiligheidsnet en omdat je al kan teleporteren tussen dimensies.'

'Freak en veiligheidsnet,' zei Arthur. 'Dat je nog met die lui blijft omgaan, zeg.'

'Klap dat ding dicht!' gebood Gehlen.

Dille drukte een toets in, sloot de laptop en legde die op de salontafel.

'Ben je er klaar voor?' vroeg Kate met pretlichtjes in de ogen. Ze zag het nieuwe avontuur helemaal zitten.

Codie echter friemelde nerveus aan zijn broek. 'Ik denk het wel.'

'Waar is Ewok?' vroeg Kate aan Kalon.

'Die ligt te snurken.'

'Gaat het goed met haar?'

'Prima. Ze mist je wel.'

Kate boog haar hoofd in schaamte. 'Ik haar ook. Denk je dat ze terug wil komen?'

'Dat moet je haar vragen, Kate.' Hij vond het gemeen van zichzelf om haar langer te tergen, maar ze verdiende het. Natuurlijk zou Ewok teruggaan, ze popelde om Kate te zien! Hij zou ook meteen terugkeren, als ze het hem toeliet.

Bijna vroeg Kate of Kalon haar gemist had, maar dat zou moeten wachten tot na haar bezoek aan de Raad.

-Neem Codie maar bij de hand, Kate.

Het was Hecate die haar telepathisch toesprak.

'Oké.' Kate stond op. 'Dille, kun je even op mijn plaats gaan zitten? Ik moet Codie bij de hand nemen.'

Dille stond op en ging in de fauteuil zitten. Kate nam haar plaats in, knipoogde naar de angstig kijkende Codie en haakte haar vingers door die van hem. 'Het komt goed,' sprak ze hem geruststellend toe.

55 Emowereld: dag 7: vroege ochtend

"Laat mij niet zeggen dat dit liefde is. Geef mij maar zacht je kleine warme handen; wij zullen dwalen door de schemerlanden, waar dromen leven is."

Adriaan Roland Holst

Tegen de tijd dat Codie en Kate verdwenen waren, was de ochtend aangebroken en blijkbaar waren de weerwolven in een beter humeur, want het zag ernaar uit dat het een mooie dag zou worden. De lucht was volmaakt egaal, alsof iemand met een grote penseelstreek eenzelfde schakering blauw had uitgesmeerd.

Niet dat Codie en Kate daar iets van zagen, want ze zweefden al in wat Kate herkende als het voorportaal van de eerste proefdimensie. Uiteraard wisten de anderen niet dat ze deze dimensie al kende; hun geheugens waren succesvol gewist en bovendien was het Dille en niet Codie geweest die haar toen vergezeld had.

Codie keek zijn ogen uit. Je zag zowel verschrikking als genot in zijn blik weerspiegeld. De psychedelische kleurschakeringen vloeiden rond en door hem heen, likten aan zijn lijf, zoenden zijn huid en prikkelden zijn zintuigen tot in het uiterste. De geuren die de kleuren vergezelden, waren een mengelmoes van zoete bakkersbroodjes en frisse muntsoorten. Kate genoot volop en kon zich, in tegenstelling tot de vorige keer, helemaal ontspannen en laten meevoeren op die geweldige roetsjbaan van sensaties. Pas toen ze bijna bij hun eindpunt waren beland, dat voelde Kate zo aan, besefte ze dat er iets niet klopte.

Ze hadden geen sulfiden ontmoet! De luchtgeesten, die normaal in dit voorportaal voor een veilige overgang zorgden, lieten zich niet zien. Maar ze kon dit vreemde gemis onmogelijk aan Codie doorgeven, omdat ze zogenaamd niet op de hoogte was van deze dimensie. Vervelend, vond ze.

Het verblijf in die fantastische werveling van gevoelens duurde veel te kort. Met een ruk kwam de verandering eraan en landden ze zacht op de grond.

'Waar zijn we hier?' vroeg Codie, die gretig om zich heen keek.

'Geen idee,' loog Kate.

Eigenlijk stond haar antwoord niet eens zo ver van de waarheid af, want het normaal prachtige westerse landschap, met de glooiende heuvels en kabbelende beekjes, zag er verschrikkelijk uit. De takken van de treurwilgen hingen er bladloos bij, het gras was bruin en verdord en de rozenstruiken kaal. Waar het landschap voordien een kleurrijk palet aan bloemen had vertoond, zag het er nu doods en saai uit.

'Niet echt een vrolijke omgeving,' verwoordde Codie Kates gedachten.

'Wat je zegt.'

'Behalve onze stemmen, hoor ik helemaal niets. Er is hier geen geluid.'

'Dat is…' Bijna had Kate gezegd 'normaal', maar ze hield zich net op tijd in. '…eigenaardig, ja.'

'Is de Raad hier dan?'

Kate haalde haar schouders op. Maar voor ze contact met hen kon opnemen, hoorde ze Hecates stem in haar hoofd.

-Hier zijn ze niet, Kate. Ik breng jullie verder.

'Tijd om te gaan. Ze zijn niet thuis.' Kate nam Codies hand beet.

'Weer naar Emo-' Verder kwam Codie niet, zijn woorden gingen verloren in de volgende reis.

De landing op de zanderige ondergrond was wederom zacht. Kate herkende het woestijnlandschap, maar ook weer niet. Zelfs voor een zandvlakte was dit gebied voorheen levendig en adembenemend geweest. Nu echter zagen de cactussen er versteend uit en de al dorre struiken compleet vergeeld en uitgedroogd.

'Waw,' bracht Codie uit. 'Weer een andere omgeving.' Hij bukte zich en schepte met zijn beide handen zand op. 'Ik ben dol op zand.' Toen keek hij de korreltjes bedenkelijk aan. 'Ik voel ze niet!'

'Dat zal er wel bij horen, veronderstel ik,' zei Kate.

-Is de Raad hier? vroeg ze Hecate.

-Nee, we gaan verder. Ik denk dat ze in het laatste proeflandschap te vinden zullen zijn, het universum, maar laten we voor de zekerheid de andere omgevingen toch even doorlopen.

'Gelukkig,' zei Codie die het gesprek gevolgd had. 'Ik ben wel benieuwd naar de rest.'

Zijn eerdere angst leek volkomen verdwenen te zijn. Snel keek hij rond, alles zo goed mogelijk in zich opnemend, voor hij Kates hand beetnam.

'Dit is helemaal mijn ding,' glunderde Codie bij het zien van het exotisch strand en de zee. 'Al had ik me het zand wel witter voorgesteld.'

In tegenstelling tot de vorige keer had het zand niet meer die intens witte kleur, eerder vuilgrijs en ook de golven die langzaam op het strand rolden, hadden een bruine schuimkraag.

Kate draaide zich om en zoals verwacht waren de anders zo statige palmbomen omgeknakt en droegen ze geen kokosnoten. De palmbladeren lagen als trieste hoopjes op de grond en de bloemen eromheen waren totaal kleurloos.

Van hieruit hadden Dille en Kate de zee in moeten lopen om naar het volgende landschap te gaan en de watergeesten of undines hadden hen bij deze overgang vergezeld, maar Kate vermoedde dat de undines, net als de sulfiden, nu zouden ontbreken.

'Ik vind het hier griezelig.' Codie huiverde. 'Het voelt aan als een nachtmerrie. Tegennatuurlijk.'

'Ik ben het helemaal met je eens en ik denk niet dat de Raad zich hier bevindt.'

-Daar heb je gelijk in, Kate. Klaar?

Codie wist genoeg toen Kate haar vingers door die van hem haakte. *Dan nu naar het berglandschap*, herinnerde Kate zich.

Ze landden niet op de grond, maar op de smalle richel van een berg, op een hoogte van zeker zestig meter. Codie schrok zich wezenloos en zwaaide vervaarlijk met zijn armen, in een natuurlijke reflex om zijn evenwicht te bewaren. Kate, die nog steeds zijn hand beethad, verloor daardoor haar eigen evenwicht. De losse stenen onder haar voeten schoven weg. Ze probeerde nog snel een uitstekende tak te grijpen.

Maar het was te laat. Met een rotvaart tuimelden ze van de berg af. Kate zag de grond snel naderen, te snel.

Toen stonden ze opnieuw op de bergrichel.

Nadat ze van de ergste schrik hersteld was, vroeg ze met de bibber in de stem: 'Deed jij dat?'

Codie, met grote ogen en een lijkbleke gelaatskleur, antwoordde: 'Ja, net op tijd, hé.'

Kate sloeg haar armen om hem heen. 'Je hebt ons leven gered! Dank je!'

Codie glimlachte schaapachtig, maar hield zijn blik op de afgrond gericht. 'Als ik niet zo stom had staan wiebelen, waren we niet eens gevallen.'

Zou Hecate Codie daarom meegestuurd hebben? Had ze het geweten? Nee, dat kwam Kate nogal dom over, want dan zou ze hen meteen op de grond en niet op die gevaarlijke richel geplaatst hebben.

Kate liet hem los, maar hield beschermend een hand tegen zijn borst gedrukt, zodat hij niet opnieuw kon vallen. 'Hecate had ons wel op de grond mogen zetten.'

Voorzichtig keek ze naar beneden, waar ze zicht had op de bruine kruinen van de eens zo groene dennenbomen. Het grastapijt was eveneens niet meer groen, maar vertoonde donkere vlekken en grijze, modderige kleuren.

‘Pas op!’ Codie trok Kate naar zich toe.

Net op tijd. Een rotsblok zo groot als een voetbal donderde langs haar heen. Als ze niet door Codie opzij getrokken was, dan was de rots pal op haar hoofd beland. En misschien had ze dan wel meerdere levens, ze wist echter niet hoeveel; het konden er evengoed maar twee zijn.

‘Je hebt me weer gered!’ Kate kuste zijn wang. Ze rook zijn muskusachtige shampoogeur en wist dat ze verder in deze omgeving helemaal niets zou ruiken. ‘Mijn beschermengel.’ Ze kon zijn uitdrukking niet zien omdat ze te dicht tegen hem aanstond, maar ze durfde erom te wedden dat hij bloosde.

‘De berg is aan het afbrokkelen,’ constateerde ze toen ze omhoog keek.

-Hecate! Haal ons hier weg als de Raad er niet is. Nu! gilde ze telepathisch en trok Codie nog dichter tegen zich aan.

In een flits kwamen ze in een pikdonkere omgeving terecht. Zo intens zwart dat er werkelijk niets te zien was, behalve henzelf. Het voelde erg benauwend aan en iemand met claustrofobie zou hier ongetwijfeld psychisch beschadigd uitkomen.

‘Eng,’ zei Codie, maar zijn stem klonk alsof hij het fascinerend vond. ‘Er is hier werkelijk niets.’

‘Ja.’ Zelfs de vuurgeesten, de salamanders, ontbraken, dacht Kate. ‘Het zal vast een proeflandschap zijn voor iets, net als die andere.’

‘Proeflandschap?’ Het wit van Codies ogen werd groter.

‘Euh… nou, het zou kunnen. Laat maar.’

Codie voelde dat Kate iets achterhield, maar hij was er de persoon niet naar om verder aan te dringen.

-Loop door, Kate, ik denk dat de Raad zich op de plaats bevindt waar de gnomen normaal verbleven. Dat vermoedde ik al, vandaar dat ik Codie meegestuurd heb. Vanaf die plaats kan ik jullie niet terugbrengen, want ik mag er niet eens komen. Door jullie naar deze dimensie te brengen, ben ik al over de grens gegaan. Het is Codies taak om jullie veilig thuis te krijgen. Succes!

'Gnomen?' vroeg Codie.

'Geen idee,' antwoordde Kate. 'Ik denk dat het aardelementalen zijn.'

Meer kon ze niet vertellen. Wat haatte ze het toch om te liegen, maar ze had het beloofd. De prijs voor kennis viel haar nu uitermate zwaar; ze wilde niets liever dan de anderen inlichten over haar geheime informatie en zeker Codie. Hij had nu tweemaal haar leven gered en bovendien achtte ze hem intelligent genoeg om met de kennis om te kunnen gaan. Misschien zou ze Hecate eens vragen of ze alleen de groep op de hoogte mocht brengen.

'Lukt het je om ons naar huis te teleporteren?' vroeg Kate.

'Ik hoop het.' Codie beet nerveus op zijn onderlip. 'Zo vaak heb ik nog niet tussen twee dimensies geteleporteerd en dan nog maar enkel tussen Ratio- en Emowereld.'

'Als Hecate eraan getwijfeld had of het je zou lukken, zou ze het risico niet genomen hebben, Codie. Het lukt je vast wel.' Ze knipoogde naar hem.

'Kate?'

'Ehum?'

'Wat vertelde Hecate je over je stamboom? Het was duidelijk dat ik, of wie dan ook, het niet mocht weten, maar het was ook duidelijk dat het over je voorouders ging.'

'Ik heb zwijgplicht, sorry.' Kate trok haar schouders op.

'Oké, ik begrijp het.'

Codie en Kate liepen rechtdoor, al was dat moeilijk te bepalen wanneer je geen steek voor ogen zag; evengoed liepen ze in rondjes. En zonder de salamanders die hen normaal gezien zouden begeleiden, had Kate geen flauw idee of ze de goede richting opgingen.

'Daar.' Kate wees. 'Ik zie een lichtbron.'

Kate voelde de opluchting door zich heen sidderen en versnelde haar pas. Licht! Je besefte pas hoe waardevol licht was, wanneer je een poosje in een compleet lichtloze omgeving had doorgebracht. De nacht op zijn zwartst leek op een heldere, zonnige dag in vergelijking met de plaats waar ze zich nu bevonden.

De lichtbron vergrootte aanzienlijk met elke pas die ze dichterbij kwamen, tot ze er uiteindelijk doorheen liepen. Kate blikte opzij en grijnsde toen ze Codies verrukte uitdrukking zag, want het was alsof je je in het midden van het heelal bevond, omgeven door talloze sterren. Er heerste een rust en sereniteit die met niets te evenaren viel.

'Ik probeer contact met de Raad te maken,' fluisterde Kate. 'Volg het gesprek maar telepathisch mee.'

'Waarom fluister je?' vroeg Codie terecht.

'Ik weet het eigenlijk niet. Het lijkt hier zo te horen, vind ik.'

Kate sloot haar ogen en concentreerde zich op de Raad.

-Wat doe je hier, Kate De Lille?

De stem in haar hoofd klonk beschuldigend, maar ook vermoeid.

-Wat ik hier doe? Wat doen jullie hier? kaatste Kate de vraag terug.

-Bijkomen.

-Bijkomen? Zijn jullie nou helemaal de weg kwijt of zo? De wezens en mensen uit de andere twee dimensies hebben jullie nodig!

Er volgde geen antwoord, enkel een zwaar beladen zucht.

-We proberen jullie al een poosje te bereiken! Er zijn allerlei problemen in de twee werelden gaande, dingen waar we geen vat op hebben en de boel in de war sturen.

-We hebben de oproepen niet gehoord. Trouwens, het is niet iets wat jullie zelf niet aankunnen, dus laat ons met rust, Kate.

-Niets wat... potverdorie! Kate stampte op de inktzwarte grond. -Er zijn vortexen die als paddenstoelen uit de grond schieten! Veel meer dan gewoonlijk. Alleen jullie hebben blijkbaar invloed op die vervelende dingen en alleen jullie kunnen dat dus oplossen!

-Nu niet, Kate.

-Nu niet? Nu niet? Is dat alles wat jullie te zeggen hebben?

Ze brieste bijna van pure woede. Meer dan ooit wenste ze dat de raadsleden een lichaam hadden, zodat ze hen een stomp kon verkopen, aan hun haren kon trekken, wat dan ook om haar frustratie op te botvieren.

-Zoals we zeggen: nu niet.

Kate hoefde niet lang na te denken over haar volgende woorden.

-Planeet Mars!

-...

-Planeet Mars! herhaalde Kate luider.

Ze hoorde de Raad hun adem inhouden. Codie stootte haar aan en keek vragend naar haar op. Kate maakte een gebaar dat ze het hem een andere keer zou uitleggen. Hij knikte met een geamuseerd lachje om zijn lippen.

-Wat weet je daarvan?

Het was de eerste maal dat Kate angst in de stemmen van de Raad hoorde. Hecate had niet overdreven, ze waren werkelijk van slag.

-Genoeg om iedereen ervan op de hoogte te brengen, antwoordde Kate, al was dat een grote leugen.

-Goed dan. Wat wil je weten? Maar vertel niemand over Mars, wil je?

-Zijn die vortexen verschenen door jullie toedoen?

-...

-Nou? drong Kate aan. -Ik ga hier niet weg voor jullie me antwoord geven. Op alles!

-Ja. De vortexen en de toename in dimensiescheuren gebeurden door ons.

-Hoezo dan? Waarom doen jullie ons dat aan?

Ze voelde Codie dichter naar haar toe schuifelen, alsof hij bescherming bij haar zocht.

-We doen het niet opzettelijk.

Nu klonken ze eerder als jammerende kinderen.

-Oké, maar waardoor komt het dan?

-We hadden ruzie.

-Ruzie?

-Ja, onderlinge meningsverschillen. Ruzie ken je toch?

-Natuurlijk ken ik dat! Jeetje. Maar…

-Wij kunnen het ook oneens worden, net als de stervelingen.

En eigenlijk wist ze dat al, want daarom hadden sommige raadsleden zich indertijd van de oorspronkelijke groep afgesplitst om andere werelden te creëren en zich uiteindelijk zelfs definitief in Emowereld gevestigd.

-Dus een simpele ruzie bij jullie heeft als gevolg dat er zich vortexen vormen, met alle gevolgen van dien?

-Klopt. Vortexen zijn onze emotionele uitlaatkleppen, vergelijkbaar met tranen bij verdriet.

Het klonk niet alsof ze er spijt van hadden, vond Kate. Maar goed dat ze dan geen verdriet hadden, wat zou er dan wel niet gebeuren? Een tsunami die beide werelden in een ruk weg zou vagen? Kate wist dat de Raad alle drie de werelden gecreëerd had, enkel met de kracht van hun geest. Dat bracht haar op een volgende vraag, al was ze bang dat ze haar, doordat Codie erbij was, het antwoord schuldig zouden blijven. Het was Codie echter die haar aandacht trok, door haar aan te tikken.

Ze keek hem aan en hij fluisterde: 'Als ze een dergelijke invloed hebben, dan moeten ze logisch bekeken toch de scheppers van Ratio- en Emowereld zijn?'

Kate schokschouderde en twijfelde hoeveel ze aan hem kwijt kon.

Codie vervolgde: 'Vraag het hen dan.'

Kate kende het antwoord, maar om haar rol als onwetende niettemin vol te houden, vroeg ze:

-Hebben jullie onze werelden geschapen?

-Wat we nu gaan vertellen, mag niet verder verteld worden.

Kate hoorde hoe Codie zijn adem gespannen inhield.

-De geest van elk levend wezen bevat twee toestanden: slaap en waak. Als tegenpool voor Emowereld, de slaap, hebben we Ratiowereld gecreëerd, de waak. Beide werelden samen vormen dus onze geest. De werelden zouden onbestaande zijn, als wij er niet waren, maar we zijn oneindig, dus ze zullen nooit ophouden te bestaan.

-Dus om het eenvoudig te verwoorden, onderbrak Kate hen, -als jullie wel zouden sterven, dan lossen de werelden op?

-Zoiets, ja. Alles, het hele universum is een soort van holografische illusie, een projectie van onze geest. We leven verspreid doorheen dat universum en hier en daar creëren we leven op planeten. Het is ingewikkelder dan dat, maar het komt erop neer dat alles veranderbaar en niet echt aanwezig is, behalve in ons hoofd. Vroeger hadden wij onze beperkingen. Toen onze oorspronkelijk gecreëerde wereld ophield te bestaan, door natuurlijke evolutie, hadden we de kracht nog niet om deze te redden. Natuurlijke evolutie ontstaat nou eenmaal, dat kunnen we niet tegenhouden. Zie het als een geblazen glas dat uiteindelijk toch ooit zal breken. Maar nu zouden we wel een wereld kunnen behoeden van ondergang, want ook onze geest, kracht en intellect evolueren, net als bij andere levende wezens.

Het was voor Kate al ontzettend veel om te bevatten, maar zeker voor Codie, want Kate had geweten dat ze de scheppers waren. Voor Codie echter kwam alles als een koude douche op hem neer. Holografische illusies? De twee werelden niet meer dan een projectie van een slapende en wakende kant van hun brein? Maar alles voelde toch echt aan? Ze konden toch dingen aanraken? Planten groeiden, wezens stierven. Het klonk tegenstrijdig en ook weer niet.

De Raad vervolgde: -We hebben geen vat op de individuen zelf. Er is nog altijd de eigen wil van elk wezen. Als ze moorden, dan is dat niet omdat wij dat willen, maar hun eigen keus. Je kunt het vergelijken met het schrijven van een boek. De auteur weet waar hij heen wil, en toch zullen sommige wendingen en personages hun eigen weg gaan. Het was nooit onze bedoeling dat beide werelden elkaar zouden leren kennen, behalve dan in functie van het dromen. Deze evolutie kwam geheel autonoom...

Hier laste de Raad een pauze in en Kate vroeg zich af waarom. Het was alsof ze van dat laatste niet helemaal overtuigd waren.

-En trouwens, we hebben elke wereld met een zekere vorm van zelfredzaamheid achtergelaten. In Ratiowereld zorgt de natuurlijke evolutie voor het behoud van leven en in Emowereld zorgen de krachten van verschillende wezens voor de natuur, zoals de weerwolven voor het weer en de elfen en deva-engelen voor de flora.

Kate concludeerde: -Daarom bemoeien jullie je niet graag met ons.

-Inderdaad. We houden een oogje in het zeil, dat is alles. Als zogenaamde ouders moeten we de kinderen loslaten.

En net zoals ruziënde ouders onuitwisbare stempels op hun kinderen drukten, zo hadden de meningsverschillen tussen de raadsleden ervoor gezorgd dat er een massa vortexen verschenen. Kate begon het langzaam te begrijpen, al was het nog steeds nauwelijks te bevatten informatie.

-Houdt het nu op? vroeg Kate. -Die vortexen, bedoel ik.

-We zijn er bijna uit, ja. Er zijn nog een paar dwarsliggers.

-Mag ik vragen waar jullie ruzie over hadden?

-Sommigen onder ons wilden de verbinding tussen Ratio- en Emowereld scheiden, de dromende verbinding.

-Waarom?

-Omdat er, doordat beide werelden elkaar ontmoet hadden, de laatste tijd alleen maar problemen waren. Al die problemen bezorgden ons een ongelooflijke koppijn.

-En de anderen? Degenen die het er niet mee eens zijn?

-Die beseffen maar al te goed dat je twee hersenhelften niet zonder gevolgen kunt scheiden. Koppijn of niet, we moeten bij wijze van spreken maar aspirientjes gaan slikken tot de vrede hersteld is.

-Conclusie?

-Degenen die koppig de werelden nog altijd willen scheiden, moeten maar verhuizen naar een andere dimensie. Wees gerust, Kate, de scheiding tussen beide dimensies zal niet gebeuren.

Kate en Codie lieten gelijktijdig een opgeluchte zucht horen.

-Nog één vraagje.

Nu Codie op de hoogte was, kon ze het gerust vragen. -Wat is er aan de hand met de verschillende proeflandschappen en waar zijn de elementalen?

-We zijn geestelijk meer met de elementalen verbonden dan met welk ander wezen ook. Ze lijden onder het feit dat wij in de clinch met elkaar liggen, hebben zich verscholen en bijgevolg worden de landschappen niet onderhouden. Ze komen wel weer terug, zodra wij onze zaken op orde hebben. Als we ons niet vergissen dan hebben de emowezens, omdat die als een van de eersten gecreëerd werden, er waarschijnlijk veel last van gehad. En dan bedoelen we dat het verklaart waarom ze neerslachtig en agressief rondliepen. Normaal hebben de ratiomensen er het minst onder geleden.

-Nogal ja, dat viel inderdaad op. Bedankt voor jullie eerlijkheid. En praat het uit, wil je!

De Raad verbrak de verbinding.

'Waw,' zei Codie, nog danig onder de indruk. 'Zij zijn dé Goden.'

'O nee! Zeker niet! Ik wist al langer dat ze onze werelden geschapen hadden, Codie, maar ik moest het voor mezelf houden en dat moet jij nu ook doen!' Het laatste zei ze op strenge toon.

'Natuurlijk,' zei Codie snel.

'En bovendien willen ze niet als Goden aanzien worden, omdat dat alleen maar negatieve gevolgen met zich meebrengt! En ze zijn ook geen Goden. Hecate vergeleek hen met kunstenaars die prachtige beelden of schilderijen creëren. Het zijn scheppende wezens, niet meer en niet minder.'

'Ik begrijp het.' Maar toch voelden ze als Goden aan, besloot Codie voor zichzelf.

'Nou, Codie, klaar om je kunstje uit te voeren?'

Er verscheen een nerveuze blik in zijn ogen en hij beet op zijn onderlip, maar toen knikte hij en nam Kates hand beet.

Kate hield haar ogen nog steeds krampachtig gesloten, tot ze Codies opgewekte stem hoorde.

‘Het is gelukt! We zijn er!’ De opluchting klonk duidelijk door.

Ze stonden midden in de woonkamer van Gehlen, waar de anderen hen geschrokken aanstaarden.

‘Ik heb ons allebei vanuit een andere dimensie geteleporteerd!’ riep Codie, niet zonder enige trots. Hij maakte zelfs een vreugdedansje. Kate, die nog steeds Codies hand vasthield en daardoor mee moest dansen, schoot in de lach.

‘We zijn blij dat jullie heelhuids terug zijn.’ Gehlen stond op en verbaasde iedereen door hen met zijn enorme armen allebei tegelijk te omhelzen.

‘Gehlen, je plet me!’ riep Kate lachend uit.

‘En ik krijg geen adem meer,’ klonk het gesmoord van Codie.

Gehlen liet hen los.

‘Koffie!’ zei Kate meteen. ‘Ik heb een immense behoefte aan cafeïne!’

‘Ik haal wel een verse pot,’ bood Dille aan en verdween naar de keuken. ‘Wacht met vertellen tot ik terug ben!’

Kate en Codie gingen naast elkaar op de bank zitten. Meer dan ooit voelden ze zich door het gemeenschappelijk avontuur verbonden, maar ook door de bijzondere kennis die ze nu deelden. Kate kromp ineen door de liefdevolle blik waarmee Kalon haar aankeek. Ze glimlachte hem vluchtig toe en sloeg haar ogen neer.

‘Kate, wat zijn feeën voor wezens?’ vroeg Codie.

Kalon grijnsde en Gehlen trok vragend zijn wenkbrauwen op.

‘Heb je er een ontmoet?’ vroeg Kate met een scheef lachje om haar lippen.

‘Ja.’ Codie staarde verlegen naar de grond. ‘Ze heet Sofie.’

‘En nu wil je natuurlijk weten of ze net zo promiscue is als een sirene.’

Codie knikte.

‘Nee, dat zijn ze niet. Althans, laat ik het zo stellen. Alle emowezens denken natuurlijk nogal vrij over seks en relaties, maar er zijn er enkele die uit de band springen, zoals de sirenes. Feeën kunnen best monogaam zijn, als jij dat van haar verlangt. Zorg dat ze het duidelijk begrijpt en vertel het haar dus meteen.'

'Nou nee, zo ver zijn we nog niet, hoor, ik bedoel… ik heb haar nu tweemaal ontmoet en…'

Kate grinnikte. 'Vertel het haar voor jullie echt serieus aan de gang gaan, goed?'

'Ja, prima.'

Gehlen schraapte zijn keel. 'Natasha zit erover te denken om, als gezelschap voor Arle, een hond te nemen.'

'Leuk!' riep Kate. 'Dat zal Ewok fantastisch vinden.'

'Ze is niet zo tuk op andere honden, hoor' zei Kalon. 'Laatst kwamen we twee dromende honden tegen en ze was er niet zo van gecharmeerd.'

'Dat was omdat ze droomden. Ik stel voor dat je dan een boxer neemt of een pitbull of zo. Volgens mij valt ze op stoere kerels,' grijnsde Kate.

'Hoe kan ze die meester?' vroeg Codie. 'Ze is zo klein en tenger.'

'Vergis je niet,' antwoordde Kalon. 'Die fragiele act is juist haar sterkte, ze wordt erdoor onderschat. Ik heb liever haar dan een Duitse herder als waakhond.'

'Als ze haar muil opendoet is het net een omnibol: twee rijen uiterst scherpe tanden in ontzettend krachtige kaken. Ze laat niet los tot ze haar zin krijgt.'

Daar moesten ze allen om lachen.

'Wat heb ik gemist? Ik hoorde iets over Ewok en pitbulls.' Dille had een volle pot verse koffie bij zich en schonk ieder een kopje in, waarbij ze een beetje morste. 'Sorry, vermoeidheid, denk ik.'

'Vertel nu eens.' Gehlen ging op de stoel zitten.

'Het zal zichzelf oplossen,' antwoordde Kate en ze wierp een veelbetekenende blik naar Codie. *Pas op wat je zegt!*

'Hoe bedoel je?' vroeg Kalon.

'We hebben de Raad gesproken en ze zullen er iets aan doen.'

'Dus ze hebben inderdaad invloed op de vortexen?' vroeg Gehlen.

'Ja, ze kunnen ze laten verdwijnen.'

'Hoe dan?' vroeg Dille, die van haar koffie nipte.

'Dat hebben ze er niet bij gezegd.'

'En de oorzaak dan van die vortexen. Dat is er dan nog steeds,' zei Gehlen.

'Euh, dat...'

Codie kwam haar ter hulp. 'De vortexen waren uit zichzelf ontstaan, niet door toedoen van iets of iemand anders.'

Kalon goot de hete koffie in een slok naar binnen. 'En waarom liet de Raad niets van zich horen?'

'Ze hoorden de oproepen niet, zaten in een andere dimensie.'

'Nou ja, zeg dat ze dan een telefoon nemen of een uurwerk met een roze straal, zoals die van ons,' zei Dille.

Kate proestte het uit waardoor de koffie alle kanten op sproeide. Dille grinnikte en toen de anderen eveneens begonnen te lachen, was er geen houden meer aan. De opluchting dat alle problemen gauw voorbij zouden zijn, het prachtige weer buiten, het onder vrienden zijn, het droeg allemaal bij aan de blijdschap die ze op dat moment voelden.

'Wat is er hier aan de hand?' Natasha stond in haar kamerjas in de deuropening. Ze keek slaperig uit de ogen.

'Het komt allemaal in orde,' grinnikte Gehlen nog na. 'En indien niet, dan sturen we Ewok op de Raad af.'

Een nieuw lachsalvo volgde. Natasha stond er wat onwennig bij, grijnsde toen en zei: 'Nou, dat is goed nieuws. Ik wist wel dat het jullie zou lukken. Ik ga me aankleden, ik moet zo lesgeven. Schat?'

'Ja?'

'Kun jij Arle even een flesje geven? Ze is wakker.'

'Doe ik meteen.' Gehlen sprong op.

'Gehlen, ik ga ervandoor. Ik wil Melfo nog even spreken. De lucht wat klaren,' zei Kate.

'Spreken we hier vanavond af voor een feestje om de goede afloop te vieren?' vroeg Gehlen en keek iedereen een voor een aan.

‘Dat is een uitstekend idee,’ zei Kate en stond op. De anderen waren het er volkomen mee eens.

Voor ze vertrok liep Kate naar Codie en fluisterde in zijn oor: ‘Dat van Mars, daar weet ik ook het fijne niet van. Hecate vertelde me alleen dat ze met die planeet een grote fout hebben gemaakt en dat ze zich daar nog altijd voor schamen. Ze wist dat ik hen daarmee kon overtuigen om de waarheid te zeggen.’

Codie grinnikte en antwoordde: ‘Ik ken die planeet, hij ligt in ons zonnestelsel. We hebben het er later wel eens over.’

56 Emowereld: dag 7

"We hopen dat ze je vleugels geven, zodat je overal kunt komen, dat je terugkomt in onze dromen, en met ons meevliegt in ons leven."

Onbekend

Kate was net buiten, toen Dille haar achternaholde en riep.

'Ik heb nog wat voor je,' zei ze en rommelde in de tas van haar laptop. 'Hier.'

Ze legde de twee presse-papiers die ze in Kunulu gekocht had in Kates hand.

'Die zijn prachtig! Dank je.' Kate gaf Dille een zoen.

'Ik wilde er eerst een voor mezelf houden, maar ik wil dat je die aan Melfo geeft. Zo weet hij zeker dat je hem niets kwalijks neemt.'

'Je bent ontzettend lief, Dille.' Kate voelde een brok in haar keel.

'Ga nu niet huilen,' zei Dille zacht en legde haar hand op die van Kate.

'Ik heb zo rot tegen jullie allemaal gedaan, zo vreselijk egoïstisch.'

Dille ging op haar tenen staan en zoende vluchtig Kates wang. 'Laten we het erop houden dat een vortex de schuldige was, ja? Die kans is namelijk erg groot.'

Dat was niet helemaal waar, maar dat kon Kate niet vertellen. Verdorie, het was niet eerlijk dat ze, tegen de mensen van wie ze zoveel hield, moest liegen.

'Ga nu maar naar Melfo. Hij zit waarschijnlijk nog in zak en as.'

Kate knikte. 'Nog eens bedankt.'

Dille wuifde deze weg en keerde om naar het huis. Kate zag nog, door het raam van de woonkamer, een vluchtige glimp van Kalon die haar met trieste ogen nastaarde. Opnieuw voelde ze tranen opkomen, maar ze draaide zich snel om en vervolgde haar weg naar het elfenbos. Ze stopte beide keien in de zakken van haar rok en besloot contact met Ewok te zoeken.

-Ewok? Ben je ergens dichtbij?

Als ze in de flat aanwezig was, dan zou de telepathische boodschap niet door het beschermschild kunnen doordringen. Ah nee, natuurlijk was ze niet in de flat; ze verbleef nog steeds bij Kalon en Codie.

Kate probeerde het nog eens. -Ewok?

Geen antwoord. Kate zuchtte en liep sneller door.

Ze besloot langs de buitenste rand van Hoofdstad te blijven en het centrum links van haar te vermijden. Het zou iets langer duren, maar dan liep ze niet het risico op oponthoud.

Algauw kwam ze in het elfenbos aan en het viel haar meteen op dat de magie van het bos herstellende was. Haar huid tintelde weldadig en ze voelde vreugde en schoonheid in haar hart en hoofd. Tevreden snoof ze de elfenmagie op. Ze voelde dat ze in de buurt van Melfo kwam, alsof hij voorzichtig tegen de binnenkant van haar schedel tikte. Een klein, bloemrijk veldje verscheen in haar blikveld en ze stapte er resoluut op af.

'Hallo, Kate.'

Kate draaide zich om en zag haar overgrootvader staan. Hij leek weer op de oude Melfo: gekleed in een prachtig, zilvergroen gewaad dat één leek met de boombladeren en de omringende struiken, lange weelderige, grijze haren, die de indruk wekten dat ze uit gesponnen Botswana-agaat bestonden en een perfect egale huid die schitterde in de zonnestralen. Enkel zijn ogen stonden dof en vol zorgen.

'Melfo!' Ze vloog op hem af en omhelsde hem stevig, daarmee de elfengebruiken aan haar laars lappend.

Hij sputterde niet tegen, zoals hij anders zou gedaan hebben.

Sterker, hij sloeg zijn eigen armen om haar heen en drukte haar tegen zich aan.

'Lieve kleindochter, ik verdien je bezoek niet,' bracht hij met gebroken stem uit.

Kate hoorde het slaan van zijn rustige hart, rook jasmijn, dat als een aureool om hem heen hing, en voelde zich thuis.

'Opa, ik ben niet boos op je, ben ik nooit geweest. Dat vertelde ik je toch in het ziekenhuis!' Met haar een meter negentig was Kate nu niet bepaald klein, maar Melfo stak daar nog ruim een hoofd bovenuit, dus gaf ze hem een zoen op zijn borst.

'Je bent te goed voor me,' zei hij zacht.

Kate maakte zich uit de omhelzing los en keek hem diep in de ogen aan. 'Het was een ongeluk, Melfo en bovendien waren er krachten aan het werk waar niemand tegen bestand was.'

'Zelfs de elfen niet,' voegde Melfo eraan toe en knikte.

'Zelfs de elfen niet.'

'Ik heb de indruk dat het voorbij aan het gaan is.' Melfo keek om zich heen, alsof het bewijs tastbaar in de lucht hing. En dat was het eigenlijk ook.

'Zo goed als. Ik heb, samen met Codie, een bezoek aan de Raad gebracht en ze lossen het op.'

'Je bent zo dapper, mijn kleine meid, al had ik nooit verwacht dat het jullie fantasiejagers zou lukken. Ik voelde dat het probleem nogal veelomvattend was.'

'Dat moedige zal ik wel van jou en mijn andere voorvaderen hebben.'

'Tja.' Melfo grijnsde. 'Misschien wel van Hyperion.'

'Hyperion?'

'Heb ik je nooit verteld dat een van mijn erg verre voorvaderen een hogere elf is? Hij heet Hyperion.'

Kate schudde haar hoofd. Meteen flitste door haar heen: *hogere elfen bestaan niet, het zijn in feite raadsleden. O, mijn hemel, ook aan grootvaders kant heb ik een raadvoorouder.*

‘Het verklaart jouw gave om in het hoofd van anderen te kunnen kijken, iets wat andere elfen niet kunnen,’ zei ze.

‘Misschien, maar ik dacht niet dat hogere elfen dat konden, dus... Het maakt ook niet uit.’

Hij lachte haar stralend toe. ‘Je hebt mijn dag goedgemaakt, Kate De Lille. Ik zat er nog behoorlijk mee in mijn maag.’

‘Heb je Drake nog gesproken?’

‘Ja, vluchtig. We voelden ons allebei ongemakkelijk, maar we hebben onze wederzijdse excuses aangeboden.’

‘Goed, ik ga zo nog bij hem langs.’

‘Dat moet je zeker doen. Waar is Ewok, trouwens?’

‘Dat is een lang verhaal, Melfo.’ Ze hoopte dat hij de schuldbewuste blik in haar ogen niet zou zien.

‘Gaat alles wel goed tussen jou en Kalon?’

‘Niet echt, nee, dat moet ik nog oplossen. Ik heb hem behoorlijk gekwetst, Melfo.’

Melfo keek haar begrijpend aan. ‘De laatste dagen hebben veel wezens elkaar meer dan behoorlijk gekwetst, Kate. Ik weet zeker dat Kalon het je vergeeft.’

‘Ik hoop het.’

‘Ga dan naar hem toe.’

‘Ja.’ Kate zuchtte diep. ‘Wacht eens even.’ Ze haalde een kei uit de zak van haar rok en overhandigde het aan Melfo.

‘Mooi,’ zei hij.

‘Voor jou. Geen negatieve gevoelens meer.’

Melfo glimlachte. ‘Ik zal het koesteren en op de meest vruchtbare en geurende plaats van het elfenbos bewaren.’

Kate ging op de toppen van haar tenen staan en zoende zijn wang. ‘Tot later nog eens, opa.’

‘Het ga je goed, mijn lieve kleindochter.’ Hij draaide zich om en verdween tussen het gebladerte.

Kate bleef nog een poosje naar de plaats waar Melfo verdwenen was staren en liep toen dezelfde weg terug die ze genomen had.

Het was een bewogen week geweest.

Haar visie op de werelden zou nooit meer dezelfde zijn, besefte ze. De woorden van haar vader waren hier opnieuw van toepassing: 'Hoe meer kennis, hoe meer zorgen.'

Het feit dat beide werelden eigenlijk niet meer dan holografische projecties waren, ontsproten uit het brein van krachtig mentale wezens, zette alles in een ander daglicht. Eigenlijk zorgde het ervoor dat ze de dingen beter zou kunnen relativeren, maar anderzijds zou ze moeten oppassen dat ze daardoor niet onverschilliger werd.

Niets was blijkbaar echt! Zo mocht ze echter niet denken. Tenslotte waren de werelden nu grotendeels autonoom functionerend en bovendien hadden de bewoners een eigen vrije wil. Het maakte dus wel nog een verschil wat ze wel of niet deed.

Allereerst moest ze haar grootvader Drake geruststellen.

Ten tweede kon ze een gesprek met Kalon niet langer uitstellen. Ze verwachtte dat ze zich duizendmaal zou moeten verontschuldigen en bereidde zich voor op een heleboel gesmeek van haar kant. Maar ze zou haar best doen, haar uiterste best. Want meer dan ooit besefte ze dat ze niet zonder hem kon, dat hij haar aanvulde op een wijze die meer dan liefde en vriendschap was.

Ten derde had ze heel wat goed te maken bij Ewok. Dat zouden dus de komende weken pizza's en lange wandelingen worden.

En haar volgende missie, afgezien van die met de fantasiejagers: het achterhalen van haar voorvader, de man die Hecate zwanger had gemaakt. Dat Hecate daar het antwoord op wist, maar nooit zou vertellen, hield haar niet tegen. Ze zou er wel op haar eigen houtje achter komen. De aanhouder wint, hield ze zichzelf voor.

Met het restje elfenmagie dat nog steeds aan haar huid kleefde, voelde ze zich sterk genoeg om elk nieuw probleem aan te kunnen.

Haar polshorloge lichtte roze op.

Nou, ze zou het meteen kunnen bewijzen.